¡Vamos a leer!

HOLT, RINEHART AND WINSTON

New York   Toronto   London

¡Vamos a leer!

Unified Spanish

THIRD EDITION

Sturgis E. Leavitt

Sterling A. Stoudemire

The University of North Carolina
(Chapel Hill)

1234567890 074 987654

Library of Congress Catalog Card Number: 67-10865
Printed in the United States of America
ISBN: 0-03-061725-1

ƺ PREFACE

The third edition of *¡Vamos a leer!* has been subtitled "Unified Spanish" because, although it consists mainly of reading selections, it is more than just a reader. Since the readings are preceded by an introductory section, complemented by "Preparación" and "Ejercicios," and accompanied by magnetic tape recordings, *¡Vamos a leer!* presents an approach to learning Spanish through cultivating all the skills needed in acquiring a foreign language: listening and speaking, reading and writing.

In this new edition, we have included Alarcón's *El sombrero de tres picos*, unabridged, as it was printed in 1874. Factual information in the chapters on Spain and Spanish America ("Primera Parte") has been brought up to date. A sixteen-page map atlas, "El mundo hispánico," has been added; and entirely new photographs and drawings have been chosen to illustrate the readings.

A complete tape program accompanies the text. All the readings have been recorded, together with oral exercises. *El sombrero de tres picos* is read in its entirety.

S. E. L.
S. A. S.

₹ÍNDICE

Introducción
  Vocabulary   3
  Cognates   5
  The Verb   9
  Idioms   14
  Word Order   16
  Use of the Dictionary   19

Primera Parte
  1 España   22
  2 El idioma español   26
  3 La historia de España   31
  4 Cristóbal Colón   35
  5 La América del Sur   40

Segunda Parte
  6 Los dos perros   (MIGUEL DE CERVANTES SAAVEDRA)   46
  7 El pescador   (JUAN VALERA)   53
  8 La ajorca de oro   (GUSTAVO ADOLFO BÉCQUER)   60
  9 Vuelva usted mañana   (MARIANO JOSÉ DE LARRA)   69
  10 Golpe doble   (VICENTE BLASCO IBÁNEZ)   76
  11 El voto   (EMILIA PARDO BAZÁN)   83
  12 La cita   (EMILIA PARDO BAZÁN)   89
  13 El parásito del tren   (VICENTE BLASCO IBÁÑEZ)   95
  14 El talismán   (EMILIA PARDO BAZÁN)   102
  15 El castellano viejo   (MARIANO JOSÉ DE LARRA)   110
  16 El libro talonario   (PEDRO ANTONIO DE ALARCÓN)   117
  17 El afrancesado   (PEDRO ANTONIO DE ALARCÓN)   125
  18 La buenaventura   (PEDRO ANTONIO DE ALARCÓN)   134

Tercera Parte
  El sombrero de tres picos, (PEDRO ANTONIO DE ALARCÓN) 146
        (unabridged)
      Preparación y Ejercicios   233

Lista de palabras y modismos   i

El mundo hispánico (map atlas)

Introducción

Vocabulary

A broad and well selected vocabulary is necessary for anyone who wishes to succeed in language study—for reading, writing and speaking. A vocabulary is made up of words, and words are the names of *things, ideas, actions,* etc. Every sentence, simple or complicated, is composed of words.

There are certain devices which will aid in acquiring a wide vocabulary with a minimum of time and effort. There are, for example, many words in English and Spanish that are alike, or very much alike, in form and meaning. There are other words in Spanish that can be associated with English words that will suggest the meaning.

There are many Spanish words that have no relationship to English words. It is the best plan to memorize these when they first appear in the reading material. It is a good idea, too, to check each word in the margin of the list of words at the end of this book every time that you have to look it up. In this way you will be able to see the words which are most common, and determine the ones that seem difficult to remember. It is helpful to keep a list of the words that present real difficulty and look at it often.

❦ SIMILARITIES IN VOCABULARY

There are many Spanish and English words which are absolutely alike both in spelling and meaning, but not in pronunciation. Examples of such words, to which you will be able to add many others:

admirable	criminal	invisible	perfume
animal	chocolate	laurel	personal
brutal	fatal	liberal	probable
canal	final	mental	sentimental
capital	hospital	metal	sublime
central	idea	natural	superior
civil	imperial	noble	total
considerable	inferior	notable	visible

There are many more Spanish and English words which are almost alike in form and meaning.

absurdo	*absurd*	experiencia	*experience*
abundancia	*abundance*	falso	*false*
actividad	*activity*	famoso	*famous*
acusar	*to accuse*	industria	*industry*
artista	*artist*	interés	*interest*
aventura	*adventure*	meditar	*to meditate*
capitán	*captain*	moderno	*modern*
causa	*cause*	norte	*north*
considerar	*to consider*	operación	*operation*
conversar	*to converse*	oriente	*orient*
decidir	*to decide*	palacio	*palace*
diabólico	*diabolical*	planta	*plant*
distancia	*distance*	pronunciar	*to pronounce*
elocuente	*eloquent*	público	*public*
espacio	*space*	responder	*to respond*
especial	*special*	tabaco	*tobacco*

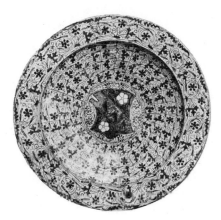

℘ Cognates

Many Spanish and English words are similar in form and meaning. These are called *cognates*, meaning, *of the same family, relatives*. Although cognates descend from a common ancestor, they often show changes of spelling and often have different meanings in different languages. The word *father* is a good example of a cognate. It comes from Latin, *pater*, and has many relatives in other languages (German, *vater;* Spanish, *padre;* French, *père;* etc.). The word *father* has quite a family of its own in English: *fatherly, paternal, patriot*, etc. Once you know one member of a family of words you usually can recognize its relatives. This is true in both Spanish and English.

Spanish and English have an extremely large number of cognates in common. The reason for this is that Spanish is largely a Latin language, and English has obtained more than sixty per cent of its vocabulary either directly or indirectly from Latin. The word *father*, we may say, derives indirectly from the Latin, through German *vater*, while the word *paternal* comes directly from the Roman tongue. In general, words which have been introduced into our language directly from Latin are more lofty in tone than those which have been longer in our language. In studying Spanish you will find that many very common words will be readily recognized through your acquaintance with their somewhat stilted English cousins. Note: esposo (*spouse*) *husband;* pedir (*to petition*) *to ask for.*

5

⧘ INTERESTING COGNATES

Many Spanish words can be recognized by associating them with English words that are derived from the same source.

árbol	*tree (arbor)*		mirar	*to look (mirror)*
breve	*short (brevity)*		negar	*to deny (negative)*
cantar	*to sing (chant)*		ocultar	*to hide (occult)*
débil	*weak (debility)*		padre	*father (paternal)*
diente	*tooth (dentist)*		perder	*to lose (perdition)*
flor	*flower (floral)*		pobre	*poor (poverty)*
joven	*young (juvenile)*		regalo	*gift (to regale)*
leve	*light (levity)*		tarde	*late (tardy)*
libre	*free (liberty)*		temer	*to fear (timorous)*
luna	*moon (lunar)*		vender	*to sell (vender)*
madre	*mother (maternal)*		vivo	*alive (vivacious)*
mano	*hand (manual)*			

Other Spanish and English words are similar in form but often quite different in meaning. All these and many others occur in this text:

actual	*present*		firma	*signature*
agitar	*to shake*		fumar	*to smoke*
alcoba	*bedroom*		jarro	*pitcher*
arena	*sand*		labrador	*farmer*
auxiliar	*to help*		largo	*long*
bala	*bullet*		legumbre	*vegetable*
balancear	*to sway*		mantel	*table cloth*
candil	*lamp*		marchar	*to go*
carta	*letter*		oficio	*trade*
cólera	*anger*		oración	*prayer*
contestar	*to answer*		pariente	*relative*
desgracia	*misfortune*		pastor	*shepherd*
dormitorio	*bedroom*		población	*town*
enfermedad	*illness*		procurar	*to try*
espada	*sword*		rato	*short time*
éxito	*outcome*		regalar	*to give*
fábrica	*factory*		ropa	*clothes*
facciones	*features*		romance	*ballad*

rumor	*noise*	venta	*sale*
sopa	*soup*	vapor	*steam, steamship*
suceder	*to happen*	votar	*to swear*
suceso	*event*	voto	*vow*
tabla	*board*	vulgar	*popular*
tentar	*to touch*	vulgo	*common people*

ξ PREFIXES AND SUFFIXES

In Spanish and English there are prefixes that alter the meaning of the word to which they are joined. The prefixes **des–**, **im–**, and **in–** have a negative idea like the English *dis–*, *im–*, and *un–*.

agradable	*agreeable*	desagradable	*disagreeable*
aparecer	*to appear*	desaparecer	*to disappear*
atar	*to tie*	desatar	*to untie*
conocido	*known*	desconocido	*unknown*
cubrir	*to cover*	descubrir	*to discover, uncover*
feliz	*happy*	infeliz	*unhappy*
fiel	*faithful*	infiel	*unfaithful*
perdonable	*pardonable*	imperdonable	*unpardonable*
posible	*possible*	imposible	*impossible*
tranquilo	*tranquil*	intranquilo	*restless*

In English when we want to express smallness we say *little*, *very little*, *small*, *very small*. In Spanish the suffixes **–ito, –ita; –ecito, –ecita; –illo, –illa** convey the idea of reduction in size. Often they may enhance or detract from the character of a thing.

casa	*house*	casita	*cottage*
dinero	*money*	dinerillo	*small money (change)*
mano	*hand*	manecita	*little hand*
mujer	*wife*	mujercita	*(dear) little wife*
ventana	*window*	ventanilla	*little window*

The suffixes **–azo, –aza; –ón, –ona** convey the idea of increase in size.

casa	*house*	casona	*large house*
hombre	*man*	hombrón	*large man*
mujer	*woman*	mujeraza	*large (awkward) woman*

The suffix –**ísimo** adds the meaning *very* or *exceedingly*.

cansado	*tired*	cansadísimo	*very tired*
grande	*large*	grandísimo	*very large*
largo	*long*	larguísimo	*very long*
rico	*rich*	riquísimo	*very rich*
simpático	*attractive*	simpatiquísimo	*very attractive*

The meaning of the second Spanish word in each line is obvious.

acción	*action*	inacción
cansado	*tired*	descansado
cargar	*to load*	descargar
cortés	*courteous*	descortés
digno	*worthy*	indigno
diferencia	*difference*	indiferencia
embarcar	*to embark*	desembarcar
igualdad	*equality*	desigualdad
paciencia	*patience*	impaciencia

⸮ The Verb

The verb is a part of speech which says something of a person or thing. It is usually the most important word in a sentence. It gives meaning to the other words of the sentence. For example, "The Captain . . . well" makes no sense, but if we add "is", "did", "spoke", the sentence means something.

Some verbs, like *to learn* (*I learn, I learned, I have learned*) follow a fixed pattern in their conjugation, and are called *regular* verbs. Others, like *to lie down* (*I lie down, I lay down, I have lain down*) do not follow a fixed pattern, and it is sometimes hard to remember them because of their irregularities. Irregular verbs are found in both English and Spanish. Irregularity, in the main, depends upon the amount of use to which the verb is put. The more it is used the more apt it is to wear out and need new parts.

All verbs have five properties. These properties are referred to as: *voice, mode, tense, person,* and *number*.

⸮ VOICE

Voice shows whether the subject of the verb is the actor, or whether the subject is being acted upon by the verb. We say that the verb is in the *active voice* when the subject is the actor (*Pedro bought a guitar*), and that the verb is in the *passive voice* when the subject is acted upon (*A guitar was bought by Pedro*).

9

✌ MODE

We refer to three modes in English and Spanish: the *indicative*, the *subjunctive*, and the *imperative*. The *indicative* is used for statements of fact (I *know* that he *was* here.). The *subjunctive* is used for statements which are impossible or are open to doubt (I wish [that] he *were* here.). The *imperative* is used for commands (*Come* here!).

✌ TENSE

Tense shows the time (*present*, *past*, *future*, etc.), which the verb represents. With few exceptions, Spanish tenses are similar to those which we employ in English. By way of clarifying our references to the English tenses, suppose we outline the conjugation, in the third person singular, of the verb *to go*.

INDICATIVE MODE

PRESENT
  He goes, is going, does go

IMPERFECT
  He went, was going, used to go

PAST
  He went

FUTURE
  He will go

CONDITIONAL
  He would go

(PRESENT) PERFECT
  He has gone

PAST PERFECT (PLUPERFECT)
  He had gone

FUTURE PERFECT
  He will have gone

CONDITIONAL PERFECT
  He would have gone

SUBJUNCTIVE MODE

PRESENT
  He (may) go, be going

PAST
  He went, was going

PRESENT PERFECT
  He (may) have gone

PAST PERFECT
  He had gone

IMPERATIVE MODE
  Go!

In many cases the Spanish tenses are much simpler than the English. Notice the English variations on a single Spanish form:

SPANISH	ENGLISH
Va a la ciudad.	*He goes* to the city.
	He is going to the city.
	He does go to the city.
Habla bien.	*He speaks* well.
	He is speaking well.
	He does speak well.
Hablan bien.	*They speak* well.
	They are speaking well.
	They do speak well.

We use *does, is, do, are* as emphasizing words before the verb, while this idea of emphasis can be conveyed in Spanish by stress in pronunciation.

In English we form the future by using a helping verb (*shall, will*) with the infinitive of the verb to be conjugated (*be*). In Spanish, only one form of the verb is necessary; the endings (**é** and **á**, below) show that the verb is in the future, and that is all that we need to know. Furthermore, in English we are supposed to say *I* and *we shall*, but *you, he, she, it, they will*, while no such distinction exists in Spanish.

SPANISH	ENGLISH
Seré rico.	*I shall be* rich.
Será rico.	*He will be* rich.

₽ PERSON AND NUMBER

In Spanish and English there are three singular persons of the verb and three plural. Each person of the verb has a definite subject and often the different persons of the verb differ widely in form (*I am, you are, he is*, etc.). In English we know immediately the person of the verb, because its subject is always expressed. For example, it would be absurd to attempt to omit the pronoun subjects in the following sentence: "When *I* called on him last night *he* asked where *you* were."

In Spanish the subject pronouns are often omitted, for each person of the verb has a definite ending of its own.

SUBJECT PRONOUNS AND PERSONAL ENDINGS

SINGULAR

FIRST	*I*	sing	**yo**	canto
SECOND	*you*	sing	**tú**	cantas
THIRD	*you*	sing	**usted**	canta
	he	sings	**él**	canta
	she	sings	**ella**	canta
			⎧ **(él)**	canta
	it	sings	⎨ **(ella)**	canta

PLURAL

FIRST	*we*	sing	⎧ **nosotros** cantamos	
			⎨ **nosotras** cantamos	
SECOND	*you*	sing	⎧ **vosotros** cantáis	
			⎨ **vosotras** cantáis	
THIRD	*you*	sing	**ustedes** cantan	
	they	sing	⎧ **ellos** cantan	
			⎨ **ellas** cantan	

I and WE

The pronouns of the first person in Spanish are: **yo,** *I* (masculine and feminine, singular), and **nosotros** (masculine plural), **nosotras** (feminine plural), *we*. These are used principally for emphasis.

YOU, HE, SHE, IT, THEY

There used to be two ways of addressing people in English, both of which are old-fashioned today. You might have said some years ago: "Thou art a goose!", while the plural form would have been rendered: "Ye are geese!"

Spanish has retained both the second person singular and the second person plural (**tú, vosotros** and **vosotras**) for use among intimate friends.

Years ago Spanish also developed two polite, or formal, pronouns from the words *Your Grace* (**Vuestra Merced**). These pronouns were shortened in time to **usted,** and **ustedes.** Just as we use the words *Your Grace* with the third person of the verb ("*Is Your Grace* dining at the castle?"), so the Spaniard uses **usted** and **ustedes** with the third person singular and plural of the verb.

In English, *he* is a third person singular, masculine pronoun, while *she* is the feminine pronoun of the same person, yet *they* is both the masculine and feminine form of the third person plural. Spanish has separate forms for the masculine and feminine in the third persons singular and plural (**él,** *he;* **ella,** *she;* **ellos,** *they,* masculine; **ellas,** *they,* feminine).

In English we have a third person singular pronoun, *it,* which is of neuter gender. In Spanish, nouns are either masculine or feminine in gender and consequently **él** (masculine singular) or **ella** (feminine singular) are used in Spanish in many cases where we would use *it.* The idea of *it* is often included in the verb in Spanish.

Es lástima.	**It is** *a pity.*
¿Quién **es?**	*Who* **is it?**
Es el capitán.	**It is** *the captain.*

The verb form in Spanish often includes the subject pronoun.

Habla español.	*He* (or *she*) *speaks Spanish.*
Va a la ciudad.	*He* (or *she*) *is going to the city.*

It seems that this would be confusing at times since the third person has a number of possible subjects (*he, she, it, you*). One can always tell the subject, however, for in writing or in conversation the sentence never stands alone. Some person or thing has been mentioned before or pointed out, and so, when the verb appears (**habla,** and **va** in the two cases above), one knows *who* it is who *speaks* or who is *going.*

PRONOUN OBJECTS

Démelo.	*Give it to me.*
No **me** lo dé.	*Do not give it to me.*
No **nos** vio.	*He did not see us.*
Quiero vendérselo.	*I want to sell it to him.*

In Spanish, object pronouns (**me, lo, nos,** etc.) are pronounced as if they were a part of the verb that they are associated with. Sometimes these object pronouns come before the verb and sometimes after it. If they come after the verb they are attached to it.

NEGATION

Juan no estudia.	*John does not study.*
¿No estudia Juan?	*Doesn't John study?*
Juan no comió.	*John did not eat.*
¿No comió Juan?	*Didn't John eat?*

When the verb in English is negative, or is expressed in a question, we frequently have to use the word *does* or *did,* whether we want to give emphasis or not. Spanish is much simpler.

℘ *Idioms*

One of the most colorful features of any language and one of the most difficult details for foreigners is the use of idioms. In English we are constantly using idioms without realizing it. Such expressions as "on the run", "in the running," "turn him down," and "take him up" are idioms.

Slang is largely composed of idioms. In time some of the slang expressions may come to be in good usage, while others may disappear from the language, or become so old-fashioned that they are seldom used. The following are idioms in slang: "to give him the works," "to crash the gate," "to play the ponies," "to be down my alley."

From the above examples anyone can form a definition of his own for the term *idiom*. It is an expression that has a special meaning taken as a whole, but which is not always clear if the individual words are taken into consideration. Why should we say that a person is "*on* the run" or "*in* the running," "turned *down*," or "taken *up*"? Simply because we say it that way. Most of these expressions are very picturesque, if analyzed, but we have used them so much that the color is all gone.

℘ SIMILAR IDIOMS
IN SPANISH AND ENGLISH

al día siguiente	*on the following day* (literally: *at the following day*)
al principio	*at first* (literally: *at the beginning*)
calle arriba	*up the street* (literally: *street up*)
dar la hora	*to strike the hour* (literally: *to give the hour*)
de esta manera	*in this manner* (literally: *of this manner*)
de noche	*at night*
en casa	*at home* (literally: *in house*)
poco a poco	*little by little*
soñar con	*to dream of* (literally: *to dream with*)

♬ PECULIARLY SPANISH IDIOMS

cuanto antes   *right away*
despedirse de   *to take leave of, say goodbye to* (literally: *to un-ask oneself of*)
en vez de   *instead of*
hacer buen tiempo   *to be good weather* (literally: *to make good weather*)
ocho días   *a week*

♬ COLORFUL SPANISH IDIOMS

dar calabazas a uno   *to refuse one's offer of marriage* (literally: *to give pumpkins to some one.* Compare the English: *to give the mitten.*)
llover a cántaros   *to rain hard* (literally: *to rain by pitchers*)
no cabe duda   *there is no doubt* (literally: *no doubt is contained*)
pasar por las armas   *to execute by shooting* (literally: *to pass through the arms*)

❧ *Word Order*

    All languages have developed certain peculiarities in the way in which they put words together in the sentence. The word order of a language not our own is difficult only because we are not accustomed to it. No matter what the order of the statement, it is easy to understand it if we aim first at "the idea." To get "the idea," we have to have the verb, and its subject. Once we have these, we have the key to the entire statement.

    Suppose we were forced to obtain the meaning of the sentence given below:

> "Por dos horas, consideraron los hombres
> el testimonio diabólico del capitán."

    We read the entire statement in Spanish. We discover the verb—**consideraron.** The verb ends in **–n** (*they*), so the subject must be plural—**los hombres** (*the men*). We now have the principal thought of the sentence: *the men considered.* The next thing to find out is *what* they considered. The entire thought of the statement is: *For two hours, the men considered the captain's diabolical testimony.*

16

℘ EXAMPLES OF WORD ORDER

The word order in Spanish is sometimes like English:

Yo tengo un libro.   Vivimos en Francia.
[I have   a   book.]   [We live in France.]

La   acción fue muy sangrienta y   dura.
[The battle was very bloody   and cruel.]

In Spanish the subject often follows the verb:

Trabajan muchos hombres en las minas.
[Work   many   men   in the mines.]
Many men work in the mines.

Se oyó   el rumor.
[Was heard the noise.]
The noise was heard.

La   noche era obscura, y   no pudieron los observadores
[The night was dark,   and not could   the watchers
The night was dark, and the watchers could not

precisar   dónde había entrado el   ladrón.
make out where had   entered the thief.]
make out where the thief had entered.

Asistieron el médico, el escribano, y el señor Vicario.
[Attended the doctor, the notary,   and the Vicar.]
The doctor, the notary, and the Vicar attended.

In Spanish many adjectives and other qualifying expressions follow the
word modified:

Es   una cosa difícil.
[It is a   thing difficult.]
It is a difficult thing.

Compró   dos casas   viejas y   feas.
[He bought two houses old   and ugly.]
He bought two old ugly houses.

The following examples show some of the flexibility of the Spanish language:

Vi a Juan en frente de la casa vieja. ⎫
En frente de la casa vieja vi a Juan. ⎬ *I saw John in front of the old house.*
                                      ⎭

In each of the above sentences the phrase **la casa vieja** could read **la vieja casa,** if we already knew that the house was old. Hence there are four ways to express in Spanish the simple English sentence.

The following paragraph is taken from the popular Spanish novel *La Hermana San Sulpicio* by Palacio Valdés. The very literal English translation of the passage makes it evident that one cannot translate word by word.

Era   una joven   de diez y   ocho a veinte años, de regular
She was a   young woman of ten and eight to twenty years, of medium

estatura, rostro ovalado de un moreno pálido, nariz levemente hundida
stature, face   oval of a dark   pale, nose slightly   pug

pero delicada, dientes blancos y   apretados,   y   ojos, como ya
but exquisite, teeth white   and close together and eyes, as   already

he dicho,   negros, de un negro intenso, aterciopelado, bordados de
I have said, black   of a black intense, velvety,   fringed   of

largas pestañas y   un leve círculo azulado. Los cabellos no se veían,
long   eyelashes and a slight circle bluish. The hair   not was seen,

porque la   toca le   ceñía   enteramente la frente.   Vestía
because the coif to her encircled entirely   the forehead. She wore

hábito de estameña negra ceñido a la cintura por un cordón del
habit of serge   black bound at the waist by a cord   from

cual   pendía un gran crucifijo de bronce.
which hung   a   large crucifix of bronze.

❡ Use Of The Dictionary

A dictionary is an aid of great importance to anyone who wishes to develop his knowledge of a language. The use of such a dictionary will save hours of work, prevent misunderstandings, and speed up the acquisition of the language.

At the back of this book there is a list of words and idioms in Spanish, with their English equivalents. This list constitutes a brief Spanish-English dictionary which covers the vocabulary used in the book.

You will find it interesting and highly advantageous to consult and use, along with your reading, a good Spanish-English dictionary. A number of these are available, but one of the best is *Spanish and English Dictionary* by Edwin B. Williams. As you progress, it would be a good idea to consult a first-class all-Spanish dictionary, such as the Alemany, *Nuevo diccionario de la lengua española*, or the dictionary of the Spanish Academy.

There are several points which you should bear in mind in using the list at the back of this book.

❡ ABBREVIATIONS

An explanation of abbreviations is given at the beginning of the list (*m.*, *f.*, *pres.*, etc.). These abbreviations are used to specify the exact use of the Spanish words and expressions.

ALPHABETIZATION

Bear in mind that the Spanish alphabetical word order is different from the English. There are separate groupings of words beginning with **ch–** and **ll–**. For example, **chico** follows words beginning with **c–** (**cinco, curso,** etc.). **Ch** and **ll** and **ñ** within a word follow **c, l,** and **n** plus other letters. For example **calle** follows **calma,** and **dicho** follows **diciendo.**

FORMS LISTED

Verbs are listed under the infinitive form (ending in **–ar, –er,** or **–ir:** **hablar, ser, pedir,** etc.). If a conjugated form is difficult, it will be listed separately, and reference will be made to the infinitive. (For example: **pido,** I ask *pres. ind.* **pedir,** to ask; **quiero,** I wish *pres. ind.* **querer,** to wish.)

Adjectives are given under the singular form. Those adjectives which show the endings **–o, –a** (**blanco, –a**) really have four forms, the ones given being the masculine and feminine singular, to which **–s** is added for the plural forms (**blancos, blancas**).

VOCABULARY SELECTION

There are many words in English and in Spanish which have at least two different meanings. This element makes it impossible for electronic computers to translate perfectly in all cases.

Notice the very different meanings to be had from the words listed below.

bajar	*to lower*	*to go (come) down*
historia	*history*	*story*
partir	*to depart, leave*	*to break, split*
pasar	*to pass*	*to happen*
poder	*to be able*	*power, ability*
probar	*to prove, test*	*to taste*
puesto	*position*	*booth*
querer	*to wish, want*	*to love*
suelo	*ground*	*floor*

Primera Parte

1 ⸘ *España*

Spain is in Southwestern Europe. It is a part of the Iberian peninsula, so called because the earliest inhabitants were known as Iberians and the land they inhabited as Iberia.

Spain (with Portugal) is practically an island, surrounded by water and mountains. The fact that it is almost cut off from the rest of Europe accounts to a large extent for its independent spirit, which is reflected in Spain's literature, art, politics, and philosophy of life.

♀ PREPARACIÓN

cerca de *near*   es *is* (*are*)
de veras *really*   está *is* (*are*)
en cambio *on the other hand*   hay *there is, there are*
en efecto *in fact*   son *are*

◆

Todas las aldeas son interesantes.   Las calles son anchas.
All the villages are interesting.   *The streets are wide.*

> In nouns and adjectives in Spanish the sign of the plural is –s. In Eng-
> lish only the noun is changed for the plural.

◆

España es un país pequeño.   En el norte están los montes cantábricos.
Spain is a small country.   *In the north are the Cantabrian mountains.*

> Unlike English, many adjectives in Spanish follow the nouns they
> modify. These are descriptive, and often colorful or distinctive ad-
> jectives.

◆

Son los más hermosos del mundo.
They are the most beautiful in the world.

Es la ciudad más grande del país.
It is the largest city in the country.

> The word de sometimes is equivalent to English in.

SOROLLA, "CASTILLA"

⸎ ESPAÑA

*Note that in ch. **1-10**, every verb form is included in the end-vocabulary; and words most likely to present difficulty are glossed.

rodeada *surrounded*

cantábricos *Cantabrian*

unos *some*

España está en Europa. España está en el sur de Europa.

Hay cinco continentes en el mundo: Europa y Asia, Africa, la América del Norte, la América del Sur, y Australia. Un continente es una gran masa de tierra 5 firme rodeada o casi rodeada por el mar, que por su gran extensión no puede ser considerada una isla. España no es un continente. Es un país. Hay muchos países en Europa. Alemania, Francia, Italia, y Portugal son países y todos están en Europa. Inglaterra es 10 un país también. Es una isla. Está cerca de Alemania, Francia y España. En cambio, España no es una isla. Es parte de una península. Hay otro país en la península. El país es Portugal. España y Portugal forman la península ibérica. 15

España no es un país grande. Es un país pequeño. Portugal es pequeño también. Nuestro país, los Estados Unidos de Norteamérica, es más grande que Europa. Aunque España es un país pequeño, es muy interesante. En España hay muchas montañas. En el 20 norte hay los montes cantábricos y en el sur la Sierra Nevada. La Sierra de Guadarrama está en la parte central. Al norte de España está Francia. Entre Francia y España hay unos de los montes más her-

mosos del mundo, los Pirineos. Al norte y al oeste de
España está el Atlántico, al este está el Mediterráneo,
y al sur el Estrecho de Gibraltar.

    En España hay muchas aldeas interesantes y muchas
5 ciudades hermosas. En efecto, casi todas las aldeas
son interesantes y las ciudades grandes son magníficas.
Madrid es la capital de España y está en la parte
central del país. Barcelona es una ciudad grande y hay
muchas tiendas y fábricas allí. Las calles son anchas
10 y muy hermosas. Barcelona está en el noreste, en el
Mediterráneo. Otras ciudades son Toledo, Córdoba,
Sevilla y Valencia. Todas estas ciudades son viejas
y pintorescas.

    Los ríos de España no son tan grandes como algunos
15 otros ríos del mundo. Hay cinco ríos importantes: el
Tajo, el Guadalquivir, el Duero, el Ebro y el Guadiana. España es de veras un país interesante, uno de
los más bonitos del mundo

oeste west

este east

Estrecho Strait

aldeas villages

tiendas shops
anchas wide
noreste northeast

pintorescas picturesque

Tajo Tagus

bonitos beautiful

𝄵 EJERCICIOS

A. CUESTIONARIO

*Each question should be answered with a complete sentence. It is good practice
to use as many of the words in the question as possible.*

1. ¿Cuántos continentes hay en el mundo? **2.** ¿Cuáles son? **3.** ¿Qué es
un continente? **4.** ¿Qué es una isla? **5.** ¿Dónde está Portugal? **6.** ¿Cómo
se llaman las montañas entre España y Francia? **7.** ¿Cuál es la capital
de España? **8.** ¿Cuál es más grande, Madrid o Barcelona? **9.** ¿En qué
parte de España está Madrid? **10.** ¿Cuáles son los ríos importantes de
España?

B. TRADUCCIÓN

1. Spain is near Portugal. **2.** Europe is a continent. **3.** There are many
mountains in Spain. **4.** The Cantabrian mountains are in northern
Spain. **5.** The streets are narrow but pretty. **6.** Barcelona is near France.
7. Portugal is not a large country. **8.** In fact, it is really very small.
9. The Strait of Gibraltar is to the south of Spain. **10.** The rivers of
Spain are not very large.

2 ¿ *El idioma español*

The Spanish language, like English, is spoken in many parts of the world. It is the language of Spain and eighteen countries of Central and South America. Spanish is also spoken by many thousands of people in the United States. In all there are about 180 million whose native tongue is Spanish. Spanish follows Chinese and English in the number of native speakers.

When we say Nevada, Colorado, San Francisco, El Paso we are using Spanish words. Words derived from Spanish but mispronounced in English are Montana, Los Angeles, Florida. In addition to place names, many other Spanish words have found their way into English and are never thought of as Spanish. Lasso, lariat, vista, canyon, plaza, and alligator are among these words.

BARCELONA

❧ PREPARACIÓN

al contrario *on the contrary*   por primera vez *for the first time*
después de *after*   sin embargo *nevertheless*
otros muchos *many others*   tan . . . como . . . *as . . . as . . .*

◆

No desean practicar.   Es necesario aprender.
They do not want to practice.   *It is necessary to learn.*

Desean recibir el dinero.
They wish to receive the money.

> Spanish verb forms that end in **–r** are infinitives (to —). No other
> form of the verb ends in **–r**.

◆

PRESENT INDICATIVE ENDINGS:

$$\begin{array}{l} -o \quad I— \end{array}$$

$$\left.\begin{array}{l} -a \\ -e \end{array}\right\} \; he, she, it; you—$$

$$-mos \; we—$$

$$\left.\begin{array}{l} -an \\ -en \end{array}\right\} \; they; you—$$

EXAMPLES:

aprendo   *I learn*

recibe $\left\{\begin{array}{l} he \; (she, it) \; receives \\ you \; receive \end{array}\right.$

tiene   *he, she, it has*

apreciamos   *we appreciate*

hablan $\left\{\begin{array}{l} they \; speak \\ you \; speak \end{array}\right.$

tenemos   *we have*

> Remember: Of all verbs in all tenses in Spanish, those that end in
> **–mos** are first person plural (we). Those that end in **–n** are almost
> always plural (they; you).

◆

Pronuncian todas las letras.   Se pronuncian las letras.
They pronounce all the letters.   *The letters are pronounced.*

> The word **se** (reflexive pronoun) may completely reverse the meaning
> of a Spanish verb; that is, it changes the meaning to the passive voice.

Desean aprender sin estudiar.

They desire to learn without studying.

Es cuestión de aceptar.

It is a question of accepting.

> **After a preposition, the –r form (infinitive) in Spanish is translated in English by an –ing form.**

El inglés es difícil.

English is difficult.

El trabajo no es tan malo.

Work is not so bad.

> **The word for the (the article) is used in Spanish before a noun in a general sense.**

BARCELONA

EL IDIOMA ESPAÑOL

El inglés es un idioma que ofrece grandes dificultades
al extranjero porque tiene muchísimas reglas de pronunciación. Cada palabra tiene una pronunciación
especial y a veces dos pronunciaciones. Por ejemplo,
5 hay la palabra *bow*, que significa una inclinación del
cuerpo o una parte de un buque; y hay otra palabra
bow, que significa una arma ofensiva de los indios o
una especie de nudo. Estas dos palabras no se pronuncian de la misma manera. Hay otros muchos casos
10 semejantes que no presentan dificultades a los ingleses,
pero presentan muchas dificultades a las personas que
estudian nuestro idioma por primera vez.

Al contrario, el castellano o el español es un idioma
fonético o casi fonético. Se pronuncian todas las
15 letras con excepción de la *h*. Es una gran ventaja, pero
aun así la pronunciación del español no es fácil. Hay
muchos sonidos que no tenemos nosotros, tales como
la *r*, la *rr*, y la *b* y *v*. Es necesario practicar mucho la
pronunciación de estas letras. Pero hay personas que
20 no desean practicar nada. Desean aprender sin estudiar. Sin embargo, las cosas que no son difíciles no se
aprecian. Hasta el dinero que se recibe sin trabajo no
es tan estimado como el dinero que se recibe como
premio del trabajo. Después de todo, el trabajo no es
25 tan malo como parece. Es cuestión de aceptar el
trabajo como una cosa necesaria. Hay muy pocas
personas que trabajan demasiado.

Hay casi ciento ochenta millones de personas en el
mundo que hablan español. Los habitantes de España
30 y una gran parte de los habitantes de la América Central y la América del Sur hablan español. En España

ofrece *presents*
extranjero *foreigner*

por ejemplo *for example*

especie *kind*
nudo *knot*

ventaja *advantage*
fácil *easy*

trabajo *work*

premio *reward*

habitantes *inhabitants*

hay más de treinta millones de personas que hablan
español, y en diez y ocho de las veinte repúblicas
hispanoamericanas hablan este idioma. Los brasileños
hablan portugués y los haitianos hablan francés. En
los Estados Unidos las personas de una región tienen   5
un modo de hablar que es un poco diferente del modo
de las personas de otra región. Los habitantes de
Chile no hablan exactamente como los habitantes de la

por todas partes *everywhere*   Argentina. Pero el español es el español por todas
partes.   10

los de *those of*   Los habitantes de Chile son chilenos, los de la
peruanos *Peruvians*   Argentina son argentinos, los del Perú son peruanos,
y los de Colombia son colombianos. Todos son ameri-
canos como nosotros. No tenemos nosotros monopolio de la palabra "americano." En efecto, para los   15
sudamericanos no somos americanos, somos norteamericanos. Hay otra palabra, estadounidense, pero

no se emplea *is not used*   esta palabra no se emplea mucho.

ξ EJERCICIOS

A. CUESTIONARIO

1. ¿Por qué es el inglés un idioma difícil? **2.** ¿Cuáles son las letras del
alfabeto español que no se pronuncian? **3.** ¿Cuáles son los sonidos en
español que no tenemos nosotros? **4.** ¿Cuántas personas hablan español?
5. ¿Dónde viven estas personas? **6.** ¿En cuántas repúblicas de la América
del Sur hablan español? **7.** ¿Quiénes hablan portugués? **8.** ¿Cómo se
llaman los habitantes de Chile? **9.** ¿Somos nosotros americanos o norteamericanos? **10.** ¿Qué significa la palabra "estadounidense"?

B. TRADUCCIÓN

1. English is a language which presents many difficulties. **2.** There are
about 180 million people in the world who speak Spanish. **3.** Brazilians
speak Portuguese. **4.** The inhabitants of Argentina speak Spanish.
5. Spanish is a language that is almost phonetic. **6.** They wish to study
Spanish. **7.** I am learning French. **8.** The inhabitants of the United States
speak English. **9.** In Spanish, all letters are pronounced except *h*. **10.** We
are North Americans, not Americans.

LA CATEDRAL DE SEVILLA Y LA GIRALDA

3 ♎ *La historia de España*

The history of Spain is in some respects like that of certain other European countries. It was dominated by Rome, over-run by the Visigoths, and occupied for a time by Napoleon. Spain was once, as also were once England, France and the Netherlands, a great colonial empire. Its history, however, is unlike that of any other European country. Spain was held for a long time, almost in entirety, by the Arabs who brought to Spain many new ideas and institutions. Arabic influence is still reflected in agriculture, architecture, and music.

31

⸘ PREPARACIÓN

al fin *finally*
asistir a *to attend, be present at*
por eso *therefore*

puesto que *since*
sobre todo *especially*
todo el mundo *everybody*

dieron (dar) *they gave*
existió *existed*
fue (ser) *he, she, it was*

fueron (ser) *they were*
invadieron *invaded*
vinieron (venir) *they came*

◆

$\left.\begin{array}{l} -\text{é} \\ -\text{í} \end{array}\right\}$ *I—*

$\left.\begin{array}{l} -\text{ó} \\ -\text{ió} \end{array}\right\}$ *he, she, it; you —*

$\left.\begin{array}{l} -\text{amos} \\ -\text{imos} \end{array}\right\}$ *we—*

–ron   *they; you —*

> The above endings are signs of a past tense, which designates an action that is completed. The present and past of many verbs are alike in the first person plural.

◆

$\left.\begin{array}{l} \text{construyó } \textit{he constructed} \\ \text{construyeron } \textit{they constructed} \end{array}\right\}$

construir *to construct*

huir *to flee*
fluir *to flow*
destruir *to destroy*

> To find in the vocabulary a verb that ends in –uyó or –uyeron, look up the word under –uir.

EL ACUEDUCTO
DE SEGOVIA

❧ LA HISTORIA DE ESPAÑA

La historia de España es muy interesante. Muchas
razas forman la raza española de hoy. En las venas de   raza *race*
los españoles corre la sangre de los iberos, los celtas,   corre *circulates*
                                                           iberos *Iberians*
los griegos, los romanos, los árabes, los godos y otros.   celtas *Celts*
5 Por eso los españoles son de veras una mezcla de   mezcla *mixture*
muchas razas de Europa y de Africa. Toda esta sangre
forma ahora el tipo español.

Unos dicen que los iberos fueron los primeros habitantes de la península ibérica. Más tarde, en el tercer
10 siglo antes de Jesucristo, los romanos vinieron a   siglo *century*
España, y después de muchas dificultades dominaron   dominaron *dominated*
casi todo el país. Los soldados romanos dieron su
lengua a los naturales del país, y ahora decimos que
el español es una lengua románica puesto que se deriva   se deriva *it is derived*
15 del latín. Los romanos establecieron escuelas y   establecieron *established*
ciudades, y construyeron puentes y caminos. Los   puentes *bridges*
                                                           caminos *roads*
romanos se casaron con las mujeres del país y pronto   se casaron con *married*
todo el mundo empezó a hablar la lengua de los con-   empezó *began*
                                                           conquistadores *conquerors*
quistadores. Al fin todo el país fue completamente
20 romanizado.

Los godos invadieron a España en el siglo cinco, y
pronto vencieron a los romanos. El imperio visigodo   vencieron *conquered*
                                                           imperio *empire*
existió hasta la primera parte del siglo ocho. En aquel   visigodo *Visigothic*
siglo vinieron los árabes y conquistaron una gran   conquistaron *they conquered*
25 parte de la península. Los árabes llevaron a España   llevaron *carried*

salieron *they left*

edificios *buildings*

torre *tower*

preciosidad *beautiful thing*

país *country*

todavía *still*

todos los que *those who*

muchas innovaciones en la agricultura y sobre todo muchas ideas nuevas en las ciencias.   Salieron de España en el año 1492.

Todavía existen en España muchos edificios que datan de la ocupación árabe.   La Alhambra de Gra- 5 nada es uno de estos edificios.   Es uno de los edificios más hermosos del mundo.   La torre alta de la Giralda en Sevilla también es una preciosidad.   Los árabes establecieron escuelas en varias partes del país. Muchos estudiantes de Francia y de Inglaterra asis- 10 tieron a estas escuelas.   Todavía hay en España muchos monumentos de la civilización árabe, y todavía hay muchas palabras árabes en la lengua castellana.   Casi todas estas palabras forman una parte del vocabulario de la agricultura y de la guerra. 15 La historia de España es algo que siempre da gusto a todos los que la estudian.

EJERCICIOS

A. CUESTIONARIO

1. ¿Quiénes fueron los primeros habitantes de España? **2.** ¿Cuándo vinieron los romanos a España? **3.** ¿Por qué se dice que el español es una lengua románica? **4.** ¿En qué siglo invadieron los godos a España? **5.** ¿En qué siglo vinieron los árabes a España? **6.** ¿En qué siglo salieron los árabes de España? **7.** ¿Qué edificio famoso de España data de la ocupación árabe? **8.** ¿De dónde vinieron estudiantes a las escuelas de los árabes en España? **9.** ¿En qué ciencia se encuentran muchas palabras árabes? **10.** ¿En qué parte de España está Sevilla?

B. TRADUCCIÓN

1. The Romans invaded Spain in the third century B.C. **2.** The Spaniards are really a mixture of many races. **3.** Everybody began to speak the language of the conquerors. **4.** Spanish is a romance language. **5.** Spanish is derived from Latin. **6.** The Romans constructed buildings and roads. **7.** The Visigothic Empire existed until the eighth century. **8.** The Arabs came to Spain in 711. **9.** Many Spanish buildings date from the Arabic occupation. **10.** The Roman soldiers married Spanish women.

4 § *Cristóbal Colón*

Cristóbal Colón, or Christopher Columbus as he is called in English, may have read the strange adventures of Marco Polo and thus was inspired to seek a passage by sea to the Orient, rather than by the land route followed by Marco Polo. Columbus had a difficult time in finding financial support for what most people thought was a fantastic enterprise; but finally, after Queen Isabella had captured Granada from the Arabs, January 2nd, 1492, she found time to listen to Columbus' plans.

Strangely, the continent that Columbus discovered was not named after him, but many cities bear his name, as does the republic of Colombia. Quite appropriately, two cities, Cristóbal and Colón, in Panama are named for him. Everybody should read Samuel Eliot Morison's *Admiral of the Ocean Sea*, a life of Columbus.

The first Landing of Columbus at America.

PREPARACIÓN

a los cuatro días *after four days*
de niño *as a child*

en seguida *immediately*
otra vez *again*
por consiguiente *consequently*

vieron (ver) *they saw*
ofrecieron (ofrecer) *they gave, offered*
hizo (hacer) *he made*

Los indios interesaban mucho a los españoles.
The Indians interested the Spaniards greatly.

Tenía gran interés en la navegación.
He had great interest in navigation.

Quería ir a la India.
He wished to go to India.

> **Verb forms that have –ba or –ba– in the endings are always imperfect
> (incomplete or extended action). Verb forms that have –ía or –ía– (not
> "–ría, –ría–") in the endings are also imperfect. The imperfect in
> Spanish denotes an action that may have been incomplete, or that was
> extended for a while. It is translated** was (were) walking, used to walk,
> **or sometimes as a simple past,** walked.

era   *I was*   éramos *we were*

era $\left\{ \begin{array}{l} \textit{he, she, it was} \\ \textit{you were} \end{array} \right.$ eran $\left\{ \begin{array}{l} \textit{they were} \\ \textit{you were} \end{array} \right.$

| **Ser** (to be) **is irregular in the imperfect tense.**

le $\left\{ \begin{array}{l} \textit{(to) her} \\ \textit{(to) him} \\ \textit{(to) it} \\ \textit{(to) you} \end{array} \right.$ les $\left\{ \begin{array}{l} \textit{(to) them} \\ \textit{(to) you} \end{array} \right.$

Le presentaron tres buques.   Colón les dio nombres.
They gave him three boats.   *Columbus gave names to them.*

| **Unlike English usage, object pronouns sometimes come before the verb.**

Voy a ver a Juan.   Llegaron a ver a los hombres.
I am going to see John.   *They came to see the men.*

| **The preposition a ties a verb of action to an infinitive. It also designates a personal object.**

rey *king*   reyes $\left\{ \begin{array}{l} \textit{kings} \\ \textit{king and queen} \end{array} \right.$

padre *father*   padres $\left\{ \begin{array}{l} \textit{fathers} \\ \textit{parents} \end{array} \right.$

hermano *brother*   hermanos $\left\{ \begin{array}{l} \textit{brothers} \\ \textit{brother(s) and sister(s)} \end{array} \right.$

tío *uncle*   tíos $\left\{ \begin{array}{l} \textit{uncles} \\ \textit{uncle(s) and aunt(s)} \end{array} \right.$

| **The plural of the above words has two possible meanings.**

⸙ CRISTÓBAL COLÓN

historiadores *historians*

nació *he was born*

desconocida *unknown*

reyes *king and queen*

viernes *Friday*

mes *month*

marineros *sailors*

llegaron *reached*

tocaron *they touched*

descubrieron *they discovered*

creían *believed*

conservan *they bear*

se marcharon *went off*
acompañados de *accompa-
nied by*
servían de *served as*

Cristóbal Colón era uno de los hombres más famosos del mundo. Algunos historiadores dicen que llegó a España de Italia. Otros dicen que nació en España. De niño Colón tenía gran interés en la navegación y quería ir a explorar una parte desconocida ⁵ del mundo. Quería ir a la India.

Al fin los reyes de España, Fernando e Isabel, le ofrecieron tres buques pequeños y, un viernes, el tres de agosto de mil cuatrocientos noventa y dos, Colón salió de España. El doce del mes de octubre del mismo ¹⁰ año Colón y sus marineros terminaron su viaje y llegaron al nuevo mundo.

Primero tocaron en una isla y Colón la dio el nombre de San Salvador. Descubrieron a Cuba, nombre que le daban los habitantes, y a Haití, a que ¹⁵ dieron los españoles el nombre de Española. Exploraron otras islas más pequeñas y les dieron nombres también.

Los habitantes interesaban mucho a los españoles, pero los españoles creían que estaban en la India y ²⁰ por consiguiente los llamaban indios, nombre que conservan hoy. Tan seguro estaba Colón de que había llegado a la India que envió emisarios al Gran Khan. Estos hombres se marcharon acompañados de dos indios que les servían de guías. ¡A los cuatro días ²⁵

regresaron todos y dijeron que el Khan había recibido
a los miembros de la comitiva y les había ofrecido
tabaco! Esta planta no era conocida por los españoles.

Después de varias semanas Colón volvió a España.
5 Llegó otra vez a su país el quince de marzo de mil
cuatrocientos noventa y tres. Recibió las felicitaciones
de los reyes y el aplauso de toda España. Colón traía
una cantidad de oro, telas, armas curiosas, plantas
desconocidas y seis indios. Por primera vez los es-
10 pañoles vieron a indios, y de todas partes llegaron a
ver a los hombres de color de bronce.

Cristóbal Colón quería volver en seguida a las Indias
y en efecto hizo tres viajes más. Descubrió en sus
cuatro viajes muchas islas, entre ellas Puerto Rico,
15 y exploró una parte de la costa de la América del Sur.
Proclamó toda la tierra que descubrió propiedad de
los reyes de España, pero nunca supo que era un
nuevo continente.

regresaron *they returned*
dijeron *said*
había recibido *had received*
comitiva *committee*
conocida *known*

felicitaciones *congratulations*

traía *brought*

oro *gold*
telas *cloth*

vieron *saw*

bronce *bronze*

quería *wanted*

viajes *voyages*
descubrió *he discovered*

propiedad *property*

nunca supo *he never found out*

𝄡 EJERCICIOS

A. CUESTIONARIO

1. ¿Dónde nació Cristóbal Colón? **2.** ¿Quiénes fueron los reyes de España en 1492? **3.** ¿Cuántos buques tenía Colón cuando vino a América? **4.** ¿En qué mes salió de España? **5.** ¿Cuándo llegó a San Salvador? **6.** ¿Cuáles son algunas islas que descubrió Colón? **7.** ¿Por qué llamó indios a los habitantes de estas islas? **8.** ¿Qué planta nueva fue ofrecida a Colón? **9.** ¿En qué año volvió Colón a España? **10.** ¿Cuántos viajes hizo Colón a América?

B. TRADUCCIÓN

1. Christopher Columbus was a very famous man. **2.** He came to Spain from Italy. **3.** Ferdinand and Isabella gave him three small ships. **4.** Columbus gave the island the name San Salvador. **5.** He reached this island on October 12, 1492. **6.** The Spaniards believed they had reached India. **7.** They called the inhabitants Indians. **8.** After several weeks, Columbus returned to Spain. **9.** He carried gold and strange plants to Spain. **10.** For the first time Spaniards saw Indians.

5 ♀ La América del Sur

Most people in the United States think of South America as one country, when, as a matter of fact, it is a group of nations. All the nations, except Brazil, speak Spanish, but there is no federation or union as there is among the states in this country. Some of the territory is still a wilderness, inhabited by savage tribes; while other sections are as highly civilized as any in the world. The cities of Buenos Aires and Río de Janeiro compare favorably with the capitals of any country, and the harbor of Río de Janeiro is considered by many to be the most beautiful in the world.

Friendly relationships between the United States and our Southern neighbors are more important now than ever before. It may be that hope for world peace lies in the American hemisphere.

⸘ PREPARACIÓN

a causa de *because of*
se puede ir *one can go*
llegar a ser *to become (come to be)*

◆

hablaré   *I shall speak*
hablará   *he, she, you will speak*
hablaremos   *we shall speak*
hablarán   *they, you will speak*

hablaría   *I would speak*
hablaría   *he, she, you would speak*
hablaríamos *we would speak*
hablarían   *you, they would speak*

> The future (shall, will) and the conditional (would) in Spanish are easy to recognize. There is always an –r before the ending.

◆

llegado *arrived*   visto *seen*
presentado *presented*   descubierto *discovered*

> The verb forms ending in –ado, –ido, –to usually correspond to the –ed form in English.

◆

he ⎫
ha ⎬ **hablado**   *I have* ⎫
      ⎭   *he, she has* ⎬ *spoken*
                     you have ⎭

hemos ⎫ **salido**   *we have* ⎫ *gone*
han ⎭   *they, you have* ⎭

había ⎫ **visto**   *I had* ⎫ *seen*
había ⎭   *he, she, you had* ⎭

habíamos ⎫ **escrito** *we had* ⎫ *written*
habían ⎭   *they, you had* ⎭

> As in English the –ado, –ido, –to verb forms are commonly used with some tense of the verb to have. This verb have is not the verb <u>tener</u> that means to possess, but <u>haber</u>, the helping verb.

EL ECUADOR: CHIMBORAZO

⸕ LA AMÉRICA DEL SUR

estaciones *seasons*

sufrimos *we suffer*
calor *heat*

mencionaremos *we shall
    mention*

tibia *warm*

occidental *west*

lluvia *rain*

nieve *snow*
cosechas *crops*
secas *dry*

no se han construido *have
    not been built*
ferrocarriles *railways*

En la América del Sur las estaciones del año no son las mismas que en la América del Norte. Algunas veces sufrimos del calor en los meses de junio, julio y agosto. En Chile y en la Argentina sufriríamos del frío en julio. Para los chilenos los meses del verano 5 son diciembre, enero y febrero. Mencionaremos otra diferencia. Tenemos la Corriente del Golfo en el Atlántico, una corriente de agua tibia. En el Pacífico ellos tienen la Corriente de Humboldt, que es fría. La Corriente del Golfo viene del Golfo de Méjico y la 10 Corriente de Humboldt viene del Océano Antártico. En una gran parte de la costa occidental de la América del Sur no tienen lluvia. Con el agua que viene de la nieve de las montañas se producen cosechas en los valles. Desgraciadamente otras regiones están secas 15 todo el año.

A causa de las altas montañas y de las grandes distancias entre las ciudades más grandes, no se han construido en la América del Sur tantos ferrocarriles

como en los Estados Unidos. La Argentina es el único
país que ha establecido un sistema de ferrocarriles con
muchas líneas. Pero con la introducción de aeroplanos
en la América del Sur, las comunicaciones han llegado
5 a ser mucho mejores que antes. Ahora se puede ir de
una metrópoli a otra en unas pocas horas. Los aeroplanos son modernos, rápidos y cómodos, y serán
más rápidos en el porvenir.

Los norteamericanos han invertido mucho dinero en
10 el teléfono automático, en ciertas líneas de vapores,
en casas de exportación e importación, en minas y
en la industria de petróleo. Algunas personas de la
América del Sur, sin embargo, no han considerado la
actividad comercial de los Estados Unidos como una
15 cosa buena. Han creído que es una fase del imperialismo yanqui.

se puede ir one can go

metrópoli city

porvenir future

han invertido have invested

vapores steamships

♩ EJERCICIOS

A. CUESTIONARIO

1. ¿Cuáles son los meses de verano en los Estados Unidos? **2.** ¿Cuáles
son en la América del Sur? **3.** ¿De dónde viene la corriente de Humboldt?
4. ¿Es fría o caliente el agua de la corriente del Golfo? **5.** ¿Por qué no
hay tantos ferrocarriles en la América del Sur como en los Estados Unidos? **6.** ¿En cuál de las repúblicas sudamericanas hay un sistema extenso
de ferrocarriles? **7.** ¿Qué clase de transporte es más rápido que el ferrocarril? **8.** ¿En qué empresas de la América del Sur han invertido mucho
dinero los norteamericanos? **9.** ¿Dónde están los Andes? **10.** ¿En qué
parte de la América del Sur está la Argentina?

B. TRADUCCIÓN

1. June, July, and August are summer months in the United States.
2. They are winter months in Argentina. **3.** The Gulf Stream is warm.
4. The Humboldt Current is very cold. **5.** There are not many railroads
in South America. **6.** The mountains of South America are very high.
7. Now one can go from one city to another by airplane. **8.** Many North
Americans live in South America. **9.** Have you ever seen the Andes?
10. Many Spanish Americans have visited the United States.

Segunda Parte

6 ❧ *Los dos perros*

The name of **Miguel de Cervantes Saavedra**, author of *Los dos perros*, is chiefly associated with Don Quixote, the man who fought windmills, thinking they were giants. *Don Quixote* is worth reading either in Spanish or in English translation, for it is one of the great books of the world. Its author had a wide and varied experience. Cervantes fought in the great naval battle of Lepanto (1571), in which the sea power of the Turks was crushed for all time. After recovering from wounds he received in this memorable encounter, Cervantes started to return to Spain but was captured by the Moors, and held prisoner in Algiers for five years. Finally ransomed, he returned to Spain, a veteran with an honorable record, but he had no easy time even in his own country. Through no fault of his own he was imprisoned several times in Spain! Besides the *Quixote*, which some think was begun in prison, Cervantes wrote a number of short stories, which he called *Novelas ejemplares*. The selection in this chapter is taken from that collection.

If animals could talk, what would they say about human beings? Here one dog relates to another an incident in his life, during which he served a number of masters.

❧ PREPARACIÓN

a lo menos *at least*
como de costumbre *as usual*
de manera que *so that, in such a
   way that*
detrás de *behind*
lo mejor *the best part*

por la mañana *in the morning*
ser de provecho *to be useful, be of
   avail*
volver a *to do again*
   volvió a hacerlo *he did it again.*

---

vi (*past of* ver) *I saw*
vine (*past of* venir) *I came*

eran (*imperfect of* ser) *they were*
iba (*imperfect of* ir) *I used to go*

◆

acercarse a *to approach*
   me acerqué a él *I approached him*

acordarse de *to remember*

apartarse *to withdraw*
desesperarse *to despair, become
   discouraged*
quedarse *to remain, be*

> **In Spanish there are many reflexive verbs, that is, verbs that are used
> with reflexive pronouns (me, se, nos). In many cases it is not necessary
> to translate the reflexive pronoun in English.**

◆

cantando
singing

diciendo
saying

viéndome castigado
seeing myself punished

> **The ending –ndo corresponds to the –ing ending in English. The form
> diciendo is from decir. In Spanish object pronouns, if any, are at-
> tached to this form (viéndome).**

◆

Dale la ración.
Give him his share of food.

Acaríciale.
Pet him.

> **The above verbs, already encountered as forms of the present indica-
> tive, are also command forms which have a variety of usages, one of
> which is when a superior speaks to an inferior. If a pronoun is used
> with them it is attached to the verb. The command form (imperative)
> and third person singular, present indicative, of most verbs are alike:
> habla he speaks, speak; come he eats, eat; escribe he writes, write.**

◆

Ponle el collar.
Put the collar on him.

> **In some verbs the command form differs from the present indicative.
> The command ten have is from tener; sal go out is from salir. Other
> commands are haz make, do (from hacer) and di say (from decir).**

◆

Me acerqué a él, bajando la cabeza.
I approached him, lowering my head.

Me abrió la boca.   Me miró los dientes.
He opened my mouth.   *He looked at my teeth.*

> **The Spanish word for the before parts of the body is frequently trans-
> lated in English by my, his, your, etc., as the case requires. If needed,
> there is an identifying pronoun before the verb.**

◆

me *(to) me*	nos *(to) us*
la *it, her*	las *them*
lo *it*	los *them*

Yo quería decirlo.   Volvía a reñirles.
I wanted to say it.   *He scolded them again.*

La mataron.   Las guardaban.
They killed it.   *They were guarding them.*

> **The object pronouns are attached to the –r form (infinitive) of the verb.**

LOS DOS PERROS

MIGUEL DE CERVANTES SAAVEDRA

Aquella noche dormí al cielo abierto y al día siguiente cuando vi un rebaño de ovejas, creí que había hallado mi sitio, pues era natural oficio de los perros guardar ovejas. Uno de los tres pastores que guarda-
5 ban las ovejas me llamó; y yo, que no deseaba otra cosa, me acerqué a él, bajando la cabeza y meneando la cola. El pastor me abrió la boca, me miró los dientes, y dijo a los otros pastores que yo tenía todas las señales de ser perro de casta.
10 Llegó en este instante el dueño del rebaño y preguntó al pastor:

—¿Qué perro es éste, que tiene señales de ser bueno?

—Bien puede usted creerlo—respondió el pastor—. Es un gran perro.
15 —Pues—respondió el dueño—, ponle el collar de Leoncillo, el perro que murió, y dale la ración que se da a los demás. Acaríciale y tomará cariño a las ovejas.

Estaba contento con el segundo amo y con el nuevo
20 oficio. Me mostré diligente en guardar el rebaño, sin apartarme de él sino a la hora de la siesta que iba a pasar a la sombra de algún árbol. En estas siestas ocupaba la memoria en acordarme de muchas cosas. Entre ellas consideraba que no debía ser verdad lo
25 que había oído de la vida de los pastores, a lo menos en aquellos libros que la dama de mi primer amo leía cuando yo iba a su casa. Todos aquellos libros trataban de pastores y pastoras, diciendo que pasaban la vida cantando y tañendo.

al cielo abierto *under the open sky*
rebaño *flock*
ovejas *sheep*

pastores *shepherds*

bajando *lowering*
meneando *wagging*

dijo *said*

señales *marks*
perro de casta *pedigreed dog*
dueño *owner*

murió *died*

acaríciale *pet him*
tomará cariño *he will come to like*

amo *master*

sombra *shade*

trataban de *dealt with*

tañendo *playing musical instruments*

compuestas *composed*

roncas *hoarse*

gritaban *they shouted*
gruñían *grunted*
vine a entender *I came to understand*
soñadas *imaginary*
por parecerme *since it seemed to me*
sudor *sweat*

lobo *wolf*
corría *I would run*
señalaban *pointed out*

rastro *trace*

comida *eaten*

me desesperaba *I despaired*

piel *skin*

castigaban *punished*
perezosos *lazy*

Mis pastores eran diferentes. Si cantaban, no eran canciones bien compuestas y no con voces delicadas, sino con voces roncas. Parecía no que cantaban sino que gritaban y gruñían. Por eso vine a entender que todos aquellos libros eran cosas soñadas y no verdad. 5

Estaba contento con el oficio de guardar ovejas por parecerme que comía el pan de mi sudor y trabajo. Las noches no dormía y apenas me decían los pastores "¡Lobo! ¡Lobo!" cuando corría antes que los otros perros a la parte que los pastores me señalaban. 10 Corría los valles, cruzaba caminos, y por la mañana volvía sin haber hallado lobo ni rastro de él, cansado y con los pies abiertos, y hallaba en el rebaño una oveja muerta y medio comida del lobo.

Me desesperaba de ver cuán poco servía mi cuidado 15 y diligencia. Venía el dueño del rebaño, salían a recibirle los pastores con la piel de la oveja muerta. Culpaba a los pastores por negligentes, y los pastores castigaban a los perros por perezosos.

Así viéndome un día castigado sin culpa, y viendo que mi cuidado y ligereza no eran de provecho para coger el lobo, determiné de mudar estilo, no desviándome a buscarle, como de costumbre, lejos del rebaño, 5 sino quedando junto a él.

Era una obscura noche, pero yo tenía vista para ver a los lobos de los que era imposible guardar a las pobres ovejas. Me escondí detrás de una mata, pasaron mis compañeros adelante, y vi que dos pas- 10 tores asieron de una de las mejores ovejas y la mataron de manera que verdaderamente parecía que había sido su verdugo el lobo.

Al día siguiente los pastores dieron la piel al amo y ellos comieron lo mejor de la carne. Volvía a reñirles 15 el dueño y ellos volvían a castigar a los perros . . . ¡No había lobos! . . . Yo quería decirlo, pero estaba mudo.

Así determiné abandonar aquel oficio, aunque me parecía tan bueno, y escoger otro en que no sería 20 castigado por pecados de otros.

cuidado *care*
ligereza *swiftness*
coger *to catch*
mudar *to change*
desviándome *going away*

me escondí *I hid*
mata *bush*

asieron de *seized*

verdugo *executioner*

lo mejor *the best part*
volvía a reñirles *he scolded them again*

escoger *to choose*
castigado *punished*
pecados *sins*

ჲ EJERCICIOS

A. CUESTIONARIO

1. ¿Dónde durmió el perro? **2.** ¿Cuál es el natural oficio de los perros?
3. ¿Qué hizo el perro cuando uno de los pastores le llamó? **4.** ¿Qué hizo
el pastor cuando el perro se acercó? **5.** ¿Quién llegó en aquel instante?
6. ¿Qué preguntó este señor al pastor? **7.** ¿Qué cosa le puso al perro
nuevo? **8.** ¿Dónde pasaba el perro la hora de la siesta? **9.** ¿Cuánto sabía
el perro de la vida de los pastores? **10.** ¿Qué dice el perro de las voces de
los pastores? **11.** ¿Por qué no dormía el perro por la noche? **12.** ¿Qué
cosa encontró por la mañana después de haber buscado el lobo? **13.** ¿Qué
hizo el dueño del rebaño cuando vio la oveja muerta? **14.** ¿Qué
estratagema adoptó el perro una noche? **15.** ¿A su sorpresa qué
vio? **16.** ¿Qué hicieron los pastores al día siguiente? **17.** ¿Qué hizo el
dueño en aquella ocasión? **18.** ¿Qué deseaba decirle el perro? **19.** ¿Por
qué no se lo dijo? **20.** ¿Qué resolución tomó el perro después de todo
esto?

B. TRADUCCIÓN

1. The dog approached the shepherd. **2.** The shepherd opened the dog's
mouth. **3.** He looked at his teeth. **4.** He put a collar on him. **5.** The dog
was (showed himself) diligent in guarding the flock. **6.** He was happy in
his job of guarding sheep. **7.** The owner came in the morning. **8.** He
blamed the shepherds for being negligent. **9.** The dog hid behind a
thicket. **10.** The shepherds punished the dogs again.

7 ⸢ *El pescador*

Juan Valera (1824–1905), author of *El pescador*, was a linguist, a diplomat, a literary critic, and a novelist. His diplomatic career took him into many countries, including Russia, the United States and Brazil, where his tact, optimism and charming manners won him many friends. Juan Valera's whole life was characterized by refinement and tolerance. His best novel, *Pepita Jiménez* (1874), is well known to everyone who speaks Spanish. In this novel there are only two main characters: Don Luis, whose ambition is to be a missionary in foreign lands; and Pepita, a young widow whom Luis meets on his return from the seminary. In a series of letters that Luis writes to his teacher, we see that Luis is falling in love with the widow without realizing it. Needless to say, Don Luis does not depart for foreign lands.

Poets and philosophers have long sought an escape from the cares of the world, and everybody would like to postpone the approach of old age. Ponce de León searched in Florida for the Fountain of Youth, and James Hilton's novel, *Lost Horizon* pictures an earthly paradise in Tibet. As long as the world goes on, men will dream of a kingdom of perfect happiness.

❧ PREPARACIÓN

casarse *to get married*   no obstante *nevertheless*
de nuevo *again*   ponerse *to become*
de repente *suddenly*   por cierto *certainly*
de súbito *suddenly*   tal vez *perhaps*
echar una siesta *to take a nap*   tener miedo *to be afraid*
en vez de *instead of*

---

hago (*present of* hacer) *I do, make*
iba (*imperfect of* ir) *I, he, she, you, went*
murieron (*past of* morir) *they, you, died*
murió (*past of* morir) *he, she, it, you, died*
puso (*past of* poner) *he, she, you, placed*
remaron hasta venir *they rowed until they reached*

◆

eres   puedes ir   quieres   no lograrás
you are   *you can go*   *you wish, want*   *you will not succeed*

> If a verb form ends in –s (not –mos) it should be translated with you
> as the subject. This form is used when addressing servants, one's im-
> mediate family, and very close friends.

◆

No tengo nada.   No lograrás nunca.
I do not have anything.   *You will never succeed.*

> The Spaniard often uses a double negative instead of the single nega-
> tive.

◆

cubierto de   estoy seguro de que
covered with   *I am sure that*
    más de diez   eran de plata
    more than ten   *they were (of) silver*

> The word de when used after verbs, adjectives, and adverbs has a
> variety of meanings.

Hace mucho tiempo un pescador vivía en la costa.
A fisherman lived on the coast a long time ago.

Hace siglos que murieron.
They died centuries ago.

Hace cuatro años que desapareció.
He disappeared four years ago.

| **Hace** with an expression of time usually means ago.

⚓ EL PESCADOR

JUAN VALERA

Hace mucho tiempo vivía en la costa del mar un pescador llamado Urashima, amable muchacho, y muy listo con la caña y el anzuelo.

Un día salió a pescar en su barca; pero en vez de
5 coger un pez, cogió una gran tortuga con una concha muy dura y una cara vieja y fea.

Bueno será saber una cosa, que sin duda no sabe usted, y es que las tortugas viven mil años.

pescador *fisherman*
listo *clever*
caña *fishing rod*
anzuelo *hook*
pescar *to fish*
tortuga *tortoise*
concha *shell*

ignoraba *was unaware*

comida *meal*

privarle *deprive it*

olas *waves*

allende *beyond*

pusiste *you put*

felizmente *happily*

juntos *together*

remo *oar*

remaron *they rowed*

peces *fish*

muros *walls*

hojas *leaves*

escamas *scales*
pertenecía *belonged*
cómo no *why not*
yerno *son-in-law*

dichosos *happy*

Urashima que no lo ignoraba, dijo:

—Un pez será tan bueno para la comida y quizás mejor que la tortuga. ¿Para qué matar a este pobre animal y privarle de novecientos noventa y nueve años? No, no quiero ser tan cruel. Y echó la tortuga 5 de nuevo al mar.

Poco después Urashima dormía en su barca. Era verano, cuando casi todo el mundo al mediodía echa una siesta.

Mientras dormía, salió de las olas una hermosa 10 dama que entró en la barca y dijo:

—Yo soy la hija del dios del mar y vivo con mi padre en un palacio allende los mares. No era tortuga la que pusiste tan generosamente en el agua en vez de matarla. Era yo misma, enviada por mi padre, el 15 dios del mar, para ver si eres bueno o malo. Ahora, como sabemos que eres bueno, he venido para llevarte conmigo. Si quieres, nos casaremos y viviremos feliz-mente juntos, más de mil años en el palacio allende los mares. 20

Tomó entonces Urashima un remo y la princesa marina otro; y remaron y remaron hasta llegar al palacio donde el dios del mar vivía como rey de las tortugas y los peces. ¡Oh, qué sitio tan agradable era aquél! Los muros del palacio eran de coral; los árboles 25 tenían esmeraldas por hojas, y rubíes por fruta; y las escamas de los peces eran de plata. Todo ello per-tenecía a Urashima. Y ¿cómo no, si era el yerno del dios del mar y el marido de la princesa?

Allí vivieron dichosos más de tres años, paseando 30 todos los días entre aquellos árboles con hojas de esmeraldas y frutas de rubíes.

Pero una mañana Urashima dijo a su mujer:

—Estoy muy contento aquí. Necesito, no obstante, volver a mi casa y ver a mis padres y a mis hermanos. 35 Quiero ir por poco tiempo y pronto volveré.

—No me gusta eso—contestó ella—. Tengo miedo de algo terrible; pero puedes ir, pues así lo deseas.

Toma esta caja, y cuida mucho de no abrirla. Si la abres, no lograrás nunca volver a verme.

caja *box*
cuida mucho *be very careful*
lograrás *you will succeed in*

Prometió Urashima tener mucho cuidado con la caja y no abrirla por nada del mundo. Luego entró
5 en su barca, navegó mucho, y al fin desembarcó en la costa de su país natal.

desembarcó *he landed*

Pero ¿qué había pasado durante su ausencia? ¿Dónde estaba la casa de su padre? ¿Dónde estaba la aldea en que vivía? Las montañas, por cierto,
10 estaban allí como antes; pero los árboles habían sido cortados. El río que corría junto a la casa de su padre, seguía corriendo; pero ya no iban allí mujeres a lavar la ropa como antes. Todo había cambiado en sólo tres años.

cortados *cut down*

seguía corriendo *was still running*
lavar *to wash*

15 Entonces pasó un hombre y Urashima le preguntó:
—¿Puede usted decirme dónde está la casa de Urashima, que estaba aquí antes?

El hombre contestó:
—¿Urashima? ¿Por qué pregunta usted por él, si
20 hace cuatrocientos años que desapareció? Sus hermanos, los nietos de sus hermanos, hace siglos que murieron. Esa es una historia muy antigua. Loco debe usted de estar cuando busca su casa.

desapareció *he disappeared*
nietos *grandchildren*

De súbito acudió a la mente de Urashima la idea
25 que el palacio de la princesa, allende los mares, con sus muros de coral y su fruta de rubíes, era parte del país de las hadas, donde un día es más largo que un año en este mundo, y que sus tres años, en compañía de la princesa, habían sido cuatrocientos. No quería,
30 pues, permanecer más en su tierra, donde todos sus parientes y amigos habían muerto, y donde hasta su propia aldea había desaparecido.

acudió *there came*
mente *mind*

hadas *fairies*

permanecer *to remain*
parientes *relatives*

Con gran precipitación pensó entonces Urashima en volver a su mujer, allende los mares. Pero ¿cuál era
35 el rumbo que debía seguir?

precipitación *haste*

rumbo *direction*

—Tal vez—pensó él—, si abro la caja que la princesa me dió, descubriré el secreto y el camino que busco. Y así desobedeciendo las órdenes que le había dado la princesa, Urashima abrió la caja. Salió una nube

descubriré *I shall discover*
desobedeciendo *disobeying*
nube *cloud*

recordó *he remembered*

se pusieron *became*

se cubrió *was covered*
arrugas *wrinkles*
se encorvaron *bent down*
aliento *breath*

blanca que pronto desapareció sobre el mar. Gritaba él en vano a la nube. Entonces recordó con tristeza lo que su mujer le había dicho.

De repente sus cabellos se pusieron blancos como la nieve, su rostro se cubrió de arrugas, y sus espaldas ⁵ se encorvaron como las de un hombre decrépito. Le faltó el aliento, y cayó muerto en la playa.

⧂ EJERCICIOS

A. CUESTIONARIO

1. ¿Dónde vivía el pescador Urashima? **2.** ¿Qué clase de animal cogió este muchacho? **3.** ¿A qué edad mueren estos animales? **4.** ¿Por qué no mató Urashima a la tortuga? **5.** ¿Qué hizo el pescador con la tortuga? **6.** ¿Dónde durmió la siesta Urashima? **7.** ¿En qué estación del año ocurrió esto? **8.** ¿Qué encontró Urashima cuando había terminado la siesta? **9.** ¿Quién era ella? **10.** ¿Por qué había venido ella allí? **11.** ¿En qué clase de edificio vivía su padre? **12.** ¿Cuántos años pensaba Urashima que había pasado en este edificio? **13.** ¿Por qué deseaba Urashima volver a su casa? **14.** ¿Qué cosa le dio la princesa cuando volvió a su país natal? **15.** ¿Dónde estaba la casa del padre de Urashima? **16.** ¿Cuándo murieron los padres de Urashima? **17.** ¿Cuántos años había pasado Urashima en el país de las hadas? **18.** ¿Qué hizo Urashima con la caja que le había dado su esposa? **19.** ¿Qué salió de la caja? **20.** Al fin del cuento ¿qué le pasó a Urashima?

B. TRADUCCIÓN

1. A long time ago a boy named Urashima lived near the sea. **2.** One day when he was fishing he caught a tortoise. **3.** Everybody there used to take a nap at noon. **4.** A beautiful woman came out of the waves and got into the boat. **5.** Urashima and the girl got married. **6.** The god of the sea lived in a coral palace. **7.** The trees had emerald leaves. **8.** The girl was afraid something terrible would happen. **9.** Urashima could not find his father's house, but the river was still there. **10.** Suddenly his hair turned (became as) white as snow.

8 ⁊ *La ajorca de oro*

Gustavo Adolfo Bécquer (1836–1870) is the author of *La ajorca de oro*. Bécquer is best known as a poet, the author of *Rimas*. These short poems, less than a hundred in all, reflect the sadness of his life, which was troubled by poverty, sickness, and an unhappy marriage. Bécquer also wrote a number of *leyendas*, most of which are also rather melancholy. The most striking thing about these *leyendas* is the fantastic or supernatural element. In view of the fact that Bécquer hardly had a happy day in his life and did not complain about it, it was not unnatural for him to want to escape into an unreal world.

The poetic quality of the *leyenda* included here stands in sharp contrast to the style of the stories which follow it. A woman makes an extravagant request of the man who loves her and a terrible penalty is exacted of the man who does something he knows is wrong. O. Henry's *Little Speck in Garnered Fruit* gives a humorous twist to the same theme.

♎ PREPARACIÓN

al verlos *on seeing them*

al otro día *on the following day*

de cuando en cuando *from time to time*

llamar la atención *to attract attention*

llevar a cabo *to carry out*

no importa *it doesn't matter, never mind*

tener lugar *to take place*

adelantarse *to advance*

dirigirse a *to direct oneself to, turn towards*

llamarse *to be called, be named*

reírse de *to laugh at*

volverse *to turn, turn around*

hará (*future of* hacer) *he, she, it, will make, do*

diré (*future of* decir) *I shall say, tell*

estuve (*past of* estar) *I was*

pude (*past of* poder) *I could, was able*

pudo (*past of* poder) *he, she, it, could*

quiso (*past of* querer) *tried to*

el mismo día en que

the same day when

> In Spanish after an expression of time like day, hour, year, instead of saying **when** as we do, they say in which (**en que**), or simply which **(que)**.

Le arrancaría, **aunque** me **costase** la vida.

I would tear it off, even though it cost me my life.

> The idea of uncertain future lies in the word **aunque**. In such cases the subjunctive is used. The word **costase** is the past subjunctive of **costar**.

Se busca alegría.   Se encuentra tristeza.
Happiness is sought (passive).   *Sadness is found* (passive).
One seeks happiness.   *One finds sadness.*
They (you) seek happiness.   *They (you) find sadness.*

> **Note the possible variety of translations into English of reflexive verbs
> used as a substitute for the passive voice.**

LA AJORCA DE ORO

GUSTAVO ADOLFO BÉCQUER

vértigo *dizziness*

sobrenatural *supernatural*
presta *gives*

Ella era hermosa, hermosa con esa hermosura que
inspira el vértigo; hermosa con esa hermosura que es
sobrenatural; hermosura diabólica, que tal vez presta
el demonio a algunas mujeres para hacerlas sus in-
strumentos en la tierra.   5

El la amaba: la amaba con ese amor que no conoce
límites; la amaba con ese amor en que se busca alegría
y sólo se encuentra tristeza.

Ella era caprichosa, caprichosa y extravagante,
como todas las mujeres del mundo.   10

El, supersticioso, supersticioso y valiente, como
todos los hombres de su época.

Ella se llamaba María Antunez.

El, Pedro Alfonso de Orellana.

El la encontró un día llorando y le preguntó: llorando *weeping*
—¿Por qué lloras?

5 Ella se enjugó los ojos, lo miró fijamente, y volvió   se enjugó *dried*
a llorar.

Pero entonces, acercándose a María, le tomó una   acercándose *approaching*
mano y le dijo:
—¿Por qué lloras?

10 María, rompiendo al fin su obstinado silencio, dijo   rompiendo *breaking*
a su amante:
—Es una locura que te hará reír. Pero no importa.   locura *madness*
Te lo diré, puesto que lo deseas.   puesto que *since*

*   *   *

Ayer estuve en el templo. Se celebraba la fiesta de
15 la Virgen. Las notas del órgano temblaban por la   temblaban *vibrated*
iglesia, y en el coro los sacerdotes entonaban el *Salve,*   coro *choir*
Regina.   entonaban *chanted*

Yo rezaba, absorta en mis pensamientos religiosos,   rezaba *was praying*
cuando maquinalmente levanté la cabeza y mi vista   absorta *absorbed*
20 se dirigió al altar. No sé por qué mis ojos se fijaron   se fijaron *became fixed*
en un objeto que hasta entonces no había visto, un
objeto que, sin poder explicármelo, llamaba toda mi   explicármelo *to explain it*
atención.

Aquel objeto era la ajorca de oro que tiene la Madre   ajorca *bracelet*
25 de Dios en uno de sus brazos en que descansa su   descansa *rests*
divino Hijo. Yo aparté la vista para rezar. ¡Im-
posible! Mis ojos se volvían involuntariamente al
mismo punto.

Salí del templo, vine a casa, pero vine con aquella
30 idea fija en la imaginación. Me acosté para dormir.   Me acosté *I went to bed*
No pude. Al fin se cerraron mis ojos, y, ¿lo creerás?   se cerraron *closed*
aun en el sueño veía a una mujer, una mujer hermosa,   sueño *sleep*
que llevaba la ajorca de oro; una mujer, sí, porque
ya no era la Virgen que yo adoro, era otra mujer como
35 yo, que me miraba y se reía de mí.

*   *   *

oprimió *grasped*
puño *hilt*
sorda *dull*

Pedro, con un movimiento convulsivo, oprimió el puño de su espada, levantó la cabeza, y dijo con voz sorda:

—¿Qué Virgen tiene la ajorca?

—La Virgen del Sagrario—murmuró María.   5

—¡La Virgen del Sagrario!—repitió el joven con acento de terror.

facciones *features*
se retrató *was depicted*
espantada *frightened*

Y en sus facciones se retrató un instante el estado de su alma, espantada de una idea.

posee *possess*

—¡Ah! ¿por qué no la posee otra Virgen?—pro-   10

enérgico *determined*

siguió con acento enérgico—, ¿por qué no la tiene el

arrancaría *would tear out*

arzobispo en su mitra?   Yo la arrancaría para ti, aunque me costase la vida.   Pero a la Virgen del Sagrario, a nuestra Santa Patrona . . . yo que he nacido en Toledo, ¡imposible! ¡imposible!   15

—¡Nunca!—murmuró María con voz casi imperceptible—, ¡Nunca!

Y ella siguió llorando.

                    *   *   *

bosque *forest*

¡La catedral de Toledo!   Un bosque de gigantes

entrelazar *interlacing*
ramas *branches*
bóveda *arch*
seres *beings*
vivos *alive*

palmeras de granito que al entrelazar sus ramas   20 forman una bóveda colosal y magnífica, bajo la que vive toda una creación de seres imaginarios y vivos. Un caos incomprensible de sombra y luz; un mundo de piedra, inmenso y obscuro.

El mismo día en que tuvo lugar la escena entre   25 María y Pedro, se celebraba en la catedral de Toledo el último día de la magnífica fiesta de la Virgen.

La fiesta religiosa había traído a ella una inmensa multitud; pero ya ésta se había dispersado en todas

se habían apagado *had been
    put out*
capillas *chapels*

direcciones; ya se habían apagado las luces de las   30 capillas y del altar mayor, y las colosales puertas del

toledano *native of Toledo*

templo se habían cerrado detrás del último toledano, cuando de entre las sombras, tan pálido como las estatuas de las tumbas, se adelantó un hombre.

LA CATEDRAL DE TOLEDO, ALTAR MAYOR

Era Pedro. Estaba allí para llevar a cabo su criminal propósito.

La catedral estaba sola, completamente sola, y sumergida en un silencio profundo.

Sin embargo, de cuando en cuando se oían rumores confusos, ya cerca, ya lejos, ya a sus espaldas, ya a su lado mismo. Sonaban como sollozos, como rumor de pasos.

Pedro hizo un esfuerzo para seguir en su camino, llegó a la verja, y subió la primera grada de la capilla mayor. Alrededor de esta capilla están las tumbas de los reyes, cuyas imágenes de piedra parecen velar noche y día.

—¡Adelante!—murmuró en voz baja, y quiso andar y no pudo. Parecía que sus pies se habían clavado en el pavimento.

Por un momento creyó que una mano fría le sujetaba en aquel punto con una fuerza invencible. Las moribundas lámparas, que brillaban en el fondo de las naves como estrellas perdidas entre las sombras, oscilaron a su vista, y oscilaron las estatuas de los sepulcros y las imágenes del altar.

—¡Adelante!—volvió a exclamar Pedro, y se acercó al altar. Cerró los ojos, extendió la mano con un movimiento convulsivo y arrancó a la Virgen la ajorca de oro.

Sus dedos la oprimían con una fuerza sobrenatural, sólo restaba huir, huir con ella. Pero para esto era preciso abrir los ojos, y Pedro tenía miedo, miedo de ver la imagen, los reyes de las tumbas.

Al fin abrió los ojos, y un grito agudo se escapó de sus labios.

La catedral estaba llena de estatuas, estatuas que habían descendido de sus nichos, y ocupaban toda la iglesia, y le miraban con sus ojos sin pupila.

Pedro no pudo resistir más. Una nube de sangre obscureció sus ojos, arrojó un segundo grito, y cayó desvanecido al suelo.

Glossary (margin notes)

sumergida *submerged*

se oían *were heard*

a sus espaldas *behind him*

sollozos *sobs*

esfuerzo *effort*

verja *grating*
grada *step*

velar *to watch*

se habían clavado *had become fixed*

sujetaba *held*

moribundas *dying*
brillaban *shone*

restaba *it remained*
huir *to flee*
abrir *to open*

grito *cry*
agudo *sharp*

sangre *blood*

arrojó *he uttered*
desvanecido *fainting*
suelo *floor*

Cuando al otro día los dependientes de la iglesia
le encontraron al pie del altar, tenía aún la ajorca de
oro entre sus manos, y al verlos acercarse, exclamó
con una estridente carcajada:

5   —¡Suya! ¡Suya!

El infeliz estaba loco.

encontraron *found*

estridente *shrill*
carcajada *laugh*

♇ EJERCICIOS

A. CUESTIONARIO

1. ¿Qué tal de persona era María? **2.** ¿Qué tal de persona era Pedro?
3. ¿Qué le preguntó a ella cuando lloraba? **4.** ¿Dónde había estado ella
el día anterior? **5.** ¿Qué fiesta se celebraba en la catedral? **6.** ¿En qué se
fijaron los ojos de María cuando estaba en el templo? **7.** ¿Por qué no
pudo ella dormir aquella noche? **8.** ¿Qué vio María en los sueños?
9. ¿Cuántas personas asistieron a la fiesta de la Virgen? **10.** ¿Quién se
quedó en el templo después de que se habían apagado las luces? **11.** ¿Qué
se oía en el templo de cuando en cuando? **12.** ¿Qué estaba alrededor de
la capilla mayor? **13.** ¿Qué le pareció a Pedro que le había sujetado?
14. ¿Cómo aparecían las lámparas en el fondo de las naves? **15.** ¿Qué
hizo Pedro al arrancar a la Virgen la ajorca de oro? **16.** ¿Qué restaba
hacer ahora? **17.** ¿Qué cosa era necesaria para huir? **18.** ¿Por qué no
huyó Pedro? **19.** ¿Qué vio Pedro al abrir los ojos? **20.** ¿En qué estado se
halló Pedro al día siguiente?

B. TRADUCCIÓN

1. One day Pedro found Maria weeping. **2.** She said she had been in the
church the day before. **3.** She raised her head and looked towards the
altar. **4.** "My eyes were fixed (fixed themselves) on an object that attracted my attention." **5.** The object was the Virgin's gold bracelet.
6. Maria left the church, went home and went to bed. **7.** She couldn't
sleep. **8.** This took place in the Cathedral in Toledo. **9.** The lights in the
chapels had already been put out. **10.** Finally he opened his eyes and a
cry came from (escaped) his lips.

9 ⸘ *Vuelva usted mañana*

Mariano José de Larra (1809–1837) is the author of *Vuelva usted mañana*. Larra's father was a doctor who sided with the French in the Napoleonic invasion of Spain (1808–1813); and when the French armies left, Larra's father naturally thought it advisable to depart with them. Mariano José, who was only a child at the time, accompanied his father and it is said that he forgot his native tongue for French and had to learn Spanish all over again when he returned to his native land. He learned it well enough to be considered by many to be the greatest Spanish writer of the nineteenth century. Larra is famous for his prose style, especially in his newspaper and magazine articles on Spanish customs and manners.

Life is somewhat more leisurely in Spain than it is in America. Here we see a foreigner who wants a job done within a specified time. He has his troubles!

MADRID: EL RETIRO

℘ PREPARACIÓN

a los quince días *after two weeks*
acabar con *to put an end to, end*
acabar de *to have just*
    acaba de salir *he has just left*
cuanto antes *as soon as possible*
dar una vuelta *to take a turn, come
   back*
en cuanto a *as for*
en el acto *at once*
lo único *the only thing*

pasado mañana *day after tomorrow*
por fin *finally*
por la mañana (tarde, noche) *in the
   morning (afternoon, night)*
¿qué le parece (de) . . .? *what do
   you think of . . .? how do you
   like . . .?*
sobrar *to be left over, be more than
   enough*; me sobran cinco días *I
   have five days left over*

---

debió de ser *must have been*
dejarse convencer *to let oneself be
   convinced*
    se dejó convencer *he let him-
    self be convinced*

hay que (*with a verb*) *it is necessary*;
   must
    hay que ver *one must see*; *it is
    necessary to see*
marcharse *to go away*

El señor está durmiendo la siesta.
The master is taking a nap.

> | **Durmiendo** (sleeping) **is from dormir. Compare murió, murieron.**

Acuérdese de eso.
Remember that.

Mire usted.
Look.

Vuelva usted mañana.
Come back tomorrow.

No **acabe** con su poca paciencia.
Do not lose your little patience (i.e. what little patience you have left).

> The verbs above are present subjunctives. The present subjunctive is
> formed from the first person singular of the present indicative. For
> –ar verbs the endings are –e, –es, –e, –emos, –éis, –en. For –er and
> –ir verbs the endings are –a, –as, –a, –amos, –áis, –an. If a present
> subjunctive appears as the main verb in a sentence, it is equivalent to
> a command.

◆

esté (estar)   sea (ser)

dé (dar)   sepa (saber)

haya (haber)   vaya (ir)

| **There are only six irregular verbs in the present subjunctive.**

◆

Traté de persuadirle a que se **volviera.**

I tried to persuade him $\begin{cases} \textit{to return.} \\ \textit{that he should return.} \end{cases}$

Nos dijo que **diéramos** una vuelta.

He told us $\begin{cases} \textit{to return.} \\ \textit{that we should return.} \end{cases}$

> **The above verbs are forms of the past subjunctive. The past subjunctive can be easily recognized from either of two sets of endings (–ra, –ras, ra, –ramos, –rais, –ran; –se, –ses, –se, –semos, –seis, –sen) which are attached to the third person plural stem of the past definite. The above sentences have the sense of command, but more important still is the idea of uncertainty. Subjunctive clauses in Spanish are often equivalent to an infinitive construction in English.**

⁊ VUELVA USTED MAÑANA

MARIANO JOSÉ DE LARRA

pereza *laziness*

El primero que llamó a la pereza pecado mortal debió de ser una gran persona. Esta institución ha cerrado y cerrará las puertas del cielo a más de un cristiano.

Estas reflexiones hacía yo casualmente, no hace 5 muchos días, cuando un extranjero se presentó en mi casa, provisto de varias cartas de recomendación. Asuntos intricados de familia, reclamaciones futuras, y hasta proyectos vastos concebidos en París de invertir aquí su capital en una especulación industrial 10 eran los motivos que le conducían a nuestra patria.

provisto de *provided with*
reclamaciones *claims*
de invertir *of investing*

Acostumbrado a la actividad de los franceses, él me aseguró formalmente que pensaba permanecer aquí muy poco tiempo, sobre todo si no encontraba pronto objeto seguro en que invertir su capital. El extran- 15 jero me pareció digno de alguna consideración, y lleno de lástima, traté de persuadirle a que se volviera a su casa cuanto antes.

digno *worthy*

cuanto antes *right away*

—Mire usted—le dije—, Monsieur Sans-délai—que así se llamaba—usted viene decidido a pasar quince 20 días y no más. ¿No es cierto?

quince días *two weeks*

—Sí—me contestó—. Quince días y es mucho. Mañana por la mañana buscaremos un genealogista para mis asuntos de familia; por la tarde él buscará en sus libros, hallará mis ascendientes, y por la noche 25

asuntos *affairs*
ascendientes *ancestors*

sabré quien soy. En cuanto a mis reclamaciones, pasado mañana las presentaré fundadas en los datos que aquel genealogista me dé; y como será una cosa clara, al tercer día se juzgará el caso, y todo será
5 terminado. En cuanto a mis especulaciones, en que pienso invertir mi capital, al cuarto día habré presentado mis proposiciones. Serán buenas o malas, y admitidas o rechazadas en el acto, y son cinco días; en el sexto, séptimo y octavo veré lo que hay que ver
10 en Madrid; descansaré el noveno; y el décimo volveré a mi casa y aun me sobrarán de los quince, cinco días.

Conocí que no estaba el señor Sans-délai muy dispuesto a dejarse convencer sino por la experiencia, y callé, bien seguro de que no tardarían mucho los
15 hechos en hablar por mí.

Llegó el día siguiente, y salimos a buscar un genealogista. Le encontramos por fin, y el buen señor declaró francamente que necesitaba algún tiempo. Insistí, y por fin nos dijo que diéramos una vuelta por
20 allí dentro de algunos días. Me sonreí y nos marchamos. Pasaron tres días. Volvimos.

—Vuelva usted mañana—nos respondió la criada—, porque el señor no se ha levantado todavía.

—Vuelva usted mañana—nos respondió en otra
25 ocasión—, porque el señor está durmiendo la siesta.

—Vuelva usted mañana—nos respondió el lunes siguiente—, porque ha ido a los toros.

Le vimos por fin, ¡y el buen señor se había olvidado del asunto!
30 A los quince días todo estaba preparado. Pero mi amigo había pedido una noticia de un señor *Diez*, y el genealogista había entendido *Díaz*. La noticia no servía.

—¿Qué le parece de esta tierra, Monsieur Sans-
35 délai?—le dije.

—Me parece que aquí viven hombres singulares, demasiado singulares. Me marcho; en este país no hay tiempo para hacer nada. Solo me limitaré a ver las cosas notables en la ciudad.

---

fundadas *based*
datos *information*

se juzgará *will be decided*

rechazadas *rejected*

descansaré *I shall rest*
me sobrarán *I will have left over*

dejarse convencer *to allow himself to be convinced*

me sonreí *I smiled*

a los toros *to the bullfight*
se había olvidado *had forgotten*

una noticia *information*
no servía *was of no use*

no acabe con *do not exhaust*

no se ven *cannot be seen*

nunca me ha de creer *you will never believe me*

en todas partes *everywhere*

—¡Ay! Mi amigo—le dije—, no acabe con su poca paciencia. La mayor parte de nuestras cosas no se ven.

—¿Es posible?

—¿Nunca me ha de creer? Acuérdese de los quince días.

—Vuelva usted mañana—nos decían en todas partes—, porque hoy no se ve nada.

Mi amigo nos comprendía menos cada día. Finalmente, volvió a su tierra, llevando noticias excelentes de nuestras costumbres y diciendo sobre todo que en dos meses no había podido hacer otra cosa sino volver siempre mañana, y que después de tanto mañana lo único bueno que había podido hacer había sido marcharse.

5

10

❧ EJERCICIOS

A. CUESTIONARIO

1. ¿Cuándo nació Mariano José de Larra? **2.** ¿Cuándo murió? **3.** ¿Quién se presentó un día en la casa del autor? **4.** ¿Qué proyectos tenía esta persona? **5.** ¿Cuánto tiempo pensaba permanecer en España? **6.** ¿Por qué trató el autor de persuadirle a que volviera a Francia? **7.** ¿A quién pensaba Monsieur Sans-Délai buscar primero? **8.** ¿Cuántos días creía necesarios para terminar con sus reclamaciones? **9.** ¿En cuánto a sus especulaciones, ¿cuántos días creía necesarios? **10.** ¿Qué pensaba hacer después de invertir su dinero en un negocio? **11.** ¿Dónde estaba el genealogista cuando volvieron el autor y el francés tres días después? **12.** ¿Dónde estaba el genealogista en la segunda ocasión? **13.** ¿Qué dijo la criada en las dos ocasiones? **14.** ¿Cuándo estaba todo preparado? **15.** ¿Por qué no servía la noticia? **16.** ¿Cómo le parecía España al pobre francés? **17.** ¿Por qué se decidió a marcharse de España? **18.** ¿Por qué no podía ver las cosas notables de la ciudad? **19.** ¿Qué le dijeron en todas partes? **20.** ¿Cuánto sabía de España al fin de dos meses?

B. TRADUCCIÓN

1. A few days ago a stranger appeared (presented himself) at my house. **2.** He said he would return home as soon as possible. **3.** Day after tomorrow I shall look for a genealogist. **4.** Finally he told us to come back in a few days. **5.** The maid said "come back tomorrow." **6.** "The master has not gotten up yet." **7.** The maid said that her master had just gone to the bullfight. **8.** After two weeks everything will be ready. **9.** The only thing he had been able to do was to go back home. **10.** The Spaniard was taking a nap.

10 ⚿ *Golpe doble*

Vicente Blasco Ibáñez (1867–1928) is the author of *Golpe doble*. In the United States Blasco Ibáñez is usually called Ibáñez, but he should be called Blasco or Blasco Ibáñez. His most famous novel is *The Four Horsemen of the Apocalypse*, dealing with World War I. The best part of this once popular novel, however, is the section that has to do with Argentina, a country that did not go into the conflict. Blasco Ibáñez also wrote short stories (of which *Golpe doble* is one) about the district near Valencia, his native city, and these and his novels on the same subject constitute his best work, for example *La barraca* (*The Cabin*).

A "racket" is by no means an American institution. Here a shrewd Spanish peasant takes the law into his own hands and resists a "racket" that threatens the safety and prosperity of his family.

VALENCIA

≀ PREPARACIÓN

a pesar de *in spite of*
de rodillas *on his (their) knees*
de seguro que *surely, certainly*
debajo de *under*
frente a *facing*
las once *eleven o'clock*
lo cierto era *what was certain was*

lo suyo *what was his*
más allá de *beyond*
ojo de la cerradura *keyhole*
tener calma *to keep calm, be calm*
tener que *to have to*
    tiene que ir *he has to go*
ya que *since, now that*

inclinarse *to stoop down, bend over*
negarse a *to refuse*
volverse *to turn about*

◆

La carta **le pedía a él** dos duros.
The letter asked him for two dollars.

Le **pedían** cuarenta duros.
They asked her for forty dollars.

Fue a **pedir** consejo **al viejo**.
He went to ask the old man for advice.

> In Spanish, the expression to ask for **takes both an indirect and a direct object.**

◆

A Sentó **le** parecía.
It seemed to Sento.

Se lo dió a Sentó.
He gave it to Sento.

> The indirect object is sometimes repeated in Spanish. The word s̲e̲ before l̲o̲, l̲o̲s̲ is not the reflexive s̲e̲, himself, herself. It means to him, to her, to them, etc.

⑆ GOLPE DOBLE

VICENTE BLASCO IBÁÑEZ

barraca *cabin*

Al abrir la puerta de su barraca, Sentó encontró un papel en el ojo de la cerradura.

Era una carta anónima. Le pedía cuarenta duros y

horno *oven*
que tenía *which was*

debía dejarlos aquella noche en el horno que tenía frente a su barraca.   5

huerta *garden district*

Toda la huerta tenía miedo de aquellos bandidos.

se negaba *refused*

Si alguien se negaba a obedecer tales demandas, sus

talados *laid waste*
perdidas *ruined*
despertar *wake up*
llamas *flames*

campos aparecían talados, las cosechas perdidas, y hasta podía despertar a media noche sin tiempo para huir de la barraca en llamas.   10

sucedía *was happening*

Hasta los periódicos de Valencia hablaban de lo que sucedía en la huerta. Sin embargo, el tío Batiste,

aseguraba *assured*

alcalde de aquel distrito de la huerta, aseguraba que

alguacil *constable*

él y su fiel alguacil, Sigró, bastaban para acabar con aquella calamidad.   15

acudir *to go*

A pesar de esto, Sentó no pensaba acudir al alcalde. Pero lo cierto era que le pedían cuarenta duros, y si no

quemarían *they would burn*

los dejaba en el horno le quemarían su barraca, aquella barraca que miraba ya como a un hijo próximo a

perderse *to be lost*

perderse, con sus paredes blancas, las ventanas azules,   20

parra *grapevine*
higuera *fig tree*
barro *clay*
ladrillos *bricks*
chiquillos *little children*

la parra sobre la puerta y más allá de la vieja higuera el horno de barro y ladrillos. Aquello era toda su fortuna, el hogar de su mujer, los tres chiquillos, el par de viejos caballos, fieles compañeros en la diaria batalla por el pan.   25

¡Cuánto había tenido que trabajar la tierra para obtener los pocos duros que guardaba debajo de la

guardaba *he kept*

cama! El era un hombre pacífico; toda la huerta podía responder por él. Trabajar mucho para su

afición *love*

Pepeta y los tres niños era su única afición. Pero ya   30
que querían robarle, sabría defenderse.

Como se aproximaba la noche y nada había decidido, fue a pedir consejo al viejo de la barraca inmediata.   El viejo le escuchó con los ojos fijos en el
cigarro que tenía en sus manos.   Hacía bien en no
5 querer soltar el dinero.

Setenta años tenía el viejo, pero sabía defender lo
suyo. Y con mucha solemnidad sacó de detrás de la
puerta una escopeta grande y la acarició devotamente.
La cargó bien, y se la dio a Sentó.

se aproximaba *approached*

escuchó *listened*

cigarro *cigarette*

soltar *to give up*

sacó *he took out*

escopeta *shotgun*

cargó *he loaded*

regar *to irrigate* (*his fields*)
creyó *believed*
acostándose *going to bed*

apuntar *aim*

se inclinasen *they bent over*

por consejo *on the advice*
se tendió *stretched out*
cerca *hedge*

perderse *miss*
tiro *shot*
se alejó *went away*

vega *plain*

vivientes *living*

contaba *he counted*
sonando *striking*

ranas *frogs*
senda *path*
bultos *figures*

como *as if*

temiendo *fearing*
sorpresa *surprise*

colocándose *placing himself*

se cansó *grew tired*
torpeza *slowness*

trueno *report*
conmovió *alarmed*
ladridos *barking*

abanico *fan*
chispas *sparks*
quemaduras *burns*

Aquella noche dijo Sentó a su mujer que esperaba turno para regar, y toda la familia le creyó, acostándose temprano.

Cuando salió, dejando bien cerrada la barraca, vio a la luz de las estrellas al fuerte viejo bajo la higuera. 5 Este dio a Sentó la última lección. Apuntar bien a la boca del horno y tener calma. Cuando se inclinasen buscando el dinero en el interior . . . ¡fuego! Era tan sencillo, que podía hacerlo un chico.

Sentó, por consejo del maestro, se tendió cerca de la 10 barraca. La pesada escopeta descansaba en la cerca de cañas apuntando fijamente a la boca del horno. No podía perderse el tiro.

Se alejó el viejo, y Sentó creyó que quedaba solo en el mundo, que en toda la inmensa vega no había más 15 seres vivientes que él y aquellos que iban a llegar. Contaba las horas que iban sonando en el Miguelete . . . Las once . . . ¡No vendrían!

Las ranas callaron repentinamente. Por la senda avanzaban dos bultos que a Sentó le parecieron dos 20 perros enormes. Eran hombres que avanzaban casi de rodillas.

—Ya están allí—murmuró; y sus manos temblaban.

Los dos hombres se volvían a todos lados, como temiendo una sorpresa. Se acercaron después a la 25 puerta de la barraca. Pasaron dos veces cerca de Sentó, pero él no podía conocerlos.

Ya iban hacia el horno. Uno de ellos se inclinó, metiendo las manos en la boca del horno y colocándose ante la apuntada escopeta. ¡Magnífico tiro! 30 Pero ¿y el otro que quedaba libre?

Por fin el otro se cansó de la torpeza de su compañero y fue a ayudarle en la busca. Los dos formaban una obscura masa cerca de la boca del horno. ¡Aquélla era la ocasión! 35

El trueno conmovió toda la huerta, despertando una tempestad de gritos y ladridos. Sentó vio un abanico de chispas, sintió quemaduras en la cara; la escopeta se le fue, y agitó las manos para convencerse

dc que estaban enteras. De seguro que la escopeta
había reventado. · había reventado *had burst*

No vio nada en el horno. Habían huido. Y cuando
él iba a escapar también, se abrió la puerta de la
5 barraca y salió Pepeta con un candil. La había · candil *lamp*
despertado el tiro y salía impulsada por el miedo, · impulsada *driven*
temiendo por su marido que estaba fuera de la casa.

La roja luz del candil llegó hasta la boca del horno.

Allí estaban dos hombres en el suelo, uno sobre
10 otro, formando un solo cuerpo. No había errado el · no había errado *had not missed the mark*
tiro.

Y cuando Sentó y Pepeta, con terror, alumbraron
los cadáveres para verles las caras, retrocedieron con · retrocedieron *they drew back*
exclamaciones de sorpresa.

15 Eran el tío Batiste, el alcalde, y su alguacil, Sigró.

∮ EJERCICIOS

A. CUESTIONARIO

1. ¿Qué encontró Sentó cuando abrió la puerta de su barraca? **2.** ¿Cuánto
dinero se le pedía? **3.** ¿En dónde debía dejar el dinero? **4.** ¿Qué pasaba,
si alguien se negaba a dar el dinero pedido? **5.** ¿Qué hizo el alcalde
cuando supo lo que ocurría en la huerta? **6.** ¿Qué iba a pasar a Sentó si
no dejaba el dinero en cierto sitio? **7.** ¿Dónde guardaba los pocos duros
que tenía? **8.** ¿A dónde fue a pedir consejo? **9.** ¿Qué le dio el viejo a
Sentó? **10.** ¿Qué lección recibió Sentó bajo la higuera? **11.** ¿Qué vio
poco después de las once? **12.** ¿Qué hicieron estas personas antes de
acercarse al horno? **13.** ¿Qué hizo uno de ellos? **14.** ¿Por qué no tiró
Sentó? **15.** ¿En qué momento tiró? **16.** ¿Qué pasó con la escopeta?
17. ¿Quién salió de la barraca poco después? **18.** ¿Cómo era posible ver
lo que había en la boca del horno? **19.** ¿Cuántos hombres estaban en el
suelo? **20.** ¿Quiénes eran?

B. TRADUCCIÓN

1. Sentó found a piece of paper in the keyhole. **2.** Everybody was afraid of those bandits. **3.** Sentó kept the few dollars he had under the bed. **4.** He went to the next cabin to ask the old man for advice. **5.** Sentó told his wife that he was going to irrigate his fields. **6.** The family believed what he said and went to bed. **7.** He counted the hours as they struck. **8.** Two figures came up (advanced) along the path. **9.** There were two men on the ground, one on top of the other. **10.** Sentó and his wife drew back with exclamations of surprise.

11 ⅋ *El voto*

Emilia Pardo Bazán (1851–1921) is the author of *El voto*. She was born in La Coruña in Northern Spain. In the summer a good part of Spain is dry and yellow, but in Galicia, in which La Coruña is located, the foliage is green and fresh. When Pardo Bazán was writing, it was not easy to make a living there, however, because the section was overpopulated and the soil in many places is hard to cultivate. Thus it was that many of the Galicians emigrated to America to make their fortunes in a different environment. Not all of them succeeded, but those who did wanted to return and live a life of leisure in the land they never could forget.

It is easy to make a resolution, but it is quite another thing to carry it out. Perhaps Sebastián's last resolution was more sensible than his first.

⸘ PREPARACIÓN

a la vez *at the same time*
a la vista *in sight (of), in view of*
cargar con *to take upon oneself*
con rumbo a *in the direction of,
   sailing for*

de repente *suddenly*
lo malo era *the trouble was*
por último *finally*
sin remedio *for good and all*

---

asemejarse *to resemble*
   se le asemeja *it resembles him*
encargarse de *to take charge of*
habré de arruinarme *I shall be
   ruined*

se diría *one might say*
se ponía el sol *the sun was setting*
siendo joven *when he was young*
suelo (*present of* soler) *I am accustomed to*

◆

Admitido en casa, subió.
Having been admitted into the firm, he advanced rapidly.

Llegado a la capital, un talismán le removió obstáculos.
Having arrived at the capital, a talisman removed all obstacles from his path.

Solemnizado el voto, recobró la paz del alma.
The vow (promise) being made, he recovered his peace of mind.

> Often the past participle is used without any form of the verb <u>haber</u>,
> as above, and is translated this having been (done), this being (done),
> having been (done), when this was (done).

◆

Vino la noche sin que se **interrumpiese** la conversación.
Night came without the conversation being interrupted.

Usted quedará libre aunque no le **regale** nada.
You will be free even though you don't give her anything.

> The form <u>interrumpiese</u> is the past subjunctive of <u>interrumpir</u>; <u>regale</u>
> is the present subjunctive of <u>regalar</u>. The use of the subjunctive shows
> that the statement of the clause is not a fact from the standpoint of
> the main verb. This idea of uncertainty in the main verb may be less
> effectively rendered in English by may, should, would, etc.

EL VOTO

EMILIA PARDO BAZÁN

Sebastián Becerro salió de su aldea a la edad de diez y siete años, y embarcó con rumbo a Buenos Aires. Llegado a la capital de la República Argentina, se diría que un misterioso talismán se encargaba de
5 removerle obstáculos. Admitido en poderosa casa de comercio, subió desde la plaza más baja a la más alta, siendo primero hombre de confianza, luego el socio, por último el amo.

Tanto éxito se explica cuando sabemos que Se-
10 bastián era capaz de extraer un billete de banco de una piedra. Las circunstancias ayudaron a Becerro, pero él ayudó a las circunstancias.

Desde el primer día vivió sujeto a la monástica abstinencia del que concentra su energía en un fin esencial.
15 Joven y robusto no deseaba oír la melodía de las sirenas. No tenía sueños ni ilusiones. En cambio, tenía una esperanza.

Como todos los de su raza, Sebastián quería volver a su tierra, y después de veinte y dos años de emi-
20 gración, de gran trabajo, de regularidad maniática, el que había salido de su aldea pobre, joven, rubio como el maíz, volvía opulento, con la cabeza entrecana y el rostro arrugado.

Fue la travesía, como el emigrar, plácida y hermosa,
25 y al murmullo de las olas del Atlántico, Sebastián, libre por primera vez de la diaria esclavitud del trabajo, sintió que se despertaban en él extraños deseos, aspiraciones nuevas. Y a la vez, viéndose rico y no viejo, caminando hacia la tierra, empezó a creer
30 que la Providencia, que hasta entonces le había ayudado tanto, estaba cansado de protegerle; que el

amo *master*
arrugado *wrinkled*
ayudar *to help**
capaz *capable*
encargarse de *to take charge
    of*
entrecano *grayish*
esclavitud *slavery*
esperanza *hope*
éxito *success*
maíz *maize*
maniático *maniacal*
poderoso *powerful*
proteger *to protect*
rubio *blond*
socio *partner*

**From this chapter on, only
the infinitive form of the verb
is placed in the end-vocabulary; and only basic forms
will be glossed, in alphabetical
order.*

abnegación *self-denial*
ahogarse *to drown*
arruinarse *to be ruined*
asombro *astonishment*
bizco *crossed*
cansancio *weariness*
caño *spout*
cariño *affection*
curtido *weather-beaten*
desnudo *bare*
embarrancar *to run aground*
encantador *charming*
encender *to inflame*
fresco *cool*
hado *fate*
jarro *pitcher*
misa *mass*
muelle *dock*
ponerse *to set (sun)*
prometida *fiancée*
proponer *to propose*
recobrar *to recover*
redondo *round*
risueño *smiling*
romo *flat*
sendero *path*
soltera *old maid*
suspiro *sigh*
tez *complexion*
veneno *poison*

barco embarrancaría a la vista del puerto; o que él, Sebastián, se ahogaría al pie del muelle; o que cogería una pulmonía doble.

Y Sebastián, que era muy supersticioso, hizo un voto original, de superior abnegación: casarse sin 5 remedio con la soltera más fea de su lugar. Solemnizado interiormente el voto, Sebastián recobró la paz del alma, y acabó su viaje sin dificultad.

Cuando llegó a la aldea, se ponía el sol entre nubes de oro; el campo estaba mudo, solitario y triste. Al 10 lado del verde sendero encontró una fuente donde mil veces había bebido siendo joven, y junto a la fuente una moza bonita, alta, rubia, risueña. Sebastián le pidió agua, y la moza, aplicando el jarro al caño de la fuente, y sosteniéndolo después con bíblica gracia 15 sobre el brazo desnudo y redondo, lo inclinó hasta la boca de Sebastián, encendiéndole el pecho con el agua fría, una sonrisa deliciosa y una frase pronunciada con humildad y cariño.

Siguió su camino el indiano, y a pocos pasos se le 20 escapó un suspiro, tal vez el primero que no le arrancaba el cansancio físico; pero al llegar al pueblo recordó la promesa, y se propuso buscar inmediatamente a su prometida y casarse con ella.

En efecto, al día siguiente, domingo, fue a misa y 25 vio la cara más horrible, los ojos más bizcos, la nariz más roma, la tez más curtida que se podía imaginar; todo acompañado de unas manos y pies grandísimos.

—Esta fea—pensó Sebastián—, se ha fabricado expresamente para mí, y si no cargo con ella, habré 30 de arruinarme o morir.

Lo malo era que a la salida de misa el indiano había visto también a la niña de la fuente, y no hay que decir que con su ropa de fiesta, le parecía bonita, dulce, encantadora, especialmente cuando, bajando los ojos, 35 la moza le preguntó "si no quería agua fresca."

Pero los hados le obligaban a beber veneno, y Sebastián entre el asombro de la aldea, pidió a la fea, avisó al cura, y preparó la ceremonia.

Sucedió que la víspera del día señalado, estando Sebastián a la puerta de su casa, vio a la niña de la fuente. La llamó y de repente la tomó una mano y la besó, como haría algún galán del teatro antiguo. La
5 niña se rió, el indiano se turbó, hubo preguntas, vino la noche sin que se interrumpiese la conversación.

Señor cura dijo Sebastián, pocas horas después —yo no puedo casarme con aquélla, porque esta noche soñé que era un dragón y me comía.
10 —No me admiro de eso—respondió el cura—. Ella no es dragón, pero se le asemeja mucho.

—El caso es que tengo hecho voto. ¿A usted qué le parece? Si le regalo la mitad de mi dinero a esa fiera, ¿quedaré libre?
15 —¡Aunque no le regale usted sino la cuarta parte, o la quinta!

Sin duda Becerro era muy supersticioso, pues, antes de casarse con la bonita, hizo donación de la mitad de sus bienes a la fea, que no tardó en encontrar
20 marido muy hermoso y galán.

admirarse de *to be surprised at*
bienes *wealth*
de repente *suddenly*
fiera *wild beast*
interrumpir *to interrupt*
mitad *half*
regalar *to give*
soñar *to dream*
turbarse *to become disturbed*
víspera *day before*

❦ EJERCICIOS

A. CUESTIONARIO

1. ¿En qué parte de España está La Coruña? **2.** ¿Qué es un indiano?
3. ¿Cuántos años tenía Sebastián al salir de su aldea? **4.** ¿A dónde fue?
5. ¿Cuánto éxito tenía en América? **6.** ¿Qué tal de persona era Sebastián?
7. ¿Después de cuántos años volvió a España? **8.** ¿Cómo fue la travesía?
9. A la vista del puerto ¿qué temía? **10.** ¿Qué voto extraño hizo Sebastián? **11.** ¿A quién encontró cerca de una fuente? **12.** ¿Qué le dijo Sebastián? **13.** Al día siguiente ¿qué vio Sebastián? **14.** ¿Qué pensaba Sebastián al ver a esta persona? **15.** ¿Qué sucedió la víspera de la boda? **16.** ¿Por qué se fue Sebastián a ver al cura? **17.** ¿Qué le dijo el cura? **18.** ¿Cuánta parte de su dinero prometió Sebastián dar a la fea? **19.** ¿Con quién se casó Sebastián? **20.** ¿Con quién se casó la fea?

B. TRADUCCIÓN

1. Sebastian left home, sailing for Buenos Aires. **2.** After twenty years of hard work he wanted to return to his own country. **3.** As he reached the village, the sun was setting. **4.** He saw a pretty girl at the fountain. **5.** He asked the girl to give him some water. **6.** On the following day he went to mass. **7.** I cannot marry her because I dreamed she was a dragon. **8.** She is not a dragon but she looks very much like one. **9.** Before marrying the pretty girl, Sebastian gave half of his money to the other girl. **10.** It didn't take her long to find a handsome husband.

12 ⅔ *La cita*

Emilia Pardo Bazán, author of *La cita*, was an admirer of the works of Émile Zola, the French novelist who caused a sensation in France with his naturalistic pictures of French life. Pardo Bazán caused an endless amount of comment, favorable and otherwise, by introducing some of Zola's tendencies into Spanish fiction. This would have been dangerous for a man to do, but for a woman it was shocking. Pardo Bazán, in spite of criticism, continued in this style, and her best work won almost general recognition. She wrote several novels and many short stories.

Every criminal hopes that his crime will be "perfect," like the one described in this story. The circumstantial evidence here seems sufficient to convict an innocent man of murder, but after all he became deeply involved because of his conceit and gullibility.

EL SERENO

❧ PREPARACIÓN

aficionado, –a *fond of*
al principio *at first, in the beginning*
dio en preguntar *he started to inquire*
dar de lleno *to strike full*

echar a *to begin to, start to*
fijarse en *to notice, pay attention to*
morirse por *to be very fond of, be
crazy about*
ojalá *I hope that . . ., I hope so*

detenerse *to stop*
enterarse de *to find out*

quedarse *to remain*
quejarse *to complain*

al conocer el crimen *when the crime
was known*
al obscurecer *when night came on*
el no ver persona alguna *the fact
that he did not see a single person*

señas de *indications in regard to*
él se llevó el dinero *he carried off
the money*

Se rogaba que se **cerrase** la puerta al entrar.

It was requested that { *he close the door on entering.*
the door be closed on entering.

Mil protestas no impidieron que le **llevasen** a la cárcel.

A thousand protests did not prevent { *his being taken to jail.*
them from taking him to jail.
that they should take him to jail.

La señal sería que le **devolviese** la carta.

The signal would be { *for him to return the letter.*
that he should return the letter.
the return of the letter.

> These subjectives have something of the idea of uncertainty of ac-
> complishment, which may be rendered in several ways in English.

Para que usted no **poseyese** . . .
So that you should not possess . . .

> The subjunctive is used here with the idea of purpose (and also indefi-
> nite future).

♬ LA CITA

EMILIA PARDO BAZÁN

Alberto Miravalle, excelente muchacho, no tenía más que un defecto: creía que todas las mujeres se morían por él.

Era para Alberto una sensación de felicidad pueril;
5 pero como expresaba su vanidad de hombre irresistible, se formó una leyenda y un ambiente de ridiculez le envolvía. Pero él no notaba las burlas de sus amigos.

Alberto no se sorprendió un día de recibir por
10 correo una carta, en la que una dama desconocida se quejaba de que Alberto no se había fijado en ella. Encargaba el mayor secreto, y añadía que la señal de admitir el amor que ella le ofrecía sería que devolviese aquella misma carta a unas iniciales convenidas.

15 Al principio Alberto sintió cierto recelo, pero un segundo examen le restituyó su habitual optimismo. La precaución de la devolución de la carta indicaba ser realmente una señora la que le escribía, tratando de no dejar pruebas en manos del afortunado mortal.

20 Otra segunda carta fijaba el día y la hora, y daba las señas de calle y número. Era preciso devolverla como la primera, y se advertía que, llegando exactamente a la hora señalada, encontraría abiertas la puerta de la calle y la del piso. Se rogaba que se cerrase al entrar.

25 Fácil parecía enterarse de quien era la bella mujer, conociendo su dirección. Y, en efecto, Alberto dio en rondar la casa, en preguntar en algunas tiendas. Y supo que en la casa vivía una viuda, joven y aficionada a lucir trajes y joyas.

ambiente *atmosphere*
añadir *to add*
burla *joke*
desconocido *strange*
devolución *return*
devolver *to return*
dirección *address*
lucir *to show off*
piso *apartment*
pueril *childish*
recelo *fear*
restituir *to restore*
ridiculez *absurdity*
rogar *to request*
rondar *to walk back and forth*
señal *sign*
señas *address*
sorprenderse *to be surprised*
viuda *widow*

almohada *pillow*
ángulo *corner*
bordado *embroidered*
contenido *contents*
despedir *to dismiss*
encantado *enchanted*
escalera *stairway*
espanto *fear*
esparcir *to scatter*
gabinete *boudoir*
llave *switch*
muebles *furniture*
oprimir *to disturb*
paño *table cover*
reclamar *to request*
retroceder *to flee*
seda *silk*
sereno *night watchman*
sobrecoger *to come over*

Cuando llegó el día señalado, Alberto se dirigió a la casa, tomando mil precauciones, despidiendo el coche en una calle algo distante, y buscando la sombra de los árboles para ocultarse mejor.

No sin emoción llegó a la puerta de la casa. Parecía 5 cerrada; pero un leve esfuerzo demostró lo contrario. El sereno miró con curiosidad a aquel hombre que no reclamaba sus servicios. Alberto entró en el portal y cerró la puerta. Subió la escalera. La puerta del piso estaba abierta, y Alberto buscó la llave de la luz 10 eléctrica.

La casa parecía encantada; no se oía el ruido más leve. Al encender la luz Alberto notó que los muebles eran ricos. Se adelantó hasta una sala, llena de plantas; en un ángulo había un piano con un paño antiguo, 15 bordado de oro. Tan extraño silencio y el no ver persona humana fueron suficientes para oprimir vagamente su corazón. Un momento se detuvo, dudando si retroceder.

Al fin avanzó hacia el gabinete, todo sedas y 20 almohadas, pero igualmente desierto, y, después de vacilar otro poco, alzó con cuidado las cortinas de la alcoba. Se quedó paralizado. Un temblor de espanto le sobrecogió. En el suelo había una mujer muerta, caída al pie de la cama. Los muebles habían sido 25 abiertos y el contenido esparcido.

Alberto no podía gritar ni moverse siquiera. Los oídos le zumbaban, sudaba frío. Al fin, en un impulso repentino echó a correr, bajó la escalera, llegó a la puerta. Pero no tenía llave. Esperó tembloroso, 5 suponiendo que alguien entraría o saldría. Pasaron minutos. Cuando el sereno abrió, la luz de su linterna dio de lleno a Alberto en la cara, y el vigilante le miró con mayor desconfianza que antes. Pero Alberto pensaba sólo en huir del sitio maldito, y su prisa en 10 escapar fue después, al conocerse el crimen, nuevo y grave cargo.

A la tarde siguiente Alberto fue detenido en su casa. Todo le acusaba: sus pasos alrededor de la casa de la víctima, sus preguntas en las tiendas, su fuga, su voz, 15 sus ojos. Mil protestas de inocencia no impidieron que le llevasen a la cárcel, y no se le admitió la fianza para quedar en libertad provisional. La opinión, extraviada por algunos periódicos que vieron en el asunto un drama sensacional, estaba en masa contra 20 Alberto Miravalle.

—¿Cómo explica usted esta desgracia mía?—preguntó Alberto a su abogado, en una conversación confidencial.

—Yo tengo mi explicación—respondió él—. Es 25 sencillo. La infeliz recibía a alguien . . . , a alguien que debe de ser un profesional del crimen. El día anterior la pobre señora había dado permiso a su criada para comer con unos parientes y asistir a un baile. El asesino era quien escribía a usted, quien le 30 fijó la hora, y quien exigió la devolución de las cartas, para que usted no poseyese ningún testimonio favorable. Se llevó las joyas y el dinero. ¿Qué más? El asesino es un supercriminal, que ha sabido encontrar un sustituto ante la justicia.

35 —Pero es horrible—exclamó Alberto—. ¿Me absolverán?

—¡Ojalá!—pronunció tristemente el abogado.

abogado *lawyer*
absolver *to free*
asesino *murderer*
baile *dance*
desgracia *misfortune*
detener *to arrest*
extraviar *to mislead*
fianza *bond*
fuga *flight*
maldito *accursed*
ojalá *I hope so*
poseer *to possess*
prisa *haste*
sudar *to sweat*
vigilante *watchman*
zumbar *to hum*

﹖ EJERCICIOS

A. CUESTIONARIO

1. ¿Cuál era el único defecto de Alberto? **2.** ¿De qué se quejaba la dama que le escribió la carta? **3.** ¿Qué señal debía dar Alberto? **4.** ¿Cómo se explicó Alberto esta señal extraña? **5.** ¿Qué detalles encontró en la segunda carta? **6.** ¿Quién vivía en la casa cuya dirección tenía? **7.** ¿Cuáles fueron las precauciones que tomó Alberto? **8.** ¿Quién le vio a Alberto entrar? **9.** ¿Cómo le parecía la casa? **10.** ¿Qué vio Alberto cuando encendió la luz? **11.** ¿Por qué se asustó cuando entró en la alcoba? **12.** ¿Qué hizo después de unos momentos? **13.** ¿Por qué no pudo salir de la casa? **14.** ¿Quién le abrió la puerta? **15.** ¿Cómo le miró esta persona a Alberto? **16.** ¿En qué pensaba solamente Alberto en aquel momento? **17.**¿ Qué pasó el día siguiente? **18.** ¿A dónde le llevaron a Alberto? **19.** ¿Cómo explicó el abogado el misterio? **20.** ¿Qué creía el abogado respecto de la posibilidad de absolver a Alberto?

B. TRADUCCIÓN

1. Alberto believed that all the women were crazy about him. **2.** One day he received a letter from a strange woman. **3.** She complained that Alberto had not paid any attention to her. **4.** At first Alberto felt somewhat afraid (a certain fear). **5.** The second letter asked him to close the door when he entered. **6.** Alberto closed the door and went up the stairs. **7.** On the floor was a dead woman who had fallen at the foot of the bed. **8.** The light of the night watchman's lantern struck Alberto full in the face. **9.** A thousand protests didn't keep them from carrying him to jail. **10.** The lawyer said the murderer killed the woman and carried off the money and the jewels.

13 ⸲ *El parásito del tren*

Vicente Blasco Ibáñez is the author of this story. His sympathy for the poor and oppressed appears in many of his novels and short stories. In his later years he became a violent anti-monarchist and made a bitter attack on Alfonso XIII. As a consequence of his extensive propaganda Blasco Ibáñez was exiled from Spain and he died in France before the establishment of the republic for which he fought. Some of the postage stamps of the short-lived republic bore his likeness.

Men will go to any extreme of hardship to provide for their families. Here we see the dangerous means devised by one Spaniard to be with his wife and children on Sunday.

LA MANCHA

℘ PREPARACIÓN

a todo correr *at full speed, running*
  as fast as he could
de espaldas *on my (his) back*
de cerca *near, close to*
un departamento de primera
  a first-class compartment
en lo más alto de *on the top of*
hombre de bien *honorable man*
no poder menos *not to be able to*
  help

alejarse *to go away*
refugiarse *to take refuge*

a quien se ha salvado la vida *whose*
  life one has saved
vuelto (*past participle of* volver)
  turned, returned
envuelto (*past participle of* envolver) *wrapped, wrapped up*

no pude menos de sonreírme
  I couldn't help smiling
más bien *rather*
¡Por Dios! *For Heaven's sake!*
poner *to assume, take on*
puso la cara triste *he became*
  sad
por aquí *this way*
quise (*past of* querer) *I wished,*
  wanted

¿qué remedio? *how can (could) it be*
  helped?

sentarse *to sit down*
tenderse *to stretch out*
dije (*past of* decir) *I said*
sin ganas de hablar *without feeling*
  like talking (ganas *has the sense*
  of "desire")

◆

Para que no **escape** . . .
So that he will not escape . . .

  | **Purpose clauses are always in the subjunctive.**

◆

Como si **temiera** que yo **intentase** . . .
As if he feared that I would try . . .

  | **Here __como si__ (as if) conveys the idea of something that isn't true,**
  | **hence the subjunctive __temiera__.   __Intentase__ is the past subjunctive of**
  | **__intentar__ and depends upon a verb of emotion (__temer__, to fear).**

—

Poco a poco **fue hablando.**
Gradually he began to talk more.

El tren **iba limitando** su marcha.
The train was gradually slowing down.

> There are many expressions (like the above) in Spanish that express
> progress or continuance of an action. As in English the expression is
> formed by using the present participle (–ing form in English). The
> "helping verb" in Spanish is usually (estar) to be, (ir) to go, or some
> other verb of motion.

EL PARÁSITO DEL TREN

VICENTE BLASCO IBÁÑEZ

—Sí—dijo el amigo Pérez a sus compañeros—, en
este periódico acabo de leer la noticia de la muerte
de un amigo. Sólo le vi una vez, y sin embargo le he
recordado en muchas ocasiones.

5   Le conocí una noche viniendo a Madrid en el tren
de Valencia. Iba yo en un departamento de primera,
y en Albacete bajó el único viajero que me acompa-
ñaba. Corrí el velo verde de la lámpara, y, envuelto
en mi manta, me tendí de espaldas, con la seguridad
10 de no molestar a nadie.

El tren corría por las llanuras de la Mancha, áridas
y desoladas. Las estaciones estaban a largas distancias;
la locomotora caminaba con velocidad. Mi coche
gemía y temblaban los cristales de las ventanillas.

15   Una impresión de frescura en la cara me despertó.
Al abrir los ojos vi el departamento solo; la puerta de
enfrente estaba cerrada. Pero sentí de nuevo el aire
frío de la noche, y al incorporarme, vi la otra puerta
completamente abierta, con un hombre sentado al
20 borde de la plataforma, con la cabeza vuelta hacia mí.

caminar *to run*
compañero *companion*
desolado *desolate*
frescura *coolness*
incorporarse *to sit up*
llanura *plain*
manta *blanket*
velo *shade*
viajero *passenger*

angustia *anguish*
arrojar *to throw*
avergonzado *ashamed*
bolsillo *pocket*
bondadoso *kind*
campesino *farmer*
cuento *story*
dejar *to leave alone*
desconocido *stranger*
empujar *to push*
engaño *trick*
fantasma *ghost*
franqueza *frankness*
hambre *hunger*
intranquilo *ill at ease*
mostrar *to show*
robo *robbery*
sentarse *to sit down*
soltar *to let go*
sucio *dirty*
tembloroso *trembling*
trabajar *to work*

En el primer momento sentí cierto terror supersticioso. Aquel hombre tenía algo de los fantasmas de mis cuentos de niño. Pero inmediatamente recordé los robos de los trenes, y pensé que estaba solo. Aquel hombre era seguramente un ladrón. 5

El instinto de defensa, o más bien el miedo, me dio cierta ferocidad. Me arrojé sobre el desconocido, empujándole violentamente.

—¡Por Dios, señorito!—dijo—. Señorito, déjeme usted. Soy un hombre de bien. 10

Y había tal expresión de humildad y angustia en sus palabras que me sentí avergonzado de mi brutalidad, y le solté.

Se sentó otra vez, tembloroso, en la puerta.

Entonces pude verle. Era un campesino pequeño 15 que me miraba como un perro a quien se ha salvado la vida. Sus manos buscaban en los bolsillos, y esto casi me hizo arrepentir de mi generosidad.

Por fin sacó algo de su bolsillo y me tendió con satisfacción un billete sucio. 20

—Yo también tengo billete, señorito.

Lo miré y no pude menos de sonreírme.

—¡Pero es antiguo!—le dije.

Al ver su engaño descubierto, puso la cara triste como si temiera que yo intentase otra vez arrojarle 25 a la vía. Sentí compasión y quise mostrarme bondadoso y alegre para ocultar los efectos de la sorpresa.

—¡Vamos! Siéntate dentro y cierra la puerta.

—No, señor—dijo con franqueza—. Yo no tengo derecho a ir dentro como un señorito. Aquí, y gracias, 30 pues no tengo dinero.

El pobre hombre estaba intranquilo, pero le di un cigarro y poco a poco fue hablando. Todos los sábados hacía el viaje del mismo modo.

—Pero ¿a dónde vas?—le dije—. ¿Por qué haces 35 este viaje, exponiéndote a una muerte terrible?

Iba a pasar el domingo con su familia. El trabajaba en Albacete y su mujer servía en un pueblo. El hambre les había separado. Al principio hacía el

viaje a pie; toda una noche de marcha, y cuando
llegaba por la mañana caía cansado, sin ganas de
hablar con su mujer ni de jugar con los chicos. Pero
ya no tenía miedo, hacía el viaje en el tren. Ver a sus
5 hijos le daba fuerzas para trabajar más toda la semana.
Tenía tres.

—¿Pero tú—le dije—, no piensas que en uno de
estos viajes tus hijos van a quedarse sin padre?

El sonreía con confianza. Entendía muy bien aquel
10 "negocio". No le asustaba el tren. Era ágil y fuerte;
un salto y arriba; y en cuanto a bajar, lo importante
era no caer bajo las ruedas.

No le asustaba el tren, sino los que iban dentro.
Buscaba los coches de primera, porque en ellos en-
15 contraba departamentos vacíos.

Dos veces había estado próximo a ser arrojado a la
vía por los que despertaban asustados con su presencia.
Le trataban mal, pero él no se quejaba. Aquellos
señores tenían derecho para asustarse y defenderse.
20 Pero ¡qué remedio si él no tenía dinero y deseaba ver
a sus hijos!

El tren iba limitando su marcha. Se aproximaba a
una estación. El, alarmado, comenzó a incorporarse.

—Aun falta otra estación para llegar adonde vas—
25 le dije—. Te pagaré el billete.

—No, señor—contestó—. El empleado se fijaría
en mí. Muchas veces me han perseguido, pero no me
han visto de cerca. ¡Feliz viaje, señorito! Es usted
la más buena alma que he encontrado en el tren. Se
30 alejó y se perdió en la obscuridad.

asustar *to frighten*
confianza *confidence*
fuerza *strength*
jugar *to play*
limitar *to lessen*
marcha *walking; speed*
quejarse *to complain*
ruedas *wheels*

afueras *outskirts*
andén *platform*
azotar *to lash*
lluvia *rain*
pareja *pair*
refugiarse *to take refuge*
serenidad *calmness*
techumbre *roof*

Paramos ante una estación pequeña y silenciosa. Iba a tenderme para dormir, cuando en el andén sonaron voces imperiosas.

Eran los empleados, los mozos de la estación y una pareja de la Guardia Civil que corrían en distintas ⁵ direcciones, como cercando a alguien.

—¡Por aquí! . . . Dos por el otro lado para que no escape . . . ¡Ahora ha subido sobre el tren! ¡Síganle!

Era sin duda el "amigo", a quien habían sorprendido, y viéndose cercado se refugiaba en lo más alto ¹⁰ del tren.

Estaba yo en una ventanilla de la parte opuesta al andén, y vi como un hombre saltaba desde la techumbre de un vagón inmediato. Cayó en un campo, y huyó a todo correr, perdiéndose en la obscuridad. ¹⁵

Yo no vi más al parásito. En invierno, muchas veces me he acordado del infeliz, y le veía en las afueras de una estación, tal vez azotado por la lluvia y la nieve, esperando el tren con serenidad.

Ahora leo que en la vía férrea, cerca de Albacete, ²⁰ se ha encontrado el cadáver de un hombre . . . Es él, el pobre parásito. No necesito más datos para creerlo; me lo dice el corazón. "Quien ama el peligro en él perece."

❧ EJERCICIOS

A. CUESTIONARIO

1. ¿Dónde conoció el autor al parásito del tren? **2.** ¿En qué clase viajaba el autor? **3.** ¿Qué le despertó una noche? **4.** Al incorporarse ¿qué vio en la puerta del departamento? **5.** ¿Qué pensó al ver al desconocido? **6.** ¿Cuál era su primer instinto? **7.** ¿Quién era el desconocido? **8.** ¿Qué tenía el desconocido en el bolsillo? **9.** ¿Por qué no quería sentarse dentro del coche? **10.** ¿Qué le dio el autor? **11.** ¿Por qué hacía el viaje el desconocido, si no tenía dinero? **12.** ¿Qué cosa era importante al bajar del tren? **13.** ¿Por qué prefería viajar en los coches de primera clase? **14.** ¿Por qué no quería aceptar el billete? **15.** ¿Quiénes le vieron al desconocido en la estación? **16.** ¿Qué hicieron ellos? **17.** ¿Qué hizo el desconocido al verse descubierto? **18.** ¿Cuándo le volvió a ver el autor? **19.** ¿Qué noticias acababa de leer en el periódico? **20.** ¿Cuántos datos más necesitaba el autor para creer en la muerte de su amigo?

B. TRADUCCIÓN

1. I have just read the news of the death of a friend. **2.** I met him one night on the train from Valencia. **3.** I stretched out on my back, wrapped in my blanket. **4.** The locomotive was going fast and the train creaked and shook. **5.** When I sat up (upon sitting up), I saw that the door to the compartment was wide open. **6.** Finally he drew a ticket out of his pocket and held it out to me. **7.** He worked all the week in Albacete and on Sundays he went to see his family. **8.** At first he made the trip on foot, a whole night of walking. **9.** The important thing was not to fall under the wheels. **10.** I have just read that a body has been found on the railroad tracks.

14 ⅔ *El talismán*

Emilia Pardo Bazán, author of *El talismán,* travelled widely in Europe and knew intimately the literatures of other countries before she did her own. Some critics think that her work would have been improved by a better knowledge of the literature of Spain. Her best novels, *Los pazos de Ulloa* and *La madre naturaleza,* deal with the region in which she was born and which she consequently knew best. Like Blasco Ibáñez with his Valencian stories, she was able to enter fully into the spirit of the characters in these two novels.

Many people believe in luck charms: horseshoes, rabbits' paws, and the like. This story tells of a lucky man who had a mandrake root. He was not sure whether his good fortune depended on this charm—or merely on accident.

⸮ PREPARACIÓN

a fin de *in order to*

a las altas horas *at a late hour*

a menudo *frequently, often*

de costumbre *usual*

de manera que⎱
de modo que ⎰ *so that, and so*

de noche *at night*

no dejó de *did not fail to*

en mal hora *at a bad time, to my sorrow*

por lo menos *at least*

tener por seguro *to consider as sure*
    tenga usted por seguro *rest assured*

tal cual *just as*

¡Válgame Dios! *Good Heavens.*

despedirse *to take leave*

◆

Quiero que usted me **diga.**
I want you to tell me

Suplicándome que **tuviese** el mayor cuidado.
Begging me to take the greatest care.

> The verbs **diga** and **tuviese** are in the subjunctive because they follow a request.

◆

Temo que me lo **roben.**
I am afraid it will be stolen from me.

> In Spanish a word that expresses emotion is followed by the subjunctive. The word **roben** is the present subjunctive of **robar.**

◆

Es posible que **haya** algún complot.
It is possible that there is some plot.

> **Es posible** has considerable doubt about it and hence the subjunctive follows.

◆

como si en ella **viviese** un alma
as if a soul lived in it

> **como si** (as if) **is an extreme supposition (doubtful) and hence it takes the subjunctive.**

◆

Sería feliz si **estuviese** seguro . . .
I would be happy if I were sure . . .

Si yo **tuviese** la convicción de que existen talismanes . . .
If I were sure that talismans really exist . . .

> **These are cases of the if-it-were-true subjunctive.**

⸆ EL TALISMÁN

EMILIA PARDO BAZÁN

La presente historia no debe leerse a la claridad del
sol.   Enciende una luz, lector, pero no eléctrica, ni
de gas, ni de petróleo, sino uno de esos simpáticos
velones que apenas alumbran, dejando en sombra la
5 mayor parte del aposento.   Oye el cuento de la mandrágora y del Barón de Helynagy.

Conocí a este extranjero del modo más sencillo y
menos romántico del mundo.   Me le presentaron en
una fiesta que dio el Embajador de Austria.   Era el
10 Barón primer secretario de la embajada.   Pero ni el
puesto que ocupaba, ni su figura, ni su conversación
justificaban realmente el tono misterioso con que me
anunciaron que me le presentarían.

Picada mi curiosidad, decidí observar al Barón.
15 Pero a la media hora de conversación volví a pensar:
"Pues no sé por qué hablan de este señor con tanto
énfasis."

Me dijeron que el Barón poseía nada menos que un
talismán, algo que le permitía realizar todos sus
20 deseos.   Una serie de raras casualidades concentró en
sus manos respetable caudal.   No sólo murieron
oportunamente varios parientes ricos, sino que en el
viejo castillo de Helynagy se encontró un tesoro en
monedas y joyas.   Entonces el Barón se presentó en la
25 corte de Viena, y allí se vieron nuevas señales de que
sólo una protección misteriosa podía dar la clave de
tan extraordinaria suerte.

Si todo eso era verdad, efectivamente merecía la
pena de averiguar con qué talismán se obtienen tan
30 envidiables resultados.   Yo me propuse saberlo,
porque siempre he profesado el principio de que en
lo fantástico y maravilloso hay que creer, y el que no
cree—por lo menos desde las once de la noche hasta
las cinco de la mañana—es medio tonto.

aposento *room*
averiguar *to find out*
casualidad *accident*
caudal *capital (money)*
claridad *brightness*
clave *key*
embajada *embassy*
mandrágora *mandrake*
moneda *coin*
proponer *to propose*
puesto *position*
tonto *crazy*
velón *lamp*

A fin de conseguir mi objeto hice todo lo contrario de lo que suele hacerse en tales casos. Procuré conversar con el Barón a menudo y en tono franco, pero no le dije una palabra del talismán. Sin embargo, por algún tiempo mi estrategia no tenía efecto, y el anuncio de que el Barón había sido llamado a Viena y que era inminente su marcha, me hizo perder la esperanza de saber nada más.

Pensaba yo en esto una tarde, cuando precisamente me anunciaron el Barón. Venía sin duda a despedirse y traía en la mano un objeto que depositó en la mesa. Se sentó después, y miró alrededor para ver si estábamos solos. Sentí una emoción profunda, porque adiviné que iba a hablar del talismán.

—Vengo—dijo el Barón—, a pedir a usted, señora, un favor inestimable para mí. Ya sabe usted que me llaman a mi país, y sospecho que el viaje será corto y rápido. Poseo un objeto—una especie de talismán—y temo los azares del viaje. Temo que me lo roben, porque el vulgo le atribuye virtudes asombrosas. Mi viaje se ha divulgado. Es muy posible que haya algún complot para quitármelo. Se lo confío a usted. Guárdelo usted hasta mi vuelta y le estaré sumamente agradecido.

De manera que aquel talismán precioso estaba allí, a dos pasos, sobre mi mesa, e iba a quedar entre mis manos.

—Tenga usted por seguro que si lo guardo, estará bien guardado—respondí con vehemencia—. Pero antes de aceptar, quiero que usted me diga lo que voy a conservar. Aunque nunca he dirigido a usted preguntas indiscretas, entiendo que usted posee un talismán que le ha proporcionado toda clase de venturas. No lo guardaré sin saber en qué consiste, y si realmente merece tanto interés.

Vi que el Barón estaba perplejo y que vacilaba antes de hablar. Por último dijo:

—Señora, mi pena constante es la duda en que vivo, sobre si realmente poseo un tesoro de mágicas vir-

tudes. Muchas personas creen que soy feliz, cuando realmente no soy más que afortunado. Sería feliz si estuviese completamente seguro de que lo que ahí se encierra es en efecto un talismán que realiza mis
5 deseos . . . Una tarde pasó por mi país un hombre que había venido de Palestina, que insistió en venderme eso, asegurándome que me valdría dichas sin número. Lo compré, y lo puse en un cajón. Al poco tiempo empezaron a sucederme cosas que cambiaron
10 mi suerte, pero que pueden explicarse todas sin necesidad de milagro. Si yo tuviese la convicción de que existen talismanes, gozaría tranquilamente de mi prosperidad. Lo que me inquieta es la idea de que puedo vivir juguete de una apariencia engañosa, y
15 que un día caerá sobre mí una terrible desgracia.

El Barón se levantó, y recogiendo el objeto que había traído, desenvolvió un paño negro y vi una cajita de cristal con cerradura de plata. Alzada la cubierta, distinguí una cosa horrible; una figura grotesca que
20 representaba perfectamente el cuerpo de un hombre. Mi movimiento de sorpresa no sorprendió al Barón.

—Pero ¿qué es eso? —pregunté.

—Esto—replicó el diplomático—, es una maravilla de la naturaleza; esto no se imita: esto es la raíz de la
25 mandrágora, tal cual se forma en la tierra. Antigua como el mundo es la superstición que atribuye a la mandrágora las más raras virtudes. Dicen que procede de la sangre de los ajusticiados, y que por eso, de noche a las altas horas, se oye gemir a la mandrágora
30 como si en ella viviese un alma llena de desesperación. ¡Ah! Cuide usted de tenerla envuelta siempre en este paño. Sólo así dispensa protección la mandrágora.

A poco el Barón se despidió suplicándome que tuviese el mayor cuidado con la cajita y su contenido.
35 Me dijo que regresaría dentro de un mes, y entonces la recobraría.

Confieso que si toda la leyenda de la mandrágora me parecía una superstición del Oriente, no dejó de preocuparme la perfección extraña con que aquella

afortunado *lucky*
ajusticiado *executed criminal*
alzar *to raise*
cajón *box*
cubierta *top*
cuidar *to be careful*
desenvolver *to unwrap*
dicha *happiness*
distinguir *to observe*
encerrar *to enclose*
engañoso *deceptive*
envolver *to wrap*
gemir *to moan*
inquietar *to disturb*
juguete *plaything*
milagro *miracle*
paño *cloth*
preocupar *to worry*
recobrar *to take back*
recoger *to pick up*
regresar *to return*
sorprender *to surprise*

avisar *to inform*
casualidad *chance*
cristalera *jewel box*
cual *just as*
choque *collision*
dormitorio *bedroom*
interrogar *to question*
rareza *strangeness*
referir *to relate*
remordimiento *remorse*
repulsión *aversion*
revolver *to turn upside down*
sacar *to remove*

raíz imitaba un cuerpo humano. Interrogué a personas que habían residido en Palestina y me aseguraron que no es posible falsificar una mandrágora, y que así, cual la modeló la naturaleza, la venden los pastores de los llanos de Jericó. 5

Sin duda la rareza del caso fue lo que en mal hora excitó mi fantasía. Lo cierto es que empecé a sentir miedo, o a lo menos una repulsión instintiva hacia el maldito talismán. Lo había guardado con mis joyas en la caja fuerte de mi propio dormitorio. El 10 ruido más insignificante me despertaba temblando, y cuando el viento movía los cristales y las cortinas me parecía que era la mandrágora que gemía en la cajita de cristal.

En fin, determiné sacar el talismán de mi cuarto y 15 llevarlo a una cristalera del salón, donde conservaba monedas y medallas. Aquí está el origen de mi eterno remordimiento que no se me quitará en la vida. Un criado nuevo se llevó las monedas y las medallas, junto con la cajita del talismán. Fue para mí terrible 20 golpe. Avisé a la policía. La policía revolvió cielo y tierra. El ladrón pareció. Sí, señor, pareció. Se recobraron las monedas, las medallas y la cajita, pero el ladrón confesó que había arrojado el talismán al río, y era imposible recobrarlo. 25

—¿Y el Barón de Helynagy?—pregunté a la dama que me había referido tan singular suceso.

—Murió en un choque de trenes, cuando volvía a España—contestó ella, más pálida que de costumbre.

—¿De modo que era un talismán? 30

—¡Válgame Dios!—repuso—. ¿No quiere usted conceder nada a la casualidad?

❧ EJERCICIOS

A. CUESTIONARIO

1. ¿En qué luz no debe leerse esta historia? **2.** ¿En qué circunstancias encontró la autora al Barón? **3.** ¿Qué puesto importante tenía el Barón? **4.** ¿Qué cosa curiosa tenía el Barón? **5.** ¿Cómo llegó a ser rico? **6.** ¿Qué hizo la autora para saber más del talismán? **7.** ¿Qué favor le pidió el Barón? **8.** ¿Por qué le pidió este favor? **9.** ¿Qué quería saber ella antes de aceptar el talismán? **10.** ¿Qué duda tenía el Barón acerca del talismán? **11.** ¿Quién se lo había vendido? **12.** ¿Qué ocurrió después de que lo había comprado? **13.** ¿Qué cosa le inquietaba constantemente? **14.** ¿Qué aspecto tenía la mandrágora? **15.** ¿Qué dijo el Barón al despedirse de la autora? **16.** ¿Dónde guardó la autora este talismán? **17.** ¿Por qué lo sacó de su cuarto? **18.** ¿Qué pasó con la caja en que puso ella el talismán? **19.** ¿Cuando se recobró la caja? **20.** ¿Cómo murió el Barón?

B. TRADUCCIÓN

1. Please don't read this story in the sunlight. **2.** I met the Baron in the least romantic way in the world. **3.** The Baron was coming to say goodbye to me. **4.** I saw that he had a strange object in his hand. **5.** I have come to ask a very great favor of you. **6.** I am afraid they will steal this mandrake from me. **7.** Rest assured that I will guard it carefully. **8.** A man who came from Palestine insisted on selling me this charm. **9.** I placed the charm with my jewels in a strong box in my bedroom. **10.** The thief threw the talisman into the river.

15 ⸶ *El castellano viejo*

Mariano José de Larra (Fígaro) is the author of *El castellano viejo*. Although Larra's life was far from happy and finally terminated in suicide, he did not write in a melancholy vein. He had a peculiar flair for seeing the ridiculous side of things and for writing them up in a humorous vein. His residence in France may have made him critical of Spanish customs, or he may have been merely impatient at some of the shortcomings of his countrymen. At any rate, his intense patriotism took the form of unsparing criticism, which gave offense in some quarters, even though it was written in a humorous way. Not many people like to be laughed at.

Have you ever had to attend a party that you knew would be deadly? Do you have any friends who annoy you beyond measure? If so, you will sympathize with the author of this story.

⸎ PREPARACIÓN

a la española *in the Spanish manner*
al instante *immediately, at once*
en casa *at home*

dar las cuatro *to strike four*
por debajo de *underneath*

vino (*past of* venir) *he, she, it, came*
siguió (*past of* seguir) *he, she, it,
    followed, continued*
podría (*conditional of* poder) *might,
    could*

nos aburrimos unos a otros *we
    bored each other*
han de comer *are to eat*

escaparse *to escape*
vestirse *to dress*

Temo que lo **manches.**
I am afraid you will stain it.

Me alegro de que **estés** aquí.
I am glad you are here.

Siento que no **haya** (uno) para todos.
I am sorry there is not one for all.

> These are examples of the use of the subjunctive after verbs of emotion. **Estés** is from **estar**; **haya** is from **haber**, as is **hay** there is.

---

sigamos
let's continue

hablemos
let us speak

> This form of the subjunctive ending in **–mos**, should be translated, when it stands alone, by the English **let's** or **let us** followed by the verb form. It expresses a mild command.

♒ EL CASTELLANO VIEJO

MARIANO JOSÉ DE LARRA

citar a *to invite (for)*
convidado *guest*
convidar *to invite*
chaqueta *jacket*
descargar *to deliver*
despacio *slowly*
días *saint's day*
frac *dresscoat*
palmada *slap*
paraguas *umbrella*
visita *visitor*

Andaba días pasados por las calles a buscar materiales para mis artículos cuando recibí una gran palmada, que una gran mano descargó sobre uno de mis hombros. Traté de volverme por saber quien me trataba tan mal, pero mi amigo siguió dándome 5 pruebas de confianza y cariño. Me echó las manos sobre los ojos y gritaba:

—¿Quién soy?

—Un animal—iba a responderle—, pero me acordé de repente de quien podría ser, y le dije—Braulio eres. 10

—¿Pues cómo me has conocido?

—¿Quién pudiera ser sino tú?

—¡Cuánto me alegro de que estés aquí! ¿Sabes que mañana serán mis días? Estás convidado a comer conmigo. Te espero a las dos. En casa comemos a la 15 española, temprano.

Llegaron las dos, y como yo conocía a mi Braulio, me vestí muy despacio. Era citado a las dos, y entré en la sala a las dos y media.

No quiero hablar de las infinitas visitas ceremo- 20 niosas que antes de la hora de comer entraron y salieron en aquella casa: todos los empleados de su oficina con sus señoras y sus niños, y sus capas, y sus paraguas, y sus perros. Pero al fin dieron las cuatro y nos hallamos solos los convidados. 25

—Puesto que estamos los que hemos de comer— exclamó Braulio—, vamos a la mesa.

—Espera un momento—le contestó su esposa—, con tantas visitas todo no está preparado todavía. Al instante comeremos. 30

—Eran las cinco cuando nos sentábamos a la mesa.

—¡Ah, Fígaro!—dijo Braulio—. Quítate el frac, temo que lo manches. Te daré una chaqueta mía. Siento que no haya para todos.

Braulio me quita el frac, y quedo sepultado en una chaqueta, por la cual sólo asomaban los pies y la cabeza; y cuyas mangas no me permitirían comer probablemente.

5 Me colocaron entre un niño de cinco años y uno de esos hombres que ocupan en el mundo el espacio de tres.

Interminables fueron los cumplimientos con que para dar y recibir cada plato nos aburrimos unos a
10 otros.

—Hágame el favor.

—Páselo a la señora.

—Perdone usted.

—Gracias.

15 Sucedió a la sopa un cocido; cruza por aquí la carne; por allá la verdura; acá los garbanzos; allá el jamón; la gallina por derecha; por medio el tocino; le siguió un plato de ternera; y a éste otro, y otros y otros.

aburrir *to bore*
asomar *to show, be seen*
cocido *stew*
colocar *to place*
cruzar *to pass*
cumplimiento *formality*
garbanzo *chickpea*
jamón *ham*
manga *sleeve*
sepultar *to bury*
sopa *soup*
ternera *veal*
tocino *bacon*
verduras *vegetables*

aceituna *olive*
caldo *gravy*
cavar *to dig*
cazar *to give chase*
colina *hill*
colmo *height*
coyuntura *joint*
derramar *to spill*
gordo *fat*
hacer saltar *to shoot*
hueso *pit*
llover *to pour*
mantel *tablecloth*
parar *to strike*
posarse *to come to rest*
preciarse de *to take pride in*
resbalar *to slip*
servilleta *napkin*
surtidor *dish*
tenedor *fork*
trinchador *carver*
trinchar *to carve*
vuelo *flight*

El niño que yo tenía a mi izquierda hacía saltar las aceitunas a un plato de tomates, y una de las aceitunas vino a parar a uno de mis ojos, que no volvió a ver claro en todo el día. El señor gordo de mi derecha había tenido la precaución de dejar en el mantel, al lado de mi pan, los huesos de sus aceitunas.

Al fin uno de los convidados, que se preciaba de trinchador, trató de hacer la autopsia de un capón.

—Este capón no tiene coyunturas—exclamó el infeliz, sudando, más como quien cava que como quien trincha.

En una de los ataques el tenedor resbaló sobre el animal y el capón pareció querer tomar su vuelo como en sus tiempos más felices, y se posó en el mantel muy tranquilamente.

El susto fue general y la alarma llegó a su colmo cuando un surtidor de caldo, impulsado por el furioso animal, inundó mi limpísima camisa.

El trinchador se levantó rápidamente a este punto con la intención de cazar el ave, y al precipitarse sobre ella, una botella que tenía a la derecha, con la que tropieza su brazo, abandonando su posición perpendicular, derrama vino sobre el capón y el mantel. Llueve la sal sobre el vino para salvar el mantel; para salvar la mesa se pone por debajo del mantel una servilleta; y una colina se levanta sobre el teatro de tantas ruinas.

Una criada retira el capón en el plato de su salsa; al pasar sobre mí, hace una pequeña inclinación, y una lluvia de grasa desciende a dejar eternas huellas en mi pantalón color de perla. La angustia de la criada
5 es grande, y al volverse tropieza con el criado que traía una docena de platos limpios, y todo viene al suelo con el más horroroso ruido.

*   *   *

Gracias a Dios, me escapo por fin de aquel pandemonio, y respiro el aire fresco de la calle.
10 —Santo Dios, yo te doy las gracias—exclamo respirando libremente como el ciervo que acaba de escaparse de una docena de perros—, no te pido riquezas, no te pido cmpleos, ni honores. Solamente te pido que me libres de los días de mis amigos.

huella *trace*
librar *to deliver*
lluvia *shower*
respirar *to breathe*
tropezar *to run into*

෴ EJERCICIOS

A. CUESTIONARIO

1. ¿Qué sorpresa tuvo el autor de este cuento al pasar por la calle? **2.** ¿Qué pruebas de confianza le dio este amigo? **3.** ¿Por qué se alegraba tanto Braulio de verle? **4.** ¿A qué hora se comía en la casa de Braulio? **5.** ¿A qué hora llegó el autor a la casa? **6.** ¿A qué hora se sentaron todos a la mesa? **7.** ¿Dónde le colocaron al autor a la mesa? **8.** ¿Por qué le había quitado el frac? **9.** ¿Cuánto había que comer en aquella ocasión? **10.** ¿Qué hacía el niño con las aceitunas? **11.** ¿Qué hacía el señor gordo con los huesos de las aceitunas? **12.** ¿Cuándo llegó la alarma a su colmo? **13.** ¿Con qué intención se levantó el hombre con el tenedor? **14.** ¿Cómo trataron de salvar el mantel? **15.** ¿Cómo trataron de salvar la mesa? **16.** ¿Qué hizo la criada al pasar cerca del autor? **17.** ¿Qué ocurrió con el criado que traía platos? **18.** Por fin, ¿a dónde se escapó el autor? **19.** ¿Qué no le pidió a Dios? **20.** ¿Qué le pidió a Dios?

B. TRADUCCIÓN

1. Someone put (threw) his hands over my eyes. **2.** Tomorrow is my birthday. **3.** I want you to dine with me at two o'clock. **4.** Finally it struck four and we had not yet gone to the dining room. **5.** It was five o'clock when we sat down at the table. **6.** They seated me between a fat man and a boy five years old. **7.** The fat man on my right put olive pits on the tablecloth. **8.** The maid spilled wine on the tablecloth. **9.** Finally I escaped and could breathe the cool air of the street. **10.** Please deliver me from my friends' birthdays.

16 ⅔ *El libro talonario*

Pedro Antonio de Alarcón (1833–1891) is the author of *El libro talonario*. Alarcón was born in Southern Spain and led a very active, though rather aimless life. As a young man he was an ardent radical and engaged in various revolutionary activities, some of which might well have cost him his life. The name of the newspaper which he directed, *El Látigo* (The Whip) is quite appropriate to Alarcón's early years. He changed his political opinions more than once, and more than once was on the wrong side. Ultimately he supported the cause of the king with his usual enthusiasm. Alarcón was at one time or another a soldier, journalist, politician, diplomat, and public man. His writings vary from travel notes and speeches to poetry, short stories and novels. The quality of his writings is uneven.

Spanish peasants are noted for their wisdom and cleverness. This story tells of the unique means employed by one of them to identify his property and apprehend the thief who stole his crop.

℘ PREPARACIÓN

a eso de *at about*

a las nueve en punto *at exactly nine*

cosa de *about*

en esto *at this point*

en tanto que *while*

hacerse a la vela *to set sail*

¡lástima de él! *too bad about him!*

llevaba cuarenta años de labrar *he had worked for forty years*

por dentro (fuera) *on the inside (outside)*

querer decir *to mean*

¿qué quiere decir eso? *what does that mean?*

todo el mundo *everybody*

las suyas *yours, his, hers; what is yours, what is his, etc.*

---

dormirse *to go to sleep*

◆

No conozco, ni creo que **haya** en el mundo, labrador que **trabaje** tanto.
I do not know, nor do I believe there is a farmer in the world who works so hard.
(uncertainty)

Es necesario que usted las **identifique.**
It is necessary that you identify them.   (necessity)

Buscando sustancias que **puedan** servir.
Looking for substances that may serve.   (uncertain future)

Sin riesgo de que él las **reconociese.**
Without danger (risk) of his recognizing them.   (uncertain future)

Me alegro de que **llegue** aquí.
I am glad that you are (come) here.   (emotion)

Maravilla será que no **atrape** . . .
It will be a wonder if I do not catch . . .   (emotion)

La ley no se contenta con que usted las **reconociese.**
The law is not satisfied with your recognizing (that you should recognize them).
(emotion and uncertain future)

> **The subjunctive expresses uncertainty, necessity, uncertain future, emotion.**

Se lo comió.
He ate it up.

Se lo bebió.
He drank it down.

Feliz quien se las coma.
Happy will be the one who is lucky enough to eat them.

> In the expression <u>Feliz quien se las coma</u>, the subjunctive is of course
> the uncertain future. The use of <u>se</u> frequently adds "color", empha-
> sis, satisfaction, etc.

EL LIBRO TALONARIO

PEDRO ANTONIO DE ALARCÓN

Rota es una de aquellas encantadoras poblaciones que forman el ancho semicírculo de la bahía de Cádiz. Los campos de Rota son tan productivos que surten de frutas y legumbres a Cádiz, y en ocasiones a Sevilla misma. Sobre todo producen tomates y calabazas, cuya excelente calidad, suma abundancia y consiguiente baratura exceden a toda ponderación.

El caso es que aquella tierra de Rota que tanto produce, no es tierra, sino arena pura y limpia. Pero la ingratitud de la naturaleza está allí más que compensada por la constante actividad del hombre. Yo no conozco, ni creo que haya en el mundo, labrador

arena *sand*
bahía *bay*
baratura *cheapness*
calabaza *pumpkin*
encantador *charming*
legumbre *vegetable*
población *village*
ponderación *exaggeration*
sumo *great*
surtir *to provide*

a la venta *on sale*
abono *fertilizer*
acribillar *to riddle*
afán *anxiety*
asombro *surprise*
calabacero *pumpkin grower*
cortar *to cut*
desesperación *despair*
dormirse *to go to sleep*
ejemplar *specimen*
estupendo *huge*
figurarse *to imagine*
fluir *to flow*
grado *degree*
hortelano *gardener*
importar *to matter*
lucido *magnificent*
madurez *ripeness*
mercado *market*
naranja *orange*
paso *step*
pertenecer *to belong*
ponerse *to turn*
pozo *well*
reconocer *to recognize*
resolverse *to decide upon*
riesgo *risk*
roteño *native of Rota*
señalar *to designate*
suspirar *to sigh*
tomatero *tomato grower*

que trabaje tanto como el roteño. Ni un leve hilo de agua fluye por aquellos melancólicos campos. ¿Qué importa? El calabacero los ha acribillado de pozos, de donde saca la preciosa agua tan necesaria para las legumbres. La arena carece de *humus*. ¿Qué 5 importa? El tomatero pasa la mitad de su vida buscando sustancias que puedan servir de abono.

Pues bien, el tío Buscabeatas pertenecía a este grupo de hortelanos. Tenía sesenta años y llevaba cuarenta de labrar una huerta cerca de la playa. 10

Aquel año había criado allí unas estupendas calabazas, que empezaban a ponerse por dentro y por fuera de color de naranja, lo cual quería decir que había venido el mes de junio. El tío Buscabeatas conocía las calabazas perfectamente por la forma, por 15 su grado de madurez y hasta de nombre, sobre todo a los cuarenta ejemplares más gordos y lucidos.

—¡Pronto tendremos que separarnos!—dijo con tristeza.

Al fin, se resolvió al sacrificio, y señalando a las 20 mejores calabazas que tantos afanes le habían costado, pronunció la terrible sentencia.

—Mañana—dijo—, cortaré estas cuarenta, y las llevaré al mercado de Cádiz. ¡Feliz quien se las coma!

Y se marchó a su casa con paso lento, y pasó la 25 noche con las angustias del padre que va a casar una hija al día siguiente.

—¡Lástima de mis calabazas!—suspiraba a veces sin poder dormirse. Pero ¿qué he de hacer, sino venderlas? Para eso las he criado. Lo menos van a 30 valerme quince duros.

Figúrese, pues, su asombro, su furia y su desesperación, cuando al ir a la mañana siguiente a la huerta, halló que durante la noche, le habían robado las cuarenta calabazas. 35

El tío Buscabeatas comprendió que sus amadas calabazas no podían estar en Rota, donde sería imposible ponerlas a la venta sin riesgo de que él las reconociese.

—Están en Cádiz—dijo—. El pícaro, ladrón, debió de robármelas anoche a las nueve o las diez y se ha escapado con ellas a las doce en el barco de la carga. Yo saldré para Cádiz hoy por la mañana en el barco
5 de la hora, y maravilla será que no atrape al ratero.

Así diciendo, permaneció todavía cosa de veinte minutos en el lugar de la catástrofe, como acariciando las mutiladas calabazas, o contando las calabazas que faltaban, hasta que a eso de las ocho, partió con di-
10 rección al muelle.

Ya estaba dispuesto para hacerse a la vela el barco de la hora, que sale todas las mañanas para Cádiz a las nueve en punto, conduciendo pasajeros. El barco de la carga sale todas las noches a las doce, condu-
15 ciendo frutas y legumbres.

El primero se llama barco de la hora, porque en este espacio de tiempo, y hasta en cuarenta minutos algunos días, cruza las tres leguas entre la aldea de Rota y la ciudad de Cádiz.
20 Eran, pues, las diez y media de la mañana cuando se paraba el tío Buscabeatas delante de un puesto de verduras del mercado de Cádiz, y le decía a un aburrido polizonte que iba con él:

—¡Estas son mis calabazas! ¡Prenda usted a ese
25 hombre!

Y señalaba al revendedor.

—¡Prenderme a mí!—contestó el revendedor, lleno de sorpresa y de cólera—. Estas calabazas son mías. Yo las he comprado.
30 —Eso podrá usted contar al alcalde—repuso el tío Buscabeatas.

aburrido *weary*
atrapar *to catch*
carga *freight*
cólera *anger*
conducir *to carry*
contar *to count*
cruzar *to cross*
ladrón *thief*
parar *to stop*
pasajero *passenger*
pícaro *rogue*
polizonte *policeman*
prender *to arrest*
ratero *sneak thief*
reponer *to reply*
revendedor *retailer*
señalar *to point out*

a quién *from whom*
abastos *supplies*
agacharse *to stoop down*
anudar *to knot, tie*
circunstante *bystander*
criar *to raise*
desatar *to untie*
echarse a *to begin*
encargado de *in charge of*
Fulano *So-and-so*
identificar *to identify*
impedir *to prevent*
juez *judge*
lío *bundle*
llorar *to weep*
majestuoso *majestic*
preguntarse *to wonder*
probar *to prove*
prueba *proof*
punta *corner*
recién llegado *newcomer*
regidor *councilman*
soltar *to drop*

En esto ya había acudido alguna gente, no tardando en presentarse también el regidor encargado de la policía de los mercados públicos, o por otro nombre el juez de abastos.

El juez preguntó al revendedor con majestuoso acento:

—¿A quién le ha comprado usted esas calabazas?

—Al tío Fulano, vecino de Rota—respondió el revendedor.

—Su huerta es muy mala. Produce poco—gritó el tío Buscabeatas.

—Pero, admitida la hipótesis de que a usted le han robado cuarenta calabazas—siguió interrogando el juez—. ¿Cómo sabe usted que éstas, y no otras, son las suyas?

—Porque las conozco como usted conoce a sus hijos—respondió el tío Buscabeatas. Y el pobre viejo se echó a llorar.

—Todo eso está muy bien—repuso el juez de abastos—, pero la ley no se contenta con que usted reconozca sus calabazas. Es necesario que las identifique con pruebas.

—Pues verá usted qué pronto le pruebo yo a todo el mundo, sin moverme de aquí, que estas calabazas se han criado en mi huerto—dijo el tío Buscabeatas.

Y soltando en el suelo un lío que llevaba en la mano, se agachó, y empezó a desatar las anudadas puntas del pañuelo que lo envolvía.

—¿Qué va a sacar de allí?—se preguntaban todos. Al mismo tiempo llegó un nuevo curioso a ver qué ocurría en aquel grupo, y habiéndole visto, el revendedor exclamó:—Me alegro de que llegue usted, tío Fulano. Este hombre dice que las calabazas que me vendió usted anoche, son robadas.

El recién llegado se puso más amarillo que la cera, y trató de irse, pero los circunstantes se lo impidieron.

—¡Ahora verá usted!—repitió el tío Buscabeatas, desatando el pañuelo.

Y entonces se desparramó por el suelo una multitud de trozos de tallo de calabacera, todavía verdes y chorreando jugo, mientras que el viejo hortelano dirigía el siguiente discurso al juez y a los curiosos:

5 —Caballeros, ¿no han pagado ustedes nunca contribución? Y ¿no han visto aquel libro que tiene el recaudador, de donde va cortando recibos, dejando allí pegado un talón, para que luego pueda comprobarse si tal o cual recibo es falso o no?

10 —Lo que usted dice se llama el libro talonario— observó gravemente el juez.

—Pues eso es lo que yo traigo aquí: mi libro talonario, los cabos a que estaban unidas estas calabazas en mi huerta. Y, si no, miren ustedes. Este cabo era 15 de esta calabaza. Nadie puede dudarlo . . . Este otro era de esta otra . . . Este más ancho debe ser de aquélla . . . ¡Justamente! . . . Y éste es de ésta. Y en tanto que así decía, iba adoptando un cabo a la excavación que había quedado en cada calabaza al ser arrancada, y 20 los espectadores veían con asombro que, efectivamente, la base irregular de los cabos convenía del modo más exacto con las leves concavidades de las calabazas.

Pero ya los Guardias Civiles estaban impacientes 25 por llevar al convicto ladrón a la cárcel.

adoptar *to fit*
cabo *end*
calabacera *pumpkin vine*
comprobar *to prove*
contribución *tax*
convenir *to fit*
chorrear *to drip*
desparramar *to spread out*
excavación *cavity*
jugo *sap*
libro talonario *stub-book*
pegar *to attach*
recaudador *collector*
recibo *receipt*
talón *stub*
tallo *stem*
trozo *piece*

ჶ EJERCICIOS

A. CUESTIONARIO

1. ¿Dónde está Rota? **2.** ¿Cuáles son los principales productos de Rota? **3.** ¿Qué clase de tierra tiene Rota? **4.** ¿De dónde viene el agua para las legumbres de Rota? **5.** ¿De qué color se ponen las calabazas en el mes de junio? **6.** ¿Cuántas calabazas pensaba Buscabeatas vender en el mercado? **7.** ¿Cuánto dinero esperaba Buscabeatas recibir por sus calabazas? **8.** ¿Cuál fue la causa de su sorpresa el día en que esperaba venderlas? **9.** ¿A dónde fue en busca del ladrón? **10.** ¿A qué hora salió Buscabeatas de Rota? **11.** ¿A qué hora encontró sus calabazas? **12.** ¿Quién las tenía? **13.** ¿Qué dijo este hombre cuando fue acusado? **14.** ¿En dónde tenía Buscabeatas pruebas de que las calabazas le pertenecían? **15.** ¿Cuáles eran estas pruebas? **16.** ¿Quién pasó por allí cuando Buscabeatas estaba hablando de las pruebas? **17.** ¿Qué es un libro talonario? **18.** ¿Cuál era el libro talonario de Buscabeatas? **19.** ¿Qué hizo Buscabeatas con los trozos de las calabazas? **20.** ¿Qué parte tuvieron los Guardias Civiles en aquel drama?

B. TRADUCCIÓN

1. Rota is one of the charming villages on the bay of Cadiz. **2.** The fields of Rota produce many fruits and vegetables. **3.** I don't believe any farmer in the world works as hard as the native of Rota. **4.** Uncle Buscabeatas raised a great many big pumpkins every year. **5.** At last he decided to sell about forty pumpkins. **6.** The boat was ready to set sail for Cadiz at nine-thirty. **7.** Uncle Buscabeatas stopped suddenly in front of a vegetable booth at the Cadiz market. **8.** The man turned yellower than wax and tried to get (go) away. **9.** Buscabeatas untied the handkerchief and spread the pumpkin stems on the ground. **10.** The Civil Guards were anxious to take the thief to jail.

17 ⁊ *El afrancesado*

Pedro Antonio de Alarcón, author of *El afrancesado*, saw active service in Africa and wrote up these experiences in his *Diario de un testigo de la guerra de Africa*. These notes, written by candlelight in his tent, brought him fame, fortune and friends. His "fan mail" ran into thousands of letters and filled several trunks. Alarcón has several war stories, of which *El afrancesado* is one. Alarcón's sympathy is of course with his countrymen and the exploit of García de Paredes in the guerrilla warfare that the Spaniards waged against Napoleon probably exemplified to him the proverb "All is fair . . ." Evidently neither Alarcón nor the character he created considered the possibility of reprisals.

Unable to fight the invaders with their own weapons, an old druggist becomes friendly with Napoleon's officers, invites them to dinner, and wages a war of his own.

℘ PREPARACIÓN

dar de comer (cenar) *to give some-thing to eat (to), give a dinner for*
es decir *that is to say*
hacia adelante *forward*

se miraron *they looked at each other*
¡Vamos a ver! *Let's see!*
¡Ya lo creo! *Indeed! I should say so!*

---

parecerse a *to be like, resemble*

---

la guerra que les hacemos los españoles *the war that we Spaniards are making against you*
algunos demostraron querer contestar *some showed that they wanted to answer*

¿quién lo habría de esperar? *who would have expected it?*

◆

Levantaron **la mano** derecha.
They raised their right hands.

Todos perdieron **la vida.**
They all lost their lives.

> In Spanish when a single thing that is common to all is referred to (la mano, la vida), it is considered as singular.

◆

¿Cuántos **habrá matado**?
How many do you suppose you have killed?

Tendría cuarenta y cinco años.
He was about forty-five years old.

> These expressions convey the idea of uncertainty, but since they are used in a main clause where the subjunctive is not possible, the verb is put in the future in the first case (present probability), and in the conditional in the second (past probability).

◆

Escribe las cantidades que yo te **diga.**
Write down the amounts that I give (say) to you.

> The subjunctive diga expresses uncertainty in two ways. The speaker
> has not said anything yet, and the amounts are not known.

◆

Es hora de que **entren.**
It is time for them to come in.

¡Que **entren** todos!
Let them all come in!

¡**Mueran** todos!
Let them all die.

> The idea of command is present in the first statement; the second and
> third statements are real commands.

♒ EL AFRANCESADO

PEDRO ANTONIO DE ALARCÓN

A eso de las diez de una fría y triste noche de otoño
entró en la plaza de la pequeña aldea de . . . un
silencioso grupo de sombras, aun más negras que
la obscuridad del cielo. Avanzaron hacia la botica
5 de García de Paredes, cerrada completamente desde
las ocho y media.
—¿Qué hacemos?—dijo una de las sombras.
—¡Derribar la puerta!—propuso una mujer.
—¡Y matarlos!—murmuraron quince voces.
10 —¡Por afrancesado!

afrancesado *French sympa-*
  thizer
derribar *to tear down*
proponer *to propose*
silencioso *silent*

boticario *apothecary*
cena *supper*
cenar *to eat supper*
fumar *to smoke*
infame *vile*
jurar *to swear*
laguna *pond*
momia *mummy*
oficial *officer*
patriota *patriotic*
proteger *to protect*

—Dicen que hoy cenan con él más de veinte franceses.

—¡Ya lo creo! Saben que ahí están seguros.

—¡Y este infame boticario los protege!

—¡Quién lo había de esperar de García de Paredes! ¡No hace un mes que era el más valiente, el más patriota del pueblo!

—¡Y esta noche da de cenar a todos los jefes!

Mientras ocurría esta escena en la puerta de la botica, García de Paredes y sus convidados estaban más que alegres. Veinte eran, en efecto, los franceses que el boticario tenía a la mesa, todos ellos oficiales.

García de Paredes tendría cuarenta y cinco años. Era alto y seco y más amarillo que una momia. Sus ojos negros se parecían a esas lagunas encerradas entre montañas, que sólo ofrecen obscuridad y muerte al que las mira.

La cena era abundante, el vino bueno, la conversación alegre y animada. Los franceses reían, juraban, cantaban, fumaban y bebían.

5

10

15

20

García de Paredes bebía y reía como los demás, o quizás más que ninguno. Tan elocuente había estado en favor de la causa imperial, que los soldados de Napoleón lo habían abrazado, le habían improvisado
5 himnos.

—¡Señores!—había dicho el boticario—. La guerra que les hacemos a ustedes es necia. Ustedes, hijos de la Revolución, vienen a mejorar las anticuadas costumbres de España, a enseñarnos esa utilísima
10 verdad de que Napoleón es el verdadero Mesías, el amigo de la especie humana . . . ¡Señores! ¡Viva el Emperador!

—¡Bravo!—exclamaron los soldados.

El boticario inclinó la frente con angustia.
15 Pronto volvió a alzarla, tan firme y tan sereno como antes. Bebió un vaso de vino, y continuó:

—Un abuelo mío, un García de Paredes, un Sansón, un Hércules, mató doscientos franceses en un día. Creo que fue en Italia. ¡Ya ven ustedes que no era tan
20 afrancesado como yo!

Aquí hizo otra pausa el boticario. Algunos franceses demostraron querer contestarle; pero, él, levantándose, e imponiendo silencio con su actitud, exclamó:

—¡Vivan los franceses de Napoleón Bonaparte!
25 —¡Vivan!—respondieron los invasores.

Y todos apuraron su vaso.

En esto se oyó un rumor en la calle, o, mejor dicho, a la puerta de la botica.

—¿Ha oído usted?—preguntaron los franceses.
30 García de Paredes se sonrió.

—¡Vendrán a matarme!—dijo.

—¿Quiénes?

—Los vecinos.

—¿Por qué?
35 —Por afrancesado. Pero, ¿qué nos importa? Continuemos nuestra fiesta . . . Celedonio!

El criado de la botica asomó por una puerta su cabeza pálida.

apurar *to drain*
asomar *to appear, show*
demostrar *to show*
mejorar *to improve*
necio *foolish*
vecino *neighbor*

admiración *wonder*
anotar *to jot down*
calcular *to estimate*
callarse *to be silent*
deuda *debit*
motín *disturbance*
suplicar *to beg*
tintero *inkstand*

—Celedonio, trae papel y tintero—dijo tranquilamente el boticario.

El criado volvió con papel y tinta.

—¡Siéntate!—continuó su amo—. Ahora escribe las cantidades que yo te diga. Divídelas en dos 5 columnas. Encima de la columna de la derecha, pon: *Deuda,* y encima de la otra: *Crédito.*

—¡Señor!—dijo el criado—. En la puerta hay una especie de motín. Gritan "¡Muera el boticario!" Y quieren entrar.   10

—¡Cállate! Escribe lo que te he dicho.

Los franceses se rieron de admiración al ver al boticario ocupado en ajustar cuentas cuando le rodeaban la muerte y la ruina.

—¡Vamos a ver, señores!—dijo entonces García de 15 Paredes—. Usted, Capitán, dígame: ¿cuántos españoles habrá matado desde que pasó los Pirineos?

—Yo—dijo el interrogado—, habré matado personalmente . . . unos diez o doce.

—¡Once a la derecha!—gritó el boticario.—¡Y 20 usted, Señor Julio!

—Yo, seis.

—¿Y usted, mi Comandante?

—Yo . . . veinte.

—Yo, ocho.   25

—Yo, ninguno.

Y el criado continuó anotando cantidades a la derecha.

—¡Vamos a ver ahora, Capitán!—continuó García de Paredes—. Volvamos a empezar con usted. 30 ¿Cuántos españoles espera matar en el resto de la guerra?

—¡Eh!—respondió el Capitán—. ¿Quién calcula eso?

—Calcúlelo, se lo suplico.   35

—Ponga otros once.

—Once a la izquierda—dictó García de Paredes.

—Y usted—interrogó el boticario.

—Yo, quince.

—Yo, veinte.

—Yo, ciento.

—Ponlos todos a diez, Celedonio—murmuró irónicamente el boticario—. Ahora, suma las dos columnas.

El pobre joven, que había anotado las cantidades
con muchísima dificultad, se vió obligado a hacer el
resumen con los dedos, como las viejas.

—Deuda, 285. Crédito, 200.

—Es decir—añadió García de Paredes—, ¡doscientos ochenta y cinco muertos, y doscientos senten-
ciados!

Y pronunció estas palabras con voz tan sepulcral,
que los franceses se miraron alarmados.

En esto crujieron las tablas de la puerta de la botica,
y el criado gritó:

—¡Ya entran!

—¿Qué hora es?—preguntó el boticario con suma
tranquilidad.

—Las once. Pero, ¿no oye usted que entran?

—¡Déjalos entrar. Ya es hora . . .

—¡Hora! ¿de qué?—murmuraron los franceses,
procurando levantarse.

—¡De que entren!—gritó García de Paredes—.
¡Abre la puerta! ¡Que vengan todos!

Los franceses clavados en sus sillas hacían penosos
esfuerzos por levantar los sables; pero parecía que
estaban adheridos a la mesa. En esto entraron en la
sala más de cincuenta hombres y mujeres armados con
palos, puñales y pistolas.

—¡Mueran todos!—exclamaron algunas mujeres.

—¡Alto!—gritó García de Paredes con tal voz, con
tal actitud, que impuso terror a la muchedumbre.

—No tienen ustedes que blandir los puñales—
continuó el boticario—. He hecho más que todos
ustedes por la independencia de la Patria. Me he
fingido afrancesado. Los veinte oficiales . . . ¡están
envenenados!

adherir *to stick to*
blandir *to brandish*
clavado *stuck*
crujir *to creak*
dejar *to permit*
envenenar *to poison*
fingir *to pretend (to be)*
hacer el resumen *to add up*
penoso *painful*
procurar *to attempt*
puñal *dagger*
sumar *to add*
tabla *board*

Un grito de terror salió del pecho de los españoles.
Dieron ellos un paso más hacia los convidados, y
hallaron que la mayor parte estaban ya muertos, con
la cabeza caída hacia adelante, y los brazos extendidos
sobre la mesa.   5

—Celedonio—murmuró el boticario—. El opio se
ha concluido. Manda mañana por opio a La Coruña.
Y cayó de rodillas.

Sólo entonces comprendieron los vecinos que García
de Paredes estaba también envenenado.   10

❧ EJERCICIOS

A. CUESTIONARIO

1. ¿A dónde se dirigía el grupo de sombras? **2.** ¿Por qué deseaban matar a García de Paredes? **3.** ¿Con quiénes estaba García en aquel momento? **4.** ¿Cuántos años tenía García? **5.** ¿Por qué estaban contentos los franceses? **6.** ¿Qué dijo García respecto de la guerra? **7.** ¿Qué había hecho su abuelo? **8.** ¿Quién era Celedonio? **9.** ¿Qué le pidió García a Celedonio? **10.** ¿En qué columna se escribe "Crédito"? **11.** ¿Qué escribió Celedonio en la columna de la derecha? **12.** ¿A cuántos muertos llegó la columna de la deuda? **13.** ¿Y a cuántos la columna del crédito? **14.** ¿Qué hora era cuando entraron los vecinos? **15.** ¿Qué trataron de hacer los franceses? **16.** ¿Con qué estaban armados los vecinos? **17.** ¿Qué les gritó García? **18.** ¿Qué había hecho él por la independencia de su patria? **19.** ¿Qué cosa faltó en la botica? **20.** ¿Cómo murió García de Paredes?

B. TRADUCCIÓN

1. A group of men came into the little square of the village. **2.** García was very tall and about forty-five years old. **3.** The French soldiers laughed, sang and drank. **4.** Celedonio brought García paper and ink. **5.** Everybody laughed at the apothecary. **6.** "Tell me, Captain, about how many Spaniards have you killed?" **7.** "Let's begin again. How many do you expect to kill?" **8.** "Let the people enter," shouted García. **9.** At this point, about fifty men and women entered the room. **10.** García asked Celedonio to order more opium from La Coruña, then he fell to his knees.

18 ⁊ *La buenaventura*

Pedro Antonio de Alarcón is the author of *La buenaventura*. Alarcón's work as a novelist and short story writer is as varied as were his life and other writings. Some of his novels are fantastic and imaginative; others are devoted to the defense of conservative principles; while others—his best work—deal with typical Spanish life and customs, usually in Southern Spain. *La buenaventura* and the longer story which follows are excellent examples of the latter group.

Spanish gypsies with their songs, dances and peculiar customs are characteristic of certain regions in the southern part of Spain. In this story a fortune teller makes a prediction that nearly costs him his life.

GRANADA

✌ PREPARACIÓN

a la sazón *at the time*
¿Cómo, Parrón? *What do you mean,*
  Parrón?
de pronto *suddenly*
echarse a la cara *to raise to one's*
  shoulder
no cabe duda *there is no doubt*

ponerse de rodillas *to get to one's*
  knees
por allí *around there*
el mes que entra *next month*
tener ganas de *to feel like, want to*
mientras tanto *meanwhile*

alejarse *to go away*
apresurarse *to hasten*

equivocarse *to make a mistake*
ocultarse *to hide*

◆

Vengo a que me **den** los mil reales.
I have come for you to give me the thousand reales.

Que en mal hora **muera.**
May I die an untimely death.

Deja que te **dé** un abrazo.
Let me embrace you.

Bendita **sea** tu alma.
Bless your soul.

| The subjunctive expresses a wish.

◆

Había conseguido que me **sacasen** . . .
I had persuaded (secured from) them to take me out . . .

| The subjunctive expresses fulfilment of a wish.

◆

Los ofrecidos al que **presente** las señales . . .
Those offered to the one who would give (present) a description . . .

> | The subjunctive expresses uncertain future.

◆

Hace tres años **que** le **buscamos.**
We have been looking for him for three years. (It makes three years that we are looking for him.)

> If the Spanish verb that follows <u>hace</u> in a time clause is in the present
> tense, it is translated with the English present perfect.

◆

Nunca le he oído nombrar.
I have never heard him spoken of.

Yo **se** lo cogí.
I seized it (without blinking an eye).

> In the last sentence and in similar cases the <u>se</u> is difficult to translate.
> It adds color here.

◆

Sin que el capitán **volviese** a verme.
Without the captain's seeing me again.

> The subjunctive is used after <u>sin que</u>. It expresses something that did
> not happen.

◆

Es preciso que **muera.**
He must die.

> | The subjunctive expresses necessity.

◆

Entreguen los veinte duros.
Give back the twenty dollars.

¡Vaya!
Get out.

¡Márchese!
Get out. Go away.

¡No **seas** loco!
Don't be crazy.

Tengan cuidado de que no me mate Parrón.
Be careful that Parron doesn't kill me.

| The subjunctive expresses a command.

No nos **tiente** la paciencia.
Don't try our patience.

◆

Para que se **fuera.**
So that he should go off.

| The subjunctive expresses purpose and uncertain future.

𝄐 LA BUENAVENTURA

PEDRO ANTONIO DE ALARCÓN

abrazo *embrace*
barranco *ravine*
borrico *donkey*
buenaventura *fortune*
compadre *friend*
despacho *office*
escuchar *to listen*
golpecito *light blow*
Merced *Grace*
plazoleta *small opening*
sanguinario *cruel*

Un día de agosto del año 1816 penetró en el despacho del Conde del Montijo, a la sazón Capitán General de Granada, un gitano llamado Heredia.

—Pues, señor, vengo a que me den los mil reales.

—¿Qué mil reales?   5

—Los ofrecidos por las señales de Parrón.

—¿Estás seguro de que le has visto?—exclamó el capitán con interés.

—¡Es claro! Ayer vi a Parrón.

—Pero, ¿sabes la importancia de lo que dices? 10 Sabes que hace tres años que buscamos a ese bandido sanguinario, que nadie conoce ni ha podido nunca ver?

—Repito, mi General, que, no sólo he visto a Parrón, sino que he hablado con él.   15

—¿Dónde?

—Escuche su Merced. Hace ocho días que caímos mi borrico y yo en poder de unos ladrones. Me ataron las manos, y me llevaron por unos barrancos hasta una plazoleta donde estaban los bandidos. Una cruel 20 sospecha me molestaba.—¡Será esta gente de Parrón! Entonces no hay remedio. Me matarán.

Estaba yo haciendo estas reflexiones, cuando se me presentó un hombre muy bien vestido, y dándome un golpecito en el hombro, me dijo: 25

—Compadre, ¡yo soy Parrón!

Yo me puse de rodillas y exclamé:

—¡Bendita sea tu alma, rey de los hombres! ¡Deja que te dé un abrazo! ¡Que en mal hora muera si no tenía ganas de encontrarte para decirte la buena- 30 ventura.

—Pues, dime la buenaventura—exclamó Parrón, tendiéndome la mano.

Yo se la cogí; medité un momento, y le dije con toda franqueza:

—¡Parrón, morirás ahorcado!

—Eso ya lo sabía yo—respondió el bandido con
5 entera tranquilidad—. Dime cuándo.

—Pues, va a ser el mes que entra.

Parrón se estremeció, y yo también.

—Pues mira tú, gitano—contestó Parrón muy lentamente—. Vas a quedarte en mi poder y si en todo
10 el mes que entra no me ahorcan, te ahorco a ti. Si muero para esa fecha, quedarás libre.

Y yo me arrepentí de haber echado tan corto el plazo.

Pasaron ocho días sin que el capitán volviese a
15 verme.

No había parecido por allí desde la tarde que le dije la buenaventura.

Como pago de haber dicho la buenaventura a todos los ladrones, pronosticándoles que llevarían una vejez
20 muy tranquila, había yo conseguido que por las tardes me sacasen de la cueva en que me encerraron y me atasen a un árbol, pues en mi encierro me ahogaba de calor.

ahogarse *to choke*
ahorcar *to hang, choke*
cueva *cave*
encierro *prison*
estremecerse *to shudder*
pago *payment*
pronosticar *to predict*
vejez *old age*

alargar *to hold out*
alejarse *to go away*
campamento *camp*
hijos de mi alma *my dear children*
infeliz *unfortunate (woman)*
maquinalmente *mechanically*
marcharse *to go away*
pecho *heart*
piedad *have mercy*
reunir *to get together*
todo el que *everyone who*
traer *to bring*
transcurrir *to pass*

Una tarde, a eso de las seis, los ladrones regresaron al campamento llevando a un pobre segador de cuarenta a cincuenta años.

—¡Denme mis veinte duros!—decía—. ¡Todo un verano trabajando bajo el fuego del sol! ¡Todo 5 un verano lejos de mi pueblo, de mi mujer y de mis hijos! ¡He reunido, con mil privaciones, esa suma, con que podríamos vivir este invierno! ¡Piedad, señores! ¡Mis veinte duros!

—¡No seas loco!—exclamó un bandido—. Haces 10 mal en pensar en tu dinero, cuando tienes cuidados mayores en que ocuparte.

—¿Cómo?—dijo el segador, sin comprender.

—¡Estás en poder de Parrón!

—¿Parrón? ¡No le conozco! Nunca le he oído 15 nombrar. Vengo de muy lejos.

—Pues, amigo mío, Parrón quiere decir la muerte. Todo el que cae en nuestro poder es preciso que muera.

—Tengo seis hijos . . . y una infeliz . . . diré viuda, pues veo que voy a morir. Caballeros, ¿no hay un 20 padre entre ustedes? ¿Saben ustedes lo que son seis niños pasando un invierno sin pan? ¡Hijos míos! ¡Hijos de mi alma! Los bandidos sintieron moverse algo dentro de su pecho. Se miraron unos a otros, y viendo que todos estaban pensando la misma cosa, 25 uno de ellos dijo:

—Caballeros, lo que vamos a hacer no lo sabrá nunca Parrón.

—Nunca . . . Nunca—dijeron los bandidos.

—Márchese, buen hombre—exclamó entonces uno 30 que hasta lloraba.

El infeliz alargó la mano maquinalmente.

—¿Te parece poco?—gritó uno—. ¡El quiere su dinero! ¡Vaya! . . . ¡Vaya! . . . No nos tiente usted la paciencia. 35

El pobre padre se alejó llorando, y a poco desapareció.

Media hora había transcurrido, cuando de pronto apareció Parrón, trayendo al segador.

Los bandidos retrocedieron espantados.

Parrón descolgó su escopeta de dos cañones, y apuntando a sus camaradas, dijo:

—¡Imbéciles! No sé como no los mato a todos.

5 ¡Pronto! ¡Entreguen a este hombre los veinte duros que le han robado!

Los ladrones sacaron los veinte duros y se los dieron al segador.

—A la paz de Dios—dijo Parrón—. He cumplido

10 mi promesa . . . Ahí tiene usted sus veinte duros . . . Conque, ¡en marcha!

El segador se alejó lleno de júbilo. Pero no había andado cincuenta pasos, cuando su bienhechor lo llamó de nuevo.

15 El pobre hombre se apresuró a volver.

—¿Conoce usted a Parrón?—le preguntó el capitán.

—No lo conozco.

—¡Te equivocas!—replicó el bandolero—. Yo soy Parrón.

20 El segador quedó estupefacto.

Parrón se echó la escopeta a la cara y descargó los dos tiros contra el segador, que cayó al suelo.

En medio de mi terror observé que el árbol en que yo estaba atado se estremecía ligeramente. Una de las

25 balas, después de herir al segador había dado en la cuerda que me ligaba al tronco y la había roto.

Entretanto Parrón decía a los bandidos:

—Ahora pueden robarlo . . . ¡Dejar a ese hombre para que se fuera gritando sus señas por los caminos!

30 Mientras tanto me aparté poco a poco del arbol y desaparecí por un barranco próximo.

Quince días después, a eso de las nueve de la maña-na, muchísima gente ociosa presenciaba la reunión de dos compañías de soldados que debían salir a las

35 nueve en busca de Parrón, cuyo paradero había al fin averiguado el Conde de Montijo.

—Parece que ya vamos a formar—dijo un soldado a otro—, pero no veo al cabo López.

a la paz de Dios *God be with you*
apresurarse *to hasten*
averiguar *to find out*
bala *bullet*
bienhechor *benefactor*
cabo *corporal*
cañón *barrel*
cumplir *to fulfill*
descargar *to discharge*
descolgar *to take down*
en marcha *get out*
entregar *to give (back)*
equivocarse *to be mistaken*
espantado *frightened*
estremecerse *to shake*
estupefacto *dumfounded*
formar *to line up*
herir *to wound*
júbilo *joy*
ligeramente *slightly*
ocioso *idle*
paradero *whereabouts*
presenciar *to witness*
reunión *assembly*
tiro *shot*

acertar *to happen*
arma *weapon*
carabina *carbine*
malhechor *offender*
mudar *to change*
ocultarse *to hide*
porte *demeanor*
prender *to arrest*
pugnar *to fight*
sonar *to sound*
transeúnte *passerby*

—Pues ¿no sabe usted lo que pasa?—dijo un tercer
soldado, tomando parte en la conversación.

Era éste un hombre pálido y de porte distinguido,
que se llamaba Manuel.

—Conque ¿decías . . . ?—replicó el primero.   5

—¡Ah! ¡Sí! El cabo López ha muerto—respondió
Manuel—. Hace media hora que le ha matado
Parrón.

—¿Parrón? ¿Dónde?

—¡Aquí mismo! ¡En Granada!   10

En este momento acertó a pasar por allí el gitano
Heredia, quien se paró como todos a ver la tropa. Se
notó entonces que Manuel retrocedió un poco, como
para ocultarse detrás de sus compañeros.

Al mismo tiempo Heredia fijó en él sus ojos; y dando   15
un grito empezó a correr. Manuel se echó la carabina
a la cara y apuntó al gitano. Pero otro soldado tuvo
tiempo de mudar la dirección del arma, y el tiro se
perdió en el aire.

—¡Está loco! ¡Manuel se ha vuelto loco!—exclama-   20
ron los espectadores. Y los oficiales y sargentos
rodearon a aquel hombre, que pugnaba por escapar.
Entretanto Heredia había sido detenido en la plaza
por algunos transeúntes, que, viéndole correr después
de haber sonado aquel tiro, le tomaron por un mal-   25
hechor.

—Quiero hablar con el Conde de Montijo—decía
el gitano—. Pero tengan cuidado de que no me mate
Parrón.

—¿Parrón? . . . ¿Qué dice este hombre?   30

El gitano fue conducido delante del jefe de los soldados, y señalando a Manuel, dijo:

—Mi Comandante, ése es Parrón, y yo soy el gitano
que dio hace quince días sus señas al Conde de
Montijo.   35

—No me cabe duda—decía el Comandante, leyendo
las señas que le había dado el Capitán General—.
¿Pero a quién se le hubiera ocurrido buscar al capitán
de ladrones entre los soldados que iban a prenderlo?

—¡Necio de mí!—exclamaba Parrón—, es el único hombre a quien he perdonado la vida. Merezco lo que me pasa.

A la semana siguiente ahorcaron a Parrón.

5 Se cumplió, pues, literalmente la buenaventura del gitano.

merecer *to deserve*
necio de mí *fool that I am*

♀ EJERCICIOS

A. CUESTIONARIO

1. ¿En qué año ocurrió lo que pasó en *La buenaventura?* **2.** ¿Por qué
quería el gitano mil reales? **3.** ¿Quién era Parrón? **4.** ¿Qué hicieron los
ladrones después de que hicieron preso a Heredia? **5.** ¿Qué le dijo Heredia
a Parrón cuando éste se presentó? **6.** ¿Cómo iba a morir Parrón según
Heredia? **7.** ¿Y cuándo moriría? **8.** ¿Cuál fue la sentencia que pronunció
Parrón? **9.** ¿Qué pago le dieron los ladrones a Heredia por haberles
dicho la buenaventura? **10.** ¿Cuánto dinero tenía el segador que cogieron
los ladrones algunos días después? **11.** ¿Qué les dijo el segador? **12.** ¿Qué
le dejaron hacer los bandidos? **13.** ¿Quién apareció después de media
hora? **14.** ¿Cómo se escapó Heredia? **15.** ¿Dónde estaba Heredia quince
días después? **16.** ¿Qué trató de hacer el soldado Manuel al ver a Heredia? **17.** ¿Por qué no le mató Manuel a Heredia? **18.** ¿Qué pensaron los
espectadores? **19.** ¿Qué dijo Heredia al ser conducido delante del jefe
de los soldados? **20.** ¿Qué dijo Parrón al verse descubierto?

B. TRADUCCIÓN

1. A gypsy named Heredia entered the office of the Count of Montijo.
2. Do you know that we have been looking for that bandit for three
years? **3.** The gypsy said he was very anxious to tell the man's fortune.
4. A week passed without his coming back to see me. **5.** I succeeded in
getting them to take me out of the cave. **6.** About seven o'clock the
thieves brought a poor harvester to the camp. **7.** Parrón will never find
out what we are going to do. **8.** Little by little I drew away from the tree
and got out of sight. **9.** Heredia fixed his eyes on Manuel and began to
run. **10.** There's no doubt about it. The next week they hanged Parrón.

Tercera Parte

ξ EL SOMBRERO DE TRES PICOS

PEDRO ANTONIO DE ALARCÓN

Pedro Antonio de Alarcón came from the south of Spain, colorful Andalusia, the land of the *conquistadores*, bull fighters, gypsies, Flamenco dancers, olive groves and vineyards. This is the land of star-studded nights, black-eyed señoritas, guitars and sherry wine. This is Andalusia; it is not typical of central or northern Spain. It was in Andalusia that Alarcón was born, in the little town of Guadix, near Granada, on March 10, 1833. He traveled over all of Spain, as well as other lands, but he remained an Andalusian all his life.

When Alarcón was born, Spain was struggling to recover from the damage, both physical and economic, she had suffered from the invasion and occupation by Napoleon's army. His own noble family had fallen on evil days and Alarcón did not have sufficient resources to remain in the University of Granada; for a short time he was even a seminarian preparing to take Holy Orders. He read eagerly and long and had little time for anything else except the study of foreign languages. He became well versed in French, Italian and Latin.

Early in life Alarcón began to write professionally; by the age of fifteen he had composed a number of poems and had presented two plays in his native town. He became involved in editing a newspaper, and even served as war correspondent several months in Africa covering the Spanish-Moroccan war for his journal.

El sombrero de tres picos, published in 1874, is Alarcón at his best. He had already published several novels and a number of short stories, and he was to be very productive in both these genres almost to his death, on July 18, 1891. Alarcón never was very proud of this short novel. It had come too easy; it had not occasioned the toil and sweat that had gone into most of his works. This he had written easily and naturally, almost effortlessly. Perhaps this is one of the reasons why *El sombrero* is one of Spain's best-told and most popular stories. It ranks second only to *Don Quijote* among Spaniards.

This novel is based on the popular Spanish ballad *El molinero de Arcos*, well-known to almost every Spaniard. When *El sombrero* was printed in 1874, the Regional Novel was the main order of the day in fiction. Realism,

146

in large measure, had been introduced by Fernán Caballero with *La gaviota* in 1849. In this striking and colorful novel, Fernán Caballero had insisted that the "frame" of the picture, the "backdrop" of the novel, the scene behind the action, was as important as the action itself. Some of the best novels of this half-century indicate that this is true: Juan Valera's *Pepita Jiménez* (1874) for the south of Spain, Pereda's novels for the Mountain District of the north, Pardo Bazán's *Los pazos de Ulloa* (1886) and *La madre naturaleza* (1887) for Galicia, and Pérez Galdós' *Doña Perfecta* (1876) perhaps for all of Spain. In these and in others the color, folklore, and background are prominently displayed. There is regionalism in *El sombrero de tres picos*, but there is a great deal more. In the first place it is a charming and unusual story that unfolds in the lives of people who are human beings, not just characters in a book: the sly, conniving Corregidor, the physically disfigured but thoroughly charming Molinero, the beautiful and provocative Molinera, even the gentle but firm Bishop and "weasel" Garduña, who lives up to his name. It is a rare piece of literature that presents such a cast of living people. Shakespeare above all other modern writers took exceptional care to see that his minor characters were expertly and realistically drawn. The *Sombrero* also gives close attention to the lesser figures, such as the nurse, the house-keeper, the mayor of the other village. Even Liviana and Piñona, the two donkeys, are possessed of personality.

It would be impossible to determine how many times this story has been printed in Spanish. This present text follows the thirty-fourth edition (1959) of the Spanish Academy, and the latter was based on the original printing of 1874. The only changes have been to modernize the punctuation.

Alarcón wrote in a period when the thesis or sermon, or some sort of moralizing, was found in most European fiction. It is ironic that few people read today Alarcón's moralizing novels; but almost everybody reads *El sombrero de tres picos*. It is simply a delightful story moving easily on the narrow line between the tragic and the comic, the sublime and the ridiculous, the good and the evil, that fine line so common in the best of Spanish litera-ture and most artistically handled in *La Celestina* and *Don Quijote*.

Just as the ballad *El molinero de Arcos* was Alarcón's inspiration, so has Alarcón's story become the motivation for Manuel de Falla's ballet. Manuel de Falla's music reflects the life of southern Spain in all its color and comic-tragic realism. His *Sombrero de tres picos* has come to be a favorite through-out the world. It is fitting that one native Andalusian in one of its most popular stories should inspire another to compose some of Spain's most tuneful music.

Manuel de Falla was born in Cadiz in 1876, two years after *El sombrero* was published. He, too, was Andalusian to the core. Most of his music is based on native themes. *La vida breve, El amor brujo, El retablo de Maese Pedro,* and *El sombrero de tres picos* are enjoyed by all opera and ballet lovers. These are all strong reminders of the poetry of his friend Federico García Lorca. *El sombrero de tres picos* was an immediate success when presented in Madrid in 1917; for the London *estreno* in 1919, just after World War I was over, Pablo Picasso designed the curtain, costumes and set. The opera was presented in New York in 1925, at a time when Spanish music was not well known in the U.S.A.

El Sombrero de tres picos has come a long way since it was published in 1874.

NOTE: Presented here is the unabridged novel, a continuous narrative, followed by a section containing **Preparación** and **Ejercicios** for each chapter.

El sombrero de tres picos

⨎ *Prefacio del autor*

Pocos españoles, aun contando a los menos sabios y leídos, desconocerán la historieta vulgar que sirve de fundamento a la presente obrilla.

Un zafio pastor de cabras, que nunca había salido de la escondida cortijada en que nació, fue el primero a quien nosotros se la oímos referir. Era el tal uno de aquellos rústicos sin ningunas letras, pero naturalmente ladinos y 5 bufones, que tanto papel hacen en nuestra literatura nacional con el dictado de pícaros. Siempre que en la cortijada había fiesta, con motivo de boda o bautizo, o de solemne visita de los amos, tocábale a él poner los juegos de chasco y pantomima, hacer las payasadas y recitar los romances y relaciones; y precisamente en una ocasión de éstas (hace ya casi toda una vida, es decir, 10 hace ya más de treinta y cinco años), tuvo a bien deslumbrar y embelesar cierta noche nuestra inocencia (relativa) con el cuento en verso de *El corregidor y la molinera*, o sea de *El molinero y la corregidora*, que hoy ofrecemos nosotros al público bajo el nombre más trascendental y filosófico (pues así lo requiere la gravedad de estos tiempos) de *El sombrero de tres picos*. 15

Recordamos, por señas, que cuando el pastor nos dio tan buen rato, las muchachas casaderas allí reunidas se pusieron muy coloradas, de donde sus madres dedujeron que la historia era algo verde, por lo cual pusieron ellas al pastor de oro y azul; pero el pobre Repela (así se llamaba el pastor) no se mordió la lengua, y contestó diciendo: que no había por qué escandalizarse 20 de aquel modo, pues nada resultaba de su relación que no supiesen hasta las monjas y hasta las niñas de cuatro años.

---

bufón *waggish*
casadero *marriageable*
corregidora *corregidor's wife*
cortijada *hamlet*
deducir *to deduce*
desconocer *to be unfamiliar with*
deslumbrar *to dazzle*
dictado *title*
embelesar *to charm*
juegos . . . pantomima *farces and pantomimes*
ladino *sly*
leído *well-read*

molinera *miller's wife*
monja *nun*
morderse la lengua *to be abashed*
payasada *clownish trick*
poner de oro y azul *to rake over the coals*
por señas *to be specific*
relación *story*
romance *ballad*
tal *afore-mentioned*
verde *off-color*
zafio *ignorant*

—Y si no, vamos a ver—preguntó el cabrero—¿qué se saca en claro de la historia de *El corregidor y la molinera*? ¡Que los casados duermen juntos, y que a ningún marido le acomoda que otro hombre duerma con su mujer! ¡Me parece que la noticia . . . !

5   —¡Pues es verdad!—respondieron las madres, oyendo las carcajadas de sus hijas.

La prueba de que el tío Repela tiene razón—observó en esto el padre del novio—es que todos los chicos y grandes aquí presentes se han enterado ya de que esta noche, así que se acabe el baile, Juanete y Manolilla estrenarán
10 esa hermosa cama de matrimonio que la tía Gabriela acaba de enseñar a nuestras hijas para que admiren los bordados de los almohadones.

—¡Hay más!—dijo el abuelo de la novia.—Hasta en el libro de la doctrina y en los mismos sermones se habla a los niños de todas estas cosas tan naturales, al ponerlos al corriente de la larga esterilidad de Nuestra Señora
15 Santa Ana, de la virtud del casto José, de la estratagema de Judit, y de otros muchos milagros que no recuerdo ahora. Por consiguiente, señores . . .

—¡Nada, nada, tío Repela!—exclamaron valerosamente las muchachas.— ¡Diga usted otra vez su relación, que es muy divertida!

—¡Y hasta muy decente!—continuó el abuelo.—Pues en ella no se aconseja
20 a nadie que sea malo; ni se le enseña a serlo; ni queda sin castigo el que lo es.

—¡Vaya! ¡repítala usted!—dijeron al fin consistorialmente las madres de familia.

El tío Repela volvió entonces a recitar el romance; y, considerado ya su texto por todos a la luz de aquella crítica tan ingenua, hallaron que no había
25 *pero* que ponerle; lo cual equivale a decir que le concedieron *las licencias necesarias.*

Andando los años, hemos oído muchas y muy diversas versiones de aquella misma aventura de *El molinero y la corregidora*, siempre de labios de graciosos de aldea y de cortijo, por el orden del ya difunto Repela, y además la hemos
30 leído en letras de molde en diferentes *Romances de ciego* y hasta en el famoso *Romancero* del inolvidable don Agustín Durán.

---

acomodar *to please*
almojadón *large pillow*
cabrero *goatherd*
casto *chaste*
cortijo *farm*
decir consistorialmente *to decree*
difunto *late (deceased)*
enterarse de *to be aware of*

estrenar *to use for the first time*
gracioso *jester*
ingenuo *outspoken*
letras de molde *print*
libro de la doctrina *catechism*
poner al corriente *to inform*
por el orden de *of the order of*
sacarse en claro *to be made clear*

El fondo del asunto resulta idéntico: tragi-cómico, zumbón y terriblemente epigramático, como todas las lecciones dramáticas de moral de que se enamora nuestro pueblo; pero la forma, el mecanismo accidental, los procedimientos casuales, difieren mucho, muchísimo, del relato de nuestro pastor, tanto, que éste no hubiera podido recitar en la cortijada ninguna de dichas 5 versiones, ni aun aquellas que corren impresas, sin que antes se tapasen los oídos las muchachas en estado honesto, o sin exponerse a que sus madres le sacaran los ojos.   ¡A tal punto han extremado y pervertido los groseros patanes de otras provincias el caso tradicional que tan sabroso, discreto y pulcro resultaba en la versión del clásico Repela!   10

Hace, pues, mucho tiempo que concebimos el propósito de restablecer la verdad de las cosas, devolviendo a la peregrina historia de que se trata su primitivo carácter, que nunca dudamos fuera aquel en que salía mejor librado el decoro.   Ni ¿cómo dudarlo?   Esta clase de relaciones, al rodar por las manos del vulgo, nunca se desnaturalizan para hacerse más bellas, delicadas 15 y decentes, sino para estropearse y percudirse al contacto de la ordinariez y la chabacanería.

Tal es la historia del presente libro.   Conque metámonos ya en harina; quiero decir, demos comienzo a la relación de *El corregidor y la molinera*, no sin esperar de tu sano juicio ¡oh, respetable público! que "después de haberla 20 leído y héchote más cruces que si hubieras visto al demonio" (como dijo Estebanillo González al principiar la suya) "la tendrás por digna y merecedora de haber salido a luz."

Julio de 1874.

---

chabacanería *vulgarity*
desnaturalizarse *to change character*
en estado honesto *unmarried*
estropearse *to be damaged*
librado *safeguarded*
meterse en harina *to get to work*
patán *yokel*

percudirse *to become tarnished*
peregrino *strange*
pulcro *clean*
rodar *to pass*
tapar *to cover up*
zumbón *waggish*

1 ‿ De cuándo sucedió la cosa

COMENZABA este largo siglo, que ya va de vencida. No se sabe fijamente el año; sólo consta que era después del de 4 y antes del de 8.

Reinaba, pues, todavía en España don Carlos IV de Borbón; *por la gracia de Dios*, según las monedas, y por olvido o gracia especial de Bonaparte,
5 según los boletines franceses. Los demás soberanos europeos descendientes de Luis XIV habían perdido ya la corona (y el jefe de ellos la cabeza) en la deshecha borrasca que corría esta envejecida parte del mundo desde 1789.

Ni paraba aquí la singularidad de nuestra patria en aquellos tiempos. El soldado de la Revolución, el hijo de un obscuro abogado corso, el vencedor
10 en Rívoli, en las Pirámides, en Marengo y en otras cien batallas, acababa de ceñirse la corona de Carlo Magno y de transfigurar completamente la Europa, creando y suprimiendo naciones, borrando fronteras, inventando dinastías y haciendo mudar de forma, de nombre, de sitio, de costumbres y hasta de traje a los pueblos por donde pasaba en su corcel de guerra como un terre-
15 moto animado, o como el *Anticristo*, que le llamaban las potencias del norte. Sin embargo, nuestros padres (Dios los tenga en su santa Gloria), lejos de odiarlo o de temerle, complacíanse aún en ponderar sus descomunales hazañas, como si se tratase del héroe de un libro de caballerías, o de cosas que sucedían en otro planeta, sin que ni por asomos recelasen que pensara
20 nunca en venir por acá a intentar las atrocidades que había hecho en Francia, Italia, Alemania y otros países. Una vez por semana (y dos a lo sumo) llegaba el correo de Madrid a la mayor parte de las poblaciones importantes de la Península, llevando algún número de la *Gaceta* (que tampoco era diaria), y por ella sabían las personas principales (suponiendo que la *Gaceta* hablase
25 del particular) si existía un estado más o menos allende el Pirineo, si se había reñido otra batalla en que peleasen seis u ocho reyes y emperadores, y si Napoleón se hallaba en Milán, en Bruselas o en Varsovia. Por lo demás,

borrar *to erase*
borrasca *storm*
ceñirse *to put on*
constar *to be certain*
corcel *steed*
corso *Corsican*
descomunal *extraordinary*
deshecho *violent*

ir de vencida *to draw to a close*
ni por asomos *not by any means*
particular *matter*
ponderar *to praise*
potencias del norte *northern powers* (*England and Prussia*)
recelar *to fear*

nuestros mayores seguían viviendo a la antigua española, sumamente despacio, apegados a sus rancias costumbres, en paz y en gracia de Dios, con
su Inquisición y sus frailes, con su pintoresca desigualdad ante la ley, con sus
privilegios, fueros y exenciones personales, con su carencia de toda libertad
municipal o política, gobernados simultáneamente por insignes obispos y   5
poderosos corregidores (cuyas respectivas potestades no eran muy fácil
deslindar, pues unos y otros se metían en lo temporal y en lo eterno), y
pagando diezmos, primicias, alcabalas, subsidios, mandas y limosnas forzosas,
rentas, rentillas, capitaciones, tercias reales, gabelas, frutos-civiles, y hasta
cincuenta tributos más, cuya nomenclatura no viene a cuento ahora.   10

   Y aquí termina todo lo que la presente historia tiene que ver con la militar
y política de aquella época; pues nuestro único objeto, al referir lo que
entonces sucedía en el mundo, ha sido venir a parar a que el año de que se
trata (supongamos que el de 1805) imperaba todavía en España el *antiguo
régimen* en todas las esferas de la vida pública y particular, como si, en medio 15
de tantas novedades y trastornos, el Pirineo se hubiese convertido en otra
Muralla de la China.

alcabala *excise tax*
apegado *attached*
capitación *poll*
carencia *lack*
deslindar *to define*
diezmos *tithes*
en lo temporal *in worldly matters*
frutos-civiles *income taxes*
fueros *rights*
gabela *direct tax*
imperar *to hold sway*
insigne *illustrious*
limosna *alms*

manda *gift*
mayores *ancestors*
potestad *power*
primicias *offerings of first fruits*
rancio *antiquated*
renta *rent*
rentilla *minor tax*
subsidio *subsidy*
tercias reales *royal taxes*
trastorno *disturbance*
tributo *tax*
venir a parar *to conclude*

2 ⸸ De cómo vivía entonces la gente

EN Andalucía, por ejemplo (pues precisamente aconteció en una ciudad de Andalucía lo que vais a oír), las personas de suposición continuaban levantándose muy temprano; yendo a la catedral a misa de prima, aunque no fuese día de precepto; almorzando, a las nueve, un huevo frito y una
5 jícara de chocolate con picatostes; comiendo, de una a dos de la tarde, puchero y principio, si había caza, y, si no, puchero sólo; durmiendo la siesta después de comer; paseando luego por el campo; yendo al rosario, entre dos luces, a su respectiva parroquia; tomando otro chocolate a la oración (éste con bizcochos); asistiendo los muy encopetados a la tertulia del corregidor,
10 del deán, o del título que residía en el pueblo; retirándose a casa a las ánimas; cerrando el portón antes del toque de la queda; cenando ensalada y guisado por antonomasia, si no habían entrado boquerones frescos, y acostándose incontinenti con su señora (los que la tenían), no sin hacerse calentar primero la cama durante nueve meses del año . . .
15   ¡Dichosísimo tiempo aquel en que nuestra tierra seguía en quieta y pacífica posesión de todas las telarañas, de todo el polvo, de toda la polilla, de todos los respetos, de todas las creencias, de todas las tradiciones, de todos los usos y de todos los abusos santificados por los siglos! ¡Dichosísimo tiempo aquel en que había en la sociedad humana variedad de clases, de afectos y
20 de costumbres! ¡Dichosísimo tiempo, digo, para los poetas especialmente, que encontraban un entremés, un sainete, una comedia, un drama, un auto sacramental o una epopeya detrás de cada esquina, en vez de esta prosaica uniformidad y desabrido realismo que nos legó al cabo la Revolución Francesa! ¡Dichosísimo tiempo, sí!
25   Pero esto es volver a las andadas. Basta ya de generalidades y de circunloquios, y entremos resueltamente en la historia del *Sombrero de tres picos*.

ánimas *evening prayers*	jícara *small cup*
antonomasia *change of name*	legar *to bequeath*
auto sacramental *religious play*	oración *evening prayer*
bizcocho *biscuit*	picatoste *fried bread*
boquerón *anchovy*	polilla *mustiness*
caza *game*	principio *entrée*
desabrido *tasteless*	puchero *stew*
encopetado *aristocratic*	sainete *one-act play*
entre dos luces *at twilight*	suposición *distinction*
entremés *interlude*	telaraña *cobweb*
epopeya *epic poem*	título *nobleman*
guisado *stew*	toque de la queda *ringing of curfew*
incontinenti *right away*	volver a las andadas *to retrace one's steps*

3 𝄢 Do ut des

En aquel tiempo, pues, había cerca de la ciudad de*** un famoso molino harinero (que ya no existe), situado como a un cuarto de legua de la población, entre el pie de una suave colina poblada de guindos y cerezos y una fertilísima huerta que servía de margen (y algunas veces de lecho) al titular
5 intermitente y traicionero río.

Por varias y diversas razones, hacía ya algún tiempo que aquel molino era el predilecto punto de llegada y descanso de los paseantes más caracterizados de la mencionada ciudad. Primeramente, conducía a él un camino carretero, menos intransitable que los restantes de aquellos contornos. En segundo
10 lugar, delante del molino había una plazoletilla empedrada, cubierta por un parral enorme, debajo del cual se tomaba muy bien el fresco en el verano y el sol en el invierno, merced a la alternada ida y venida de los pámpanos. En tercer lugar, el molinero era un hombre muy respetuoso, muy discreto, muy fino, que tenía lo que se llama don de gentes, y que obsequiaba a los
15 señorones que solían honrarlo con su tertulia vespertina, ofreciéndoles lo que daba el tiempo, ora habas verdes, ora cerezas y guindas, ora lechugas en rama y sin sazonar, (que están muy buenas cuando se las acompaña de macarros de pan y aceite; macarros que se encargaban de enviar por delante sus señorías), ora melones, ora uvas de aquella misma parra que les servía
20 de dosel, ora rosetas de maíz, si era invierno, y castañas asadas, y almendras, y nueces, y de vez en cuando, en las tardes muy frías, un trago de vino de pulso (dentro ya de la casa y al amor de la lumbre), a lo que por pascuas se solía añadir algún pestiño, algún mantecado, algún rosco o alguna lonja de jamón alpujarreño.

---

al amor de la lumbre *by the fireside*
almendra *almond*
alpujarreño *from Alpujarra*
castaña *chestnut*
cerezas y guindas *two kinds of cherries*
do ut des *I give, so that you may give*
don de gentes *gift of making friends*
dosel *canopy*
guindos y cerezos *cherry trees of two kinds*
haba *bean*
lechugas en rama *lettuce leaves*
lonja *slice*
macarro *cake*
mantecado *butter cake*

molino harinero *flour mill*
nuez *walnut*
ora . . . ora *now . . . now*
pámpanos *leaves*
parral *grapevine*
pestiño *fritter*
predilecto *favorite*
rosco *cruller*
rosetas de maíz *popcorn*
señorón *distinguished gentleman*
titular *so-called*
vespertino *evening*
vino de pulso *homemade wine*

—¿Tan rico era el molinero, o tan imprudentes sus tertulianos?—exclamaréis, interrumpiéndome.

Ni lo uno ni lo otro. El molinero sólo tenía un pasar, y aquellos caballeros eran la delicadeza y el orgullo personificados. Pero en unos tiempos en que se pagaban cincuenta y tantas contribuciones diferentes a la Iglesia y al 5 Estado, poco arriesgaba un rústico de tan claras luces como aquél en tenerse ganada la voluntad de regidores, canónigos, frailes, escribanos y demás personas de campanillas. Así es que no faltaba quien dijese que el tío Lucas (tal era el nombre del molinero) se ahorraba un dineral al año a fuerza de agasajar a todo el mundo. 10

—Vuestra merced me va a dar una puertecilla vieja de la casa que ha derribado—decíale a uno.—Vuestra señoría—decíale a otro—va a mandar que me rebajen el subsidio, o la alcabala, o la contribución de frutos-civiles.— Vuestra reverencia me va a dejar coger en la huerta del convento una poca hoja para mis gusanos de seda.—Vuestra ilustrísima me va a dar permiso 15 para traer una poca leña del monte X.—Vuestra paternidad me va a poner dos letras para que me permitan cortar una poca madera en el pinar H.— Es menester que me haga usarcé una escriturilla que no me cueste nada. —Este año no puedo pagar el censo.—Espero que el pleito se falle a mi favor. —Hoy le he dado de bofetadas a uno, y creo que debe ir a la cárcel por 20 haberme provocado.—¿Tendría su merced tal cosa de sobra?—¿Le sirve a Usted de algo tal otra?—¿Me puede prestar la mula?—¿Tiene ocupado mañana el carro?—¿Le parece que envíe por el burro? . . .

Y estas canciones se repetían a todas horas, obteniendo siempre por contestación un generoso y desinteresado "*Como se pide.*" 25

Conque ya veis que el tío Lucas no estaba en camino de arruinarse.

agasajar *to entertain*	escriturilla *little note*
ahorrar *to save*	fallarse *to be decided*
bofetada *blow*	gusano de seda *silkworm*
cárcel *prison*	leña *firewood*
censo *tax*	monte *woods*
como se pide *as you wish*	pasar *comfortable living*
contribución *tax*	persona de campanilla *important person*
de sobra *to spare*	pinar *pine grove*
dineral *large sum of money*	pleito *lawsuit*
escribano *scribe*	tertuliano *guest*

4 ⸮ Una mujer vista por fuera

LA última y acaso la más poderosa razón que tenía el señorío de la ciudad
para frecuentar por las tardes el molino del tío Lucas, era . . . que, así los
clérigos como los seglares, empezando por el señor obispo y el señor corregidor, podían contemplar allí a sus anchas una de las obras más bellas, graciosas
5 y admirables que hayan salido jamás de las manos de Dios, llamado entonces
el *Ser Supremo* por Jovellanos y toda la escuela afrancesada de nuestro país.
Esta obra se denominaba "la señá Frasquita."

Empiezo por responderos de que la señá Frasquita, legítima esposa del
tío Lucas, era una mujer de bien, y de que así lo sabían todos los ilustres
10 visitantes del molino.   Digo más: ninguno de éstos daba muestras de con-
siderarla con ojos de varón ni con trastienda pecaminosa.   Admirábanla,
sí, y requebrábanla en ocasiones (delante de su marido, por supuesto), lo
mismo los frailes que los caballeros, los canónigos que los golillas, como un
prodigio de belleza que honraba a su Criador, y como una diablesa de trave-
15 sura y coquetería, que alegraba inocentemente los espíritus más melancólicos.

—Es un hermoso animal—solía decir el virtuosísimo prelado.—Es una estatua
de la antigüedad helénica—observaba un abogado muy erudito, académico
correspondiente de la Historia.—Es la propia estampa de Eva—prorrumpía
el prior de los Franciscanos.—Es una real moza—exclamaba el coronel de
20 milicias.—Es una sierpe, una sirena, ¡un demonio!—añadía el corregidor.—
Pero es una buena mujer, es un ángel, es una criatura, es una chiquilla de
cuatro años—acababan por decir todos, al regresar del molino atiborrados
de uvas o de nueces, en busca de sus tétricos y metódicos hogares.

La chiquilla de cuatro años, esto es, la señá Frasquita, frisaría en los treinta.
25 Tenía más de dos varas de estatura, y era recia a proporción, o quizás más
gruesa todavía de lo correspondiente a su arrogante talla.   Parecía una Niobe
colosal, y eso que no había tenido hijos; parecía un Hércules hembra; parecía
una matrona romana de las que aún hay ejemplares en el Trastevere.   Pero

---

a sus anchas *at their ease*
arrogante *proud*
atiborrado *stuffed*
criatura *child*
diablesa *she-devil*
estampa *image*
frisar *to border on*
golilla *magistrate*
ojos de varón *lustful eyes*
pecaminoso *sinful*

real moza *very good-looking girl*
recio *robust*
requebrar *to pay compliments to*
seglar *layman*
señorío *gentry*
talla *stature*
tétrico *gloomy*
trastienda *secret thoughts*
travesura *mischief*

lo más notable en ella era la movilidad, la ligereza, la animación, la gracia de su respetable mole. Para ser una estatua, como pretendía el académico, le faltaba el reposo monumental. Se cimbreaba como un junco, giraba como una veleta, bailaba como una peonza. Su rostro era más movible todavía, y, por tanto, menos escultural. Avivábanlo donosamente hasta cinco hoyuelos: 5 dos en una mejilla; otro en otra; otro, muy chico, cerca de la comisura izquierda de sus rientes labios, y el último, muy grande, en medio de su redonda barba. Añadid a esto los picarescos mohines, los graciosos guiños y las varias posturas de cabeza que amenizaban su conversación, y formaréis idea de aquella cara llena de sal y de hermosura y radiante siempre de salud 10 y alegría.

Ni la señá Frasquita ni el tío Lucas eran andaluces: ella era navarra y él murciano. El había ido a la ciudad de***, a la edad de quince años, como medio paje, medio criado del obispo anterior al que entonces gobernaba aquella iglesia. Educábalo su protector para clérigo, y tal vez con esta mira 15 y para que no careciese de *congrua*, dejóle en su testamento el molino; pero el tío Lucas, que a la muerte de su ilustrísima no estaba ordenado más que de *menores* ahorcó los hábitos en aquel punto y hora, y sentó plaza de soldado, más ganoso de ver mundo y correr aventuras que de decir misa o de moler trigo. En 1793 hizo la campaña de los Pirineos Occidentales, como ordenanza 20 del valiente general don Ventura Caro; asistió al asalto de Castillo Piñón, y permaneció luego largo tiempo en las provincias del norte, donde tomó la licencia absoluta. En Estella conoció a la señá Frasquita, que entonces sólo se llamaba *Frasquita;* la enamoró; se casó con ella, y se la llevó a Andalucía en busca de aquel molino que había de verlos tan pacíficos y dichosos durante 25 el resto de su peregrinación por este valle de lágrimas y risas.

La señá Frasquita, pues, trasladada de Navarra a aquella soledad, no había adquirido ningún hábito andaluz, y se diferenciaba mucho de las mujeres campesinas de los contornos. Vestía con más sencillez, desenfado y elegancia

---

ahorcar los hábitos *to leave the priesthood*
amenizar *to make agreeable*
avivar *to enliven*
barba *chin*
cimbrearse *to sway*
comisura *corner*
congrua *necessary income*
donosamente *charmingly*
ganoso *desirous*
guiño *wink*
hoyuelo *dimple*
junco *reed*
licencia absoluta *discharge*

mejilla *cheek*
mira *purpose*
mohín *gesture*
mole *bulk*
moler *to grind*
ordenanza *orderly*
peonza *child's top*
pretender *to claim*
sal *charm*
sentar plaza de soldado *to enlist*
trigo *wheat*
veleta *weathervane*

que ellas; lavaba más sus carnes, y permitía al sol y al aire acariciar sus arremangados brazos y su descubierta garganta. Usaba, hasta cierto punto, el traje de las señoras de aquella época, el traje de las mujeres de Goya, el traje de la reina María Luisa: si no falda de medio paso, falda de un paso
5 solo, sumamente corta, que dejaba ver sus menudos pies y el arranque de su soberana pierna: llevaba el escote redondo y abajo, al estilo de Madrid, donde se detuvo dos meses con su Lucas al trasladarse de Navarra a Andalucía; todo el pelo recogido en lo alto de la coronilla, lo cual dejaba campear la gallardía de su cabeza y de su cuello; sendas arracadas en las diminutas
10 orejas, y muchas sortijas en los afilados dedos de sus duras pero limpias manos. Por último: la voz de la señá Frasquita tenía todos los tonos del más extenso y melodioso instrumento, y su carcajada era tan alegre y argentina, que parecía un repique de Sábado de Gloria.

Retratemos ahora al tío Lucas.

5 🎼 Un hombre visto por fuera y por dentro

15 EL tío Lucas era más feo que Picio. Lo había sido toda su vida, y ya tenía cerca de cuarenta años. Sin embargo, pocos hombres tan simpáticos y agradables habrá echado Dios al mundo. Prendado de su viveza, de su ingenio y de su gracia, el difunto obispo se lo pidió a sus padres, que eran pastores, no de almas, sino de verdaderas ovejas. Muerto su ilustrísima, y
20 dejado que hubo el mozo el seminario por el cuartel, distinguiólo entre todo su ejército el general Caro, y lo hizo su ordenanza más íntimo, su verdadero criado de campaña. Cumplido, en fin, el empeño militar, fuéle tan fácil al tío Lucas rendir el corazón de la señá Frasquita, como fácil le había sido

afilado *slender*	falda de medio paso *narrow skirt*
arranque *curve*	gallardía *gracefulness*
arremangados *with sleeves rolled up*	prendado *captivated*
coronilla *crown of head*	recogido *gathered up*
cuartel *barracks*	rendir *to win*
dejado que hubo *when he had given up*	repique *peal of bells*
dejar campear *to display prominently*	sencillez *simplicity*
descubierto *bare*	sendas arracadas *earrings*
desenfado *freedom*	sortija *ring*
escote *neck of dress*	viveza *ardor*

captarse el aprecio del general y del prelado. La navarra, que tenía a la
sazón veinte abriles, y era el ojo derecho de todos los mozos de Estella,
algunos de ellos bastante ricos, no pudo resistir a los continuos donaires, a
las chistosas ocurrencias, a los ojillos de enamorado mono y a la bufona y
constante sonrisa, llena de malicia, pero también de dulzura, de aquel murci- 5
ano tan atrevido, tan locuaz, tan avisado, tan dispuesto, tan valiente y tan
gracioso, que acabó por trastornar el juicio, no sólo a la codiciada beldad,
sino también a su padre y a su madre.

Lucas era en aquel entonces, y seguía siendo en la fecha a que nos referimos,
de pequeña estatura (a lo menos con relación a su mujer), un poco cargado 10
de espaldas, muy moreno, barbilampiño, narigón, orejudo y picado de
viruelas. En cambio, su boca era regular y su dentadura inmejorable. Dijérase
que sólo la corteza de aquel hombre era tosca y fea; que tan pronto como
empezaba a penetrarse dentro de él aparecían sus perfecciones, y que estas
perfecciones principiaban en los dientes. Luego venía la voz, vibrante, 15
elástica, atractiva; varonil y grave algunas veces, dulce y melosa cuando
pedía algo, y siempre difícil de resistir. Llegaba después lo que aquella voz
decía: todo oportuno, discreto, ingenioso, persuasivo. Y, por último, en el
alma del tío Lucas había valor, lealtad, honradez, sentido común, deseo de
saber y conocimientos instintivos o empíricos de muchas cosas, profundo 20
desdén a los necios, cualquiera que fuese su categoría social, y cierto espíritu
de ironía, de burla y de sarcasmo, que le hacían pasar, a los ojos del académico, por un don Francisco de Quevedo en bruto.

Tal era por dentro y por fuera el tío Lucas.

---

avisado *clever*
barbilampiño *smooth faced*
cargado de espaldas *stoop-shouldered*
codiciado *coveted*
corteza *outside*
chistoso *funny*
donaire *witticism*
empírico *acquired*

honradez *honor*
meloso *honeyed*
narigón *with a large nose*
ocurrencia *remark*
orejudo *big eared*
picado de viruelas *pock-marked*
varonil *manly*

6 ⸻ Habilidades de los dos cónyuges

AMABA, pues, locamente la señá Frasquita al tío Lucas, y considerábase
la mujer más feliz del mundo al verse adorada por él. No tenían hijos, según
que ya sabemos, y habíase consagrado cada uno a cuidar y mimar al otro
con esmero indecible, pero sin que aquella tierna solicitud ostentase el
5 carácter sentimental y empalagoso, por lo zalamero, de casi todos los matrimonios sin sucesión. Al contrario: tratábanse con una llaneza, una alegría,
una broma y una confianza semejantes a las de aquellos niños, camaradas
de juegos y de diversiones, que se quieren con toda el alma sin decírselo
jamás, ni darse a sí mismos cuenta de lo que sienten.

10 ¡Imposible que haya habido sobre la tierra molinero mejor peinado, mejor
vestido, más regalado en la mesa, rodeado de más comodidades en su casa,
que el tío Lucas! ¡Imposible que ninguna molinera ni ninguna reina haya
sido objeto de tantas atenciones, de tantos agasajos, de tantas finezas como
la señá Frasquita! ¡Imposible también que ningún molino haya encerrado

agasajo *evidence of consideration*
empalagoso *sickening*
esmero *care*
fineza *courtesy*
indecible *indescribable*

llaneza *naturalness*
mimar *to pamper*
peinado *groomed*
por lo zalamero *because of its affectation*
sin sucesión *without children*

tantas cosas necesarias, útiles, agradables, recreativas y hasta superfluas, como el que va a servir de teatro a casi toda la presente historia!

Contribuía mucho a ello que la señá Frasquita, la pulcra, hacendosa, fuerte y saludable navarra, sabía, quería y podía guisar, coser, bordar, barrer, hacer dulces, lavar, planchar, blanquear la casa, fregar el cobre, amasar, tejer, 5 hacer media, cantar, bailar, tocar la guitarra y los palillos, jugar a la brisca y al tute, y otras muchísimas cosas cuya relación fuera interminable. Y contribuía no menos al mismo resultado el que el tío Lucas sabía, quería y podía dirigir la molienda, cultivar el campo, cazar, pescar, trabajar de carpintero, de herrero y de albañil, ayudar a su mujer en todos los quehaceres 10 de la casa, leer, escribir, contar, etc., etc.

Y esto sin hacer mención de los ramos de lujo, o sea de sus habilidades extraordinarias.

Por ejemplo, el tío Lucas adoraba las flores (lo mismo que su mujer), y era floricultor tan consumado, que había conseguido producir ejemplares nuevos, 15 por medio de laboriosas combinaciones. Tenía algo de ingeniero natural, y lo había demostrado construyendo una presa, un sifón y un acueducto que triplicaron el agua del molino. Había enseñado a bailar a un perro, domesticado una culebra, y hecho que un loro diese la hora por medio de gritos, según las iba marcando un reloj de sol que el molinero había trazado en una 20 pared; de cuyas resultas el loro daba ya la hora con toda precisión, hasta en los días nublados y durante la noche.

Finalmente, en el molino había una huerta, que producía toda clase de frutas y legumbres; un estanque encerrado en una especie de kiosko de jazmines, donde se bañaban en verano el tío Lucas y la señá Frasquita; un 25 jardín; una estufa o invernadero para las plantas exóticas; una fuente de agua potable; dos burras, en que el matrimonio iba a la ciudad o a los pueblos de las cercanías; gallinero, palomar, pajarera, criadero de peces; criadero de

agua potable *drinking water*
albañil *mason*
amasar *to make bread*
barrer *to sweep*
blanquear *to whitewash*
bordar *to embroider*
brisca . . . tute *card games*
cobre *copper*
criadero de peces *fish pond*
culebra *snake*
dulces *candy*
estufa *hothouse*
estanque *pond*
fregar *to polish*
gallinero *henhouse*
hacendoso *industrious*

hacer media *to knit*
herrero *blacksmith*
invernadero *conservatory*
loro *parrot*
molienda *grinding*
pajarera *aviary*
palillos *castanets*
palomar *dovecote*
planchar *to iron*
presa *dam*
pulcro *tidy*
quehaceres *tasks*
ramo de lujo *special accomplishment*
recreativo *diverting*
sifón *siphoning device*
tejer *to weave*

gusanos de seda; colmenas, cuyas abejas libaban en los jazmines; jaraiz o lagar, con su bodega correspondiente, ambas cosas en miniatura; horno, telar, fragua, taller de carpintería, etc., etc.; todo ello reducido a una casa de ocho habitaciones y a dos fanegas de tierra, y tasado en la cantidad de diez
5 mil reales.

7 ♫ El fondo de la felicidad

ADORÁBANSE, sí, locamente el molinero y la molinera, y aun se hubiera creído que ella lo quería más a él que él a ella, no obstante ser él tan feo y ella tan hermosa. Dígolo porque la señá Frasquita solía tener celos y pedirle cuentas al tío Lucas cuando éste tardaba mucho en regresar de la ciudad o
10 de los pueblos adonde iba por grano, mientras que el tío Lucas veía hasta con gusto las atenciones de que era objeto la señá Frasquita por parte de los señores que frecuentaban el molino; se ufanaba y regocijaba de que a todos les agradase tanto como a él; y, aunque comprendía que en el fondo del corazón se la envidiaban algunos de ellos, la codiciaban como simples
15 mortales y hubieran dado cualquier cosa porque fuese menos mujer de bien, la dejaba sola días enteros sin el menor cuidado, y nunca le preguntaba luego qué había hecho ni quién había estado allí durante su ausencia.
No consistía aquello, sin embargo, en que el amor del tío Lucas fuese menos vivo que el de la señá Frasquita. Consistía en que él tenía más con-
20 fianza en la virtud de ella que ella en la de él; consistía en que él la aventajaba en penetración, y sabía hasta qué punto era amado y cuánto se respetaba su mujer a sí misma; y consistía principalmente en que el tío Lucas era todo un hombre: un hombre como el de Shakespeare, de pocos e indivisibles sentimientos; incapaz de dudas; que creía o moría; que amaba o mataba;
25 que no admitía gradación ni tránsito entre la suprema felicidad y el exterminio de su dicha.

abeja *bee*	regocijar *to rejoice*
colmena *bee hive*	taller *shop*
dos fanegas *three acres*	tasar *to tax*
fragua *forge*	ufanarse *to take pride*
jaraiz *wine press*	telar *loom*
lagar *wine pit*	tránsito *stopping place*
libar *to find honey*	

Era, en fin, un Otelo de Murcia, con alpargatas y montera, en el primer acto de una tragedia posible.

Pero ¿a qué estas notas lúgubres en una tonadilla tan alegre? ¿A qué estos relámpagos fatídicos en una atmósfera tan serena? ¿A qué estas actitudes melodramáticas en un cuadro de género? 5

Vais a saberlo inmediatamente.

8 ⸘ *El hombre del sombrero de tres picos*

ERAN las dos de una tarde de octubre.

El esquilón de la catedral tocaba a vísperas, lo cual equivale a decir que ya habían comido todas las personas principales de la ciudad.

Los canónigos se dirigían al coro, y los seglares a sus alcobas a dormir la 10 siesta, sobre todo aquellos que, por razón de oficio, v. gr., las autoridades habían pasado la mañana entera trabajando.

Era, pues, muy de extrañar que a aquella hora, impropia además para dar un paseo, pues todavía hacía demasiado calor, saliese de la ciudad, a pie, y seguido de un solo alguacil, el ilustre señor corregidor de la misma, a quien 15 no podía confundirse con ninguna otra persona ni de día ni de noche, así por la enormidad de su sombrero de tres picos y por lo vistoso de su capa de grana, como por lo particularísimo de su grotesco donaire.

De la capa de grana y del sombrero de tres picos, son muchas todavía las personas que pudieran hablar con pleno conocimiento de causa. Nosotros, 20 entre ellas, lo mismo que todos los nacidos en aquella ciudad en las postrimerías del reinado del señor don Fernando VII, recordamos haber visto colgados de un clavo, único adorno de una desmantelada pared, en la ruinosa

alpargata *canvas sandal*	fatídico *ominous*
aventajar *to be superior to*	grana *scarlet*
clavo *nail*	particularísimo *the strangeness*
colgado *hanging*	montera *cloth cap*
cuadro de género *sketch of manners and customs*	por lo vistoso *on account of the showiness*
desmantelado *dismantled*	portrimerías *last years*
donaire *bearing*	relámpago *flash (of lightning)*
ser de extrañar *to be surprising*	ruinoso *ruined*
esquilón *bell*	tonadilla *light tune*
	v. gr. *for example*

torre de la casa que habitó su señoría (torre destinada a la sazón a los infantiles juegos de sus nietos), aquellas dos anticuadas prendas, aquella capa y aquel sombrero, el negro sombrero encima, y la roja capa debajo, formando una especie de espectro del absolutismo, una especie de sudario del corregidor, 5 una especie de caricatura retrospectiva de su poder, pintada con carbón y almagre, como tantas otras, por los párvulos constitucionales de la de 1837 que allí nos reuníamos; una especie, en fin, de espantapájaros, que en otro tiempo había sido *espantahombres*, y que hoy me da miedo de haber contribuido a escarnecer, paseándolo por aquella histórica ciudad, en días de 10 carnestolendas, en lo alto de un deshollinador, o sirviendo de disfraz irrisorio al idiota que más hacía reír a la plebe. ¡Pobre principio de autoridad! ¡Así te hemos puesto los mismos que hoy te invocamos tanto!

En cuanto al indicado grotesco donaire del señor corregidor, consistía (dicen) en que era cargado de espaldas, todavía más cargado de espaldas que 15 el tío Lucas, casi jorobado, por decirlo de una vez; de estatura menos que mediana; endeblillo; de mala salud; con las piernas arqueadas y una manera

almagre *red ochre*	espantahombres *goblin*
arqueado *bowed*	espantapájaro *scarecrow*
carnestolendas *carnival*	espectro *specter*
deshollinador *chimney sweep's broom*	irrisorio *comic*
disfraz *disguise*	párvulo *innocent person*
endeblillo *frail*	prenda *article of clothing*
escarnecer *to ridicule*	sudario *shroud*

de andar *sui generis* (balanceándose de un lado a otro y de atrás hacia adelante), que sólo se puede describir con la absurda fórmula de que parecía cojo de los dos pies.　En cambio (añade la tradición), su rostro era regular, aunque ya bastante arrugado por la falta absoluta de dientes y muelas; moreno verdoso, como el de casi todos los hijos de las Castillas; con grandes 5 ojos obscuros, en que relampagueaba la cólera, el despotismo y la lujuria, con finas y traviesas facciones, que no tenían la expresión del valor personal, pero sí la de una malicia artera capaz de todo, y con cierto aire de satisfacción, medio aristocrático, medio libertino, que revelaba que aquel hombre habría sido, en su remota juventud, muy agradable y acepto a las mujeres, no obstante 10 sus piernas y su joroba.

Don Eugenio de Zúñiga y Ponce de León (que así se llamaba su señoría) había nacido en Madrid, de familia ilustre; frisaría a la sazón en los cincuenta y cinco años, y llevaba cuatro de corregidor en la ciudad de que tratamos, donde se casó, a poco de llegar, con la principalísima señora que diremos 15 más adelante.

Las medias de don Eugenio (única parte que, además de los zapatos, dejaba ver de su vestido la extensísima capa de grana) eran blancas, y los zapatos negros, con hebilla de oro.　Pero luego que el calor del campo lo obligó a desembozarse, vídose que llevaba gran corbata de batista; chupa de sarga 20 de color de tórtola, muy festoneada de ramillos verdes, bordados de realce; calzón corto, negro, de seda; una enorme casaca de la misma estofa que la chupa; espadín con guarnición de acero; bastón con borlas, y un respetable par de guantes (o quirotecas) de gamuza pajiza, que no se ponía nunca y que empuñaba a guisa de cetro.　　　　　　　　　　　　　　　　25

El alguacil, que seguía a veinte pasos de distancia al señor corregidor, se llamaba Garduña, y era la propia estampa de su nombre.　Flaco, agilísimo; mirando adelante y atrás y a derecha e izquierda al propio tiempo que

---

acero *steel*
artero *sly*
balancearse *to sway*
batista *cambric*
borla *tassel*
calzón *breeches*
casaca *coat*
cetro *scepter*
cojo *lame*
chupa *jacket*
desembozarse *to throw back his cape*
empuñar *to carry*
estofa *material*
gamuza *chamois skin*

guarnición *hilt*
guisa: a guisa de *like a*
hebilla *buckle*
lujuria *sensuality*
muela *molar* (*tooth*)
pajizo *straw colored*
quirotecas *gauntlets*
ramillo *sprigs of leaves*
realce *raised embroidery*
relampaguear *to flash*
sarga *serge*
sui generis *all his own*
tórtola *dove*
travieso *dissolute*

andaba; de largo cuello; de diminuto y repugnante rostro, y con dos manos como dos manojos de disciplinas, parecía juntamente un hurón en busca de criminales, la cuerda que había de atarlos, y el instrumento destinado a su castigo.

⁵ El primer corregidor que le echó la vista encima, le dijo sin más informes: "Tú serás mi verdadero alguacil." Y ya lo había sido de cuatro corregidores.

Tenía cuarenta y ocho años, y llevaba sombrero de tres picos, mucho más pequeño que el de su señor (pues repetimos que el de éste era descomunal), capa negra como las medias y todo el traje, bastón sin borlas, y una especie ¹⁰ de asador por espada.

Aquel espantajo negro parecía la sombra de su vistoso amo.

9 𝄢 ¡Arre, burra!

Por dondequiera que pasaban el personaje y su apéndice, los labradores dejaban sus faenas y se descubrían hasta los pies, con más miedo que respeto; después de lo cual se decían en voz baja:

¹⁵ —¡Temprano va esta tarde el señor corregidor a ver a la señá Frasquita!

—¡Temprano . . . y solo!—añadían algunos, acostumbrados a verlo siempre dar aquel paseo en compañía de otras varias personas.

—Oye, tú, Manuel, ¿por qué irá solo esta tarde el señor corregidor a ver a la navarra?—le preguntó una lugareña a su marido, el cual la llevaba a ²⁰ grupas en la bestia.

Y, al mismo tiempo que la pregunta, le hizo cosquillas, por vía de retintín.

—¡No seas mal pensada, Josefa!—exclamó el buen hombre.—La señá Frasquita es incapaz . . .

—No digo lo contrario. Pero el corregidor no es por eso incapaz de estar ²⁵ enamorado de ella. Yo he oído decir que, de todos los que van a las francachelas del molino, el único que lleva mal fin es ese madrileño tan aficionado a faldas.

a grupas *riding behind*
aficionado a faldas *woman chaser*
apéndice *appendage*
asador *spit (to roast meat)*
descomunal *unusual*
se descubrían hasta los pies *took off their hats and swept the ground with them*
disciplina *scourge*

espantajo *scarecrow*
francachela *"high time"*
hacer cosquillas *to tickle*
hurón *weasel*
lugareña *woman of the village*
manojo *bundle*
retintín *emphasis*

—¿Y qué sabes tú si es o no aficionado a faldas?—preguntó a su vez el marido.

—No lo digo por mí. ¡Ya se hubiera guardado, por más corregidor que sea, de decirme los ojos tienes negros!

La que así hablaba era fea en grado superlativo.　　　　　5

—Pues mira, hija, ¡allá ellos!—replicó el llamado Manuel.—Yo no creo al tío Lucas hombre de consentir . . . ¡Bonito genio tiene el tío Lucas cuando se enfada!

—Pero, en fin, ¡si ve que le conviene . . . !—añadió la tía Josefa, retorciendo el hocico.　　　　　10

—El tío Lucas es hombre de bien—repuso el lugareño—y a un hombre de bien nunca pueden convenirle ciertas cosas.

—Pues entonces, tienes razón. ¡Allá ellos! ¡Si yo fuera la señá Frasquita...!

—¡Arre, burra!—gritó el marido, para mudar la conversación.

Y la burra salió al trote; con lo que no pudo oírse el resto del diálogo.　　15

10 𝄞 Desde la parra

MIENTRAS así discurrían los labriegos que saludaban al señor corregidor, la señá Frasquita regaba y barría cuidadosamente la plazoletilla empedrada que servía de atrio o compás al molino, y colocaba media docena de sillas debajo de lo más espeso del emparrado, en el cual estaba subido el tío Lucas, cortando los mejores racimos y arreglándolos artísticamente en una cesta.　20

—¡Pues sí, Frasquita!—decía el tío Lucas desde lo alto de la parra—el señor corregidor está enamorado de ti de muy mala manera . . .

—Ya te lo dije yo hace tiempo—contestó la mujer del norte.—Pero ¡déjalo que pene! ¡Cuidado, Lucas, no te vayas a caer!

—Descuida; estoy bien agarrado. También le gustas mucho al señor.　25

—¡Mira! ¡no me des más noticias!—interrumpió ella.—¡Demasiado sé yo a quién le gusto y a quién no le gusto! ¡Ojalá supiera del mismo modo por qué no te gusto a ti!

—¡Toma! Porque eres muy fea—contestó el tío Lucas.

---

allá ellos *it's their business*
atrio *courtyard*
compás *vestibule*
discurrir *to talk*
enfadarse *to get angry*

estar bien agarrado *to have a good hold*
penar *to suffer*
regar *to water*
retorcer el hocico *to turn up one's nose*
¡Toma! *Why, of course!*

—Pues, oye, ¡fea y todo, soy capaz de subir a la parra y echarte de cabeza al suelo!

—Más fácil sería que yo no te dejase bajar de la parra sin comerte viva.

—¡Eso es! ¡Y cuando vinieran mis galanes y nos viesen ahí, dirían que
5 éramos un mono y una mona!

—Y acertarían; porque tú eres muy mona y muy rebonita, y yo parezco un mono con esta joroba.

—Que a mí me gusta muchísimo.

—Entonces te gustará más la del corregidor, que es mayor que la mía.

10 —¡Vamos! ¡Vamos! Señor don Lucas! ¡No tenga usted tantos celos! . . .

—¿Celos yo de ese viejo petate? ¡Al contrario; me alegro muchísimo de que te quiera!

—¿Por qué?

—Porque en el pecado lleva la penitencia. ¡Tú no has de quererlo nunca,
15 y yo soy entretanto el verdadero corregidor de la ciudad!

¡Miren el vanidoso! Pues figúrate que llegase a quererlo. ¡Cosas más raras se ven en el mundo!

—Tampoco me daría gran cuidado.

—¿Por qué?

20 —¡Porque entonces tú no serías ya tú; y, no siendo tú quien eres, o como yo creo que eres, maldito lo que me importaría que te llevasen los demonios!

—Pero bien; ¿qué harías en semejante caso?

—¿Yo? ¡Mira lo que no sé! Porque, como entonces yo sería otro y no el que soy ahora, no puedo figurarme lo que pensaría.

25 —¿Y por qué serías entonces otro?—insistió valientemente la señá Frasquita, dejando de barrer y poniéndose en jarras para mirar hacia arriba.

El tío Lucas se rascó la cabeza, como si escarbara para sacar de ella alguna idea muy profunda, hasta que al fin dijo con más seriedad y palidez que de costumbre:

30 —Sería otro, porque yo soy ahora un hombre que cree en ti como en sí mismo, y que no tiene más vida que esta fe. De consiguiente, al dejar de creer en ti, me moriría o me convertiría en un nuevo hombre; viviría de otro modo; me parecería que acababa de nacer; tendría otras entrañas. Ignoro, pues, lo que haría entonces contigo. Puede que me echara a reír y te volviera
35 la espalda. Puede que ni siquiera te conociese. Puede que . . . Pero ¡vaya un

escarbar *to scratch*	ponerse en jarras *to put one's hands on the hips*
galán *suitor*	rascar *to scratch*
mona *monkey*	rebonito *more than pretty*
mono *monkey; cute*	vanidoso *vain man*
petate *rogue*	

gusto que tenemos en ponernos de mal humor sin necesidad! ¿Qué nos importa a nosotros que te quieran todos los corregidores del mundo? ¿No eres tú mi Frasquita?

—¡Sí, pedazo de bárbaro!—contestó la navarra, riendo a más no poder.

—Yo soy tu Frasquita, y tú eres mi Lucas de mi alma, más feo que el bu, con 5 más talento que todos los hombres, más bueno que el pan, y más querido. ¡Ah! ¡lo que es eso de querido, cuando bajes de la parra lo verás! ¡Prepárate a llevar más bofetadas y pellizcos que pelos tienes en la cabeza! Pero ¡calla! ¿Qué es lo que veo? El señor corregidor viene por allí completamente solo. ¡Y tan tempranito! Ese trae plan. ¡Por lo visto, tú tenías razón!   10

—Pues aguántate, y no le digas que estoy subido en la parra. ¡Ese viene a declararse a solas contigo, creyendo pillarme durmiendo la siesta! Quiero divertirme oyendo su explicación.

Así dijo el tío Lucas, alargando la cesta a su mujer.

—¡No está mal pensado!—exclamó ella, lanzando nuevas carcajadas.— 15 ¡El demonio del madrileño! ¿Qué se habrá creído que es un corregidor para mí? Pero aquí llega. Por cierto que Garduña, que lo seguía a alguna distancia, se ha sentado en la ramblilla a la sombra. ¡Qué majadería! Ocúltate tú bien entre los pámpanos, que nos vamos a reír más de lo que te figuras.

Y, dicho esto, la hermosa navarra rompió a cantar el fandango, que ya le 20 era tan familiar como las canciones de su tierra.

11 𝄞 El bombardeo de Pamplona

Dios te guarde, Frasquita—dijo el corregidor a media voz, apareciendo bajo el emparrado y andando de puntillas.

—¡Tanto bueno, señor corregidor!—respondió ella en voz natural, haciéndole mil reverencias.—¡Usía por aquí a estas horas! ¡Y con el calor 25 que hace! ¡Vaya, siéntese su señoría! Esto está fresquito. ¿Cómo no ha aguardado su señoría a los demás señores? Aquí tienen ya preparados sus

a más no poder *as hard as she could*
aguantarse *to keep calm*
andar de puntillas *to walk on tiptoe*
bombardeo *bombardment*
bu *bogeyman*

fresquito *nice and cool*
majadería *nonsense*
pellizco *pinch*
pillar *to catch*
por lo visto *apparently*

asientos. Esta tarde esperamos al señor obispo en persona, que le ha prometido a mi Lucas venir a probar las primeras uvas de la parra. ¿Y cómo lo pasa su señoría? ¿Cómo está la señora?

El corregidor se había turbado. La ansiada soledad en que encontraba a
5 la señá Frasquita le parecía un sueño, o un lazo que le tendía la enemiga suerte para hacerle caer en el abismo de un desengaño.

Limitóse, pues, a contestar:

—No es tan temprano como dices. Serán las tres y media.

El loro dio en aquel momento un chillido.
10 —Son las dos y cuarto—dijo la navarra, mirando de hito en hito al madrileño.

Este calló, como reo convicto que renuncia a la defensa.

—¿Y Lucas? ¿Duerme?—preguntó al cabo de un rato.

(Debemos advertir aquí que el corregidor, lo mismo que todos los que no
15 tienen dientes, hablaba con una pronunciación floja y silbante, como si se estuviese comiendo sus propios labios.)

—¡De seguro!—contestó la señá Frasquita.—En llegando estas horas se queda dormido donde primero le coge, aunque sea en el borde de un precipicio.
20 —Pues mira . . . ¡déjalo dormir!—exclamó el viejo corregidor, poniéndose más pálido que lo que ya era.—Y tú, mi querida Frasquita, escúchame . . ., oye . . . ven acá. ¡Siéntate aquí; a mi lado! Tengo muchas cosas que decirte.

—Ya estoy sentada—respondió la molinera, agarrando una silla baja y plantándola delante del corregidor, a cortísima distancia de la suya.
25 Sentado que se hubo, Frasquita echó una pierna sobre la otra, inclinó el cuerpo hacia delante, apoyó un codo sobre la rodilla cabalgadora, y la fresca y hermosa cara en una de sus manos; y así, con la cabeza un poco ladeada, la sonrisa en los labios, los cinco hoyos en actividad, y las serenas pupilas clavadas en el corregidor, aguardó la declaración de su señoría.
30 Hubiera podido comparársela con Pamplona esperando un bombardeo.

El pobre hombre fue a hablar, y se quedó con la boca abierta, embelesado ante aquella grandiosa hermosura, ante aquella esplendidez de gracias, ante aquella formidable mujer, de alabastrino color, de lujosas carnes, de limpia y riente boca, de azules e insondables ojos, que parecía creada por el pincel
35 de Rubens.

agarrar *to seize*	ladeado *tilted to one side*
ansiado *longed for*	lazo *trap*
chillido *shriek*	lujosas carnes *exuberant curves*
desengaño *disappointment*	mirar de hito en hito *to look fixedly*
flojo *lazy*	rodilla cabalgadora *upper knee*
insondable *unfathomable*	silbante *hissing*

—¡Frasquita!—murmuró al fin el delegado del rey, con acento desfallecido,
mientras que su marchito rostro, cubierto de sudor, destacándose sobre su
joroba, expresaba una inmensa angustia.—¡Frasquita!

—¡Me llama!—contestó la hija de los Pirineos.—¿Y qué?

—Lo que tú quieras—repuso el viejo con una ternura sin límites. 5

—Pues lo que yo quiero—dijo la molinera—ya lo sabe usía. Lo que yo
quiero es que usía nombre secretario del Ayuntamiento de la ciudad a un
sobrino mío que tengo en Estella, y que así podrá venirse de aquellas montañas, donde está pasando muchos apuros.

—Te he dicho, Frasquita, que eso es imposible. El secretario actual . . . 10

—¡Es un ladrón, un borracho y un bestia!

—Ya lo sé. Pero tiene buenas aldabas entre los regidores perpetuos, y
yo no puedo nombrar otro sin acuerdo del cabildo. De lo contrario, me
expongo.

—¡Me expongo! ¡Me expongo! ¿A qué no nos expondríamos por vuestra 15
señoría hasta los gatos de esta casa?

—¿Me querrías a ese precio?—tartamudeó el corregidor.

—No, señor; que lo quiero a usía de balde.

—¡Mujer, no me des tratamiento! Háblame de usted o como se te antoje.
¿Conque vas a quererme? Di. 20

—¿No le digo a usted que lo quiero ya?

—Pero . . .

—No hay pero que valga. ¡Verá usted qué guapo y qué hombre de bien
es mi sobrino!

—¡Tú sí que eres guapa, Frascuela! 25

—¿Le gusto a usted?

—¡Que si me gustas! ¡No hay mujer como tú!

—Pues mire usted . . . Aquí no hay nada postizo—contestó la señá Frasquita, acabando de arrollar la manga de su jubón, y mostrando al corregidor
el resto de su brazo, digno de una cariátide y más blanco que una azucena. 30

—¡Que si me gustas!—prosiguió el corregidor.—¡De día, de noche, a todas
horas, en todas partes, sólo pienso en ti!

—¡Pues qué! ¿No le gusta a usted la señora corregidora?—preguntó la
señá Frasquita con tan mal fingida compasión, que hubiera hecho reír a un

apuro *difficulties*	destacarse *to stand out*
arrollar *to roll up*	fingido *feigned*
azucena *lily*	marchito *withered*
cabildo *city corporation*	postizo *false*
cariátide *statue holding up a building*	tartamudear *to mutter*
como se te antoje *as you please*	tener buenas aldabas *to have a great "pull"*
desfallecido *languid*	tratamiento *title of respect*

hipocondríaco.—¡Qué lástima! Mi Lucas me ha dicho que tuvo el gusto de verla y de hablarle cuando fue a componerle a usted el reloj de la alcoba, y que es muy guapa, muy buena y de un trato muy cariñoso.

—¡No tanto! ¡No tanto!—murmuró el corregidor con cierta amargura.

5 —En cambio, otros me han dicho—prosiguió la molinera—que tiene muy mal genio, que es muy celosa, y que usted le tiembla más que a una vara verde.

—¡No tanto, mujer!— repitió don Eugenio de Zúñiga y Ponce de León, poniéndose colorado.—¡Ni tanto ni tan poco! La señora tiene sus manías, es cierto; mas de ello a hacerme temblar, hay mucha diferencia. ¡Yo soy el 10 corregidor!

—Pero, en fin, ¿la quiere usted, o no la quiere?

—Te diré. Yo la quiero mucho . . . o, por mejor decir, la quería antes de conocerte. Pero desde que te vi, no sé lo que me pasa, y ella misma conoce que me pasa algo. Bástete saber que hoy . . . tomarle, por ejemplo, la cara 15 a mi mujer me hace la misma operación que si me la tomara a mí propio. ¡Ya ves, que no puedo quererla más ni sentir menos! ¡Mientras que por coger esa mano, ese brazo, esa cara, esa cintura, daría lo que no tengo!

Y, hablando así, el corregidor trató de apoderarse del brazo desnudo que la señá Frasquita le estaba refregando materialmente por los ojos; pero ésta, 20 sin descomponerse, extendió la mano, tocó el pecho de su señoría con la pacífica violencia e incontrastable rigidez de la trompa de un elefante, y lo tiró de espaldas con silla y todo.

—¡Ave María Purísima!—exclamó entonces la navarra, riéndose a más no poder.—Por lo visto, esa silla estaba rota.

apoderarse de *to seize* incontrastable *irresistible*
cintura *waist* refregar *to display*
componer *to repair* trompa *trunk*
descomponerse *to lose one's composure* vara *stick*

—¿Qué pasa ahí?—exclamó en esto el tío Lucas, asomando su feo rostro entre los pámpanos de la parra.

El corregidor estaba todavía en el suelo boca arriba, y miraba con un terror indecible a aquel hombre que aparecía en los aires boca abajo.

Hubiérase dicho que su señoría era el diablo, vencido, no por San Miguel, sino por otro demonio del infierno. 5

—¿Qué ha de pasar?—se apresuró a responder la señá Frasquita.—¡Que el señor corregidor puso la silla en vago, fue a mecerse, y se ha caído!

—¡Jesús, María y José!—exclamó a su vez el molinero.—¿Y se ha hecho daño su señoría? ¿Quiere un poco de agua y vinagre? 10

—¡No me he hecho nada!—dijo el corregidor, levantándose como pudo.

Y luego añadió por lo bajo, pero de modo que pudiera oírlo la señá Frasquita:

—¡Me la pagaréis!

—Pues, en cambio, su señoría me ha salvado a mí la vida—repuso el tío 15 Lucas sin moverse de lo alto de la parra.—Figúrate, mujer, que estaba yo aquí sentado contemplando las uvas, cuando me quedé dormido sobre una red de sarmientos y palos que dejaban claros suficientes para que pasase mi cuerpo. Por consiguiente, si la caída de su señoría no me hubiese despertado tan a tiempo, esta tarde me habría yo roto la cabeza contra esas piedras. 20

—Conque sí. ¿eh?—replicó el corregidor.—Pues, ¡vaya, hombre!, me alegro. ¡Te digo que me alegro mucho de haberme caído!

—¡Me la pagarás!—agregó en seguida, dirigiéndose a la molinera.

Y pronunció estas palabras con tal expresión de reconcentrada furia, que la señá Frasquita se puso triste. 25

Veía claramente que el corregidor se asustó al principio, creyendo que el molinero lo había oído todo; pero que, persuadido ya de que no había oído nada (pues la calma y el disimulo del tío Lucas hubieran engañado al más lince), empezaba a abandonarse a toda su iracundia y a concebir planes de venganza. 30

—¡Vamos! ¡Bájate ya de ahí, y ayúdame a limpiar a su señoría, que se ha puesto perdido de polvo!—exclamó entonces la molinera.

Y, mientras el tío Lucas bajaba, díjole ella al corregidor, dándole golpes con el delantal en la chupa y alguno que otro en las orejas:

—El pobre no ha oído nada. Estaba dormido como un tronco. 35

---

delantal *apron*
disimulo *dissimulation*
iracundia *rage*
lince *observant*
mecer *to rock*

palo *stick*
poner . . . en vago *to tilt*
red *tangle*
sarmiento *vine shoot*

Más que estas frases, la circunstancia de haber sido dichas en voz baja, afectando complicidad y secreto, produjo un efecto maravilloso.

—¡Pícara! ¡Proterva!—balbuceó don Eugenio de Zúñiga con la boca hecha un agua, pero gruñendo todavía.

5 —¿Me guardará usía rencor?—replicó la navarra zalameramente.

Viendo el corregidor que la severidad le daba buenos resultados, intentó mirar a la señá Frasquita con mucha rabia; pero se encontró con su tentadora risa y sus divinos ojos, en los cuales brillaba la caricia de una súplica y, derritiéndosele la gacha en el acto, le dijo con un acento baboso y silbante, 10 en que se descubría más que nunca la ausencia total de dientes y muelas.

—¡De ti depende, amor mío!

En aquel momento se descolgó de la parra el tío Lucas.

12 ♪ Diezmos y primicias

REPUESTO el corregidor en su silla, la molinera dirigió una rápida mirada a su esposo, y vióle, no sólo tan sosegado como siempre, sino reventando de 15 ganas de reír por resultas de aquella ocurrencia; cambió con él desde lejos un beso tirado, aprovechando el primer descuido de don Eugenio, y díjole, en fin, a éste con una voz de sirena que le hubiera envidiado Cleopatra:

—¡Ahora va su señoría a probar mis uvas!

Entonces fue de ver a la hermosa navarra (y así la pintaría yo, si tuviese el 20 pincel de Ticiano), plantada enfrente del embelesado corregidor, fresca, magnífica, incitante, con sus nobles formas, con su angosto vestido, con su elevada estatura, con sus desnudos brazos levantados sobre la cabeza, y con un transparente racimo en cada mano, diciéndole, entre una sonrisa irresistible y una mirada suplicante en que titubeaba el miedo:

25 —Todavía no las ha probado el señor obispo. Son las primeras que se cogen este año.

baboso *drooling*
balbucear *to stammer*
derritiéndosele la gacha *calming down*
descuido *moment of inattention*
gruñir *to grumble*
hecha un agua *watering*

proterva *hussy*
reventar *to burst*
sosegado *peaceful*
titubear *to tremble*
zalameramente *in a flattering manner*

Parecía una gigantesca Pomona, brindando frutos a un dios campestre, a un sátiro, v. gr.

En esto apareció al extremo de la plazoleta empedrada el venerable obispo de la diócesis, acompañado del abogado académico y de dos canónigos de avanzada edad, y seguido de su secretario, de dos familiares y de dos pajes. 5

Detúvose un rato su ilustrísima a contemplar aquel cuadro tan cómico y tan bello, hasta que, por último, dijo, con el reposado acento propio de los prelados de entonces:

—*El Quinto . . . pagar diezmos y primicias a la Iglesia de Dios*, nos enseña la doctrina cristiana; pero usted, señor corregidor, no se contenta con ad- 10 ministrar el diezmo, sino que también trata de comerse las primicias.

—¡El señor obispo!—exclamaron los molineros, dejando al corregidor y corriendo a besar el anillo al prelado.

—¡Dios se lo pague a su ilustrísima, por venir a honrar esta pobre choza!— dijo el tío Lucas, besando el primero, y con acento de muy sincera veneración. 15

—¡Qué señor obispo tengo tan hermoso!—exclamó la señá Frasquita, besando después.—¡Dios lo bendiga y me lo conserve más años que le conservó el suyo a mi Lucas!

—¡No sé qué falta puedo hacerte, cuando tú me echas las bendiciones, en vez de pedírmelas!—contestó riéndose el bondadoso pastor. 20

Y, extendiendo dos dedos, bendijo a la señá Frasquita y después a los demás circunstantes.

—¡Aquí tiene usía ilustrísima las primicias!—dijo el corregidor, tomando un racimo de manos de la molinera y presentándoselo cortésmente al obispo. —Todavía no había yo probado las uvas. 25

El corregidor pronunció estas palabras, dirigiendo de paso una rápida y cínica mirada a la espléndida hermosura de la molinera.

—¡Pues no será porque estén verdes, como las de la fábula!—observó el académico.

—Las de la fábula—expuso el obispo—no estaban verdes, señor licenciado, 30 sino fuera del alcance de la zorra.

Ni el uno ni el otro habían querido acaso aludir al corregidor; pero ambas frases fueron casualmente tan adecuadas a lo que acababa de suceder allí, que don Eugenio de Zúñiga se puso lívido de cólera, y dijo, besando el anillo del prelado: 35

brindar *to offer*   reposado *unruffled*
campestre *rustic*   sátiro *satyr*
choza *cabin*   suyo *Lucas' Bishop*
familiar *household servant*   v. gr. *for example*
Quinto *fifth precept of the Church*

—¡Eso es llamarme zorro, señor ilustrísimo!

—*¡Tu dixisti!*—replicó éste, con la afable severidad de un santo, como diz que lo era en efecto. *Excusatio non petita, accusatio manifesta. Qualis vir, talis oratio.* Pero *satis jam dictum, nullus ultra sit sermo.* O, lo que es lo
5 mismo, dejémonos de latines, y veamos estas famosas uvas.

Y picó . . . una sola vez . . . en el racimo que le presentaba el corregidor.

—¡Están muy buenas!—exclamó, mirando aquella uva al trasluz y alargándosela en seguida a su secretario.—¡Lástima que a mí me sienten mal!

El secretario contempló también la uva; hizo un gesto de cortesana admira-
10 ción, y la entregó a uno de los familiares.

El familiar repitió la acción del obispo y el gesto del secretario, propasándose hasta oler la uva, y luego la colocó en la cesta con escrupuloso cuidado, no sin decir en voz baja a la concurrencia:

—Su ilustrísima ayuna.

15 El tío Lucas, que había seguido la uva con la vista, la cogió entonces disimuladamente, y se la comió sin que nadie lo viera.

Después de esto, sentáronse todos; hablóse de la otoñada (que seguía siendo muy seca, no obstante haber pasado el cordonazo de San Francisco); discurrióse algo sobre la probabilidad de una nueva guerra entre Napoleón
20 y el Austria; insistióse en la creencia de que las tropas imperiales no invadirían nunca el territorio español; quejóse el abogado de lo revuelto y calamitoso de aquella época, envidiando los tranquilos tiempos de sus padres (como sus padres habrían envidiado los de sus abuelos); dio las cinco el loro y, a una señal del reverendo obispo, el menor de los pajes fue al coche episco-
25 pal (que se había quedado en la misma ramblilla que el alguacil), y volvió con una magnífica torta sobada, de pan de aceite, polvoreada de sal, que apenas haría una hora había salido del horno; colocóse una mesilla en medio del concurso; descuartizóse la torta; se dio su parte correspondiente, sin embargo de que se resistieron mucho, al tío Lucas y a la señá Frasquita, y
30 una igualdad verdaderamente democrática reinó durante media hora bajo aquellos pámpanos que filtraban los últimos resplandores del sol poniente.

---

ayunar *to fast*
concurso *assembly*
cortesano *courteous*
descuartizar *to cut to pieces*
diz=dicen *they say*
Escusatio . . . sermo (*Latin*) *An excuse not asked for is an open confession. As a man is, so is his speech. But enough has been said already, let there be no more talk.*

lo revuelto y calamitoso *the disorder and calamities*
mirar al trasluz *to hold to the light*
otoñada *autumn season*
picar *to pick at*
polvoreado *sprinkled*
propasarse *to take the liberty*
torta sobada *shortcake*
tu dixisti (*Latin*) *you said it*

13 ♩ Le dijo el grajo al cuervo

HORA y media después todos los ilustres compañeros de merienda estaban de vuelta en la ciudad.

El señor obispo y su "familia" habían llegado con bastante anticipación, gracias al coche, y hallábanse ya "en palacio," donde los dejaremos rezando sus devociones. 5

El insigne abogado (que era muy seco) y los dos canónigos (a cual más grueso y respetable) acompañaron al corregidor hasta la puerta del ayuntamiento (donde su señoría dijo tener que trabajar), y tomaron luego el camino de sus respectivas casas, guiándose por las estrellas como los navegantes, o sorteando a tientas las esquinas como los ciegos, pues ya había cerrado la 10 noche; aún no había salido la luna, y el alumbrado público (lo mismo que las demás luces de este siglo) todavía estaba allí en la mente divina.

En cambio, no era raro ver discurrir por algunas calles tal o cual linterna o farolillo con que respetuoso servidor alumbraba a sus magníficos amos, quienes se dirigían a la habitual tertulia o de visita a casa de sus parientes. 15

Cerca de casi todas las rejas bajas se veía (o se olfateaba, por mejor decir) un silencioso bulto negro. Eran galanes que, al sentir pasos, habían dejado por un momento de pelar la pava.

—¡Somos unos calaveras!—iban diciéndose el abogado y los dos canónigos.

—¿Qué pensarán en nuestras casas al vernos llegar a estas horas? 20

—Pues ¿qué dirán los que nos encuentren en la calle, de este modo, a las siete y pico de la noche, como unos bandoleros amparados de las tinieblas?

—Hay que mejorar de conducta.

—¡Ah! Sí. ¡Pero ese dichoso molino!

—Mi mujer lo tiene sentado en la boca del estómago—dijo el académico, 25 con un tono en que se traslucía mucho miedo a próxima pelotera conyugal.

—Pues ¿y mi sobrina?—exclamó uno de los canónigos, que por cierto era penitenciario.—Mi sobrina dice que los sacerdotes no deben visitar comadres.

---

alumbrado público *street lighting*
calavera *rake*
comadre *gossip*
esquina *corner*
farolillo *little light*
grajo *jackdaw*
lo tiene sentado . . . estómago *can't stand it at all*
merienda *afternoon tea*
olfatear *to have suspicion of*

pelar la pava *to make love*
pelotera *quarrel*
reja *grating*
rezar devociones *to say prayers*
seco *lean*
siete y pico *a little after seven*
sorteando a tientas *feeling their way around*
tinieblas *darkness*
traslucirse *to be revealed*

—Y, sin embargo—interrumpió su compañero, que era magistral,—lo que allí pasa no puede ser más inocente.

—¡Toma! ¡Como que va el mismísimo señor obispo!

—Y luego, señores, ¡a nuestra edad!—repuso el penitenciario.—Yo he
5 cumplido ayer los setenta y cinco.

—¡Es claro!—replicó el magistral.—Pero hablemos de otra cosa: ¡qué guapa estaba esta tarde la señá Frasquita!

—¡Oh, lo que es eso; como guapa, es guapa!—dijo el abogado, afectando imparcialidad. .

10 —Muy guapa—repitió el penitenciario dentro del embozo.

—Y si no—añadió el predicador de oficio, que se lo pregunten al corregidor.

—¡El pobre hombre está enamorado de ella!

—¡Ya lo creo!—exclamó el confesor de la catedral.

15 —¡De seguro!—agregó el académico correspondiente.—Conque, señores, yo tomo por aquí para llegar antes a casa. ¡Muy buenas noches!

—Buenas noches— le contestaron los capitulares.

Y anduvieron algunos pasos en silencio.

—¡También le gusta a ése la molinera!—murmuró entonces el magistral,
20 dándole con el codo al penitenciario.

¡Como si lo viera!—respondió éste, parándose a la puerta de su casa.— ¡Y qué bruto es! Conque hasta mañana, compañero. Que le sienten a usted muy bien las uvas.

—Hasta mañana, si Dios quiere. Que pase usted muy buena noche.

25 —¡Buenas noches nos dé Dios!—rezó el penitenciario, ya desde el portal, que por más señas tenía farol y Virgen.

Y llamó a la aldaba.

Una vez solo en la calle, el otro canónigo (que era más ancho que alto, y que parecía que rodaba al andar) siguió avanzando lentamente hacia su casa;
30 pero, antes de llegar a ella, cometió contra una pared cierta falta que en el porvenir había de ser objeto de un bando de policía, y dijo al mismo tiempo, pensando sin duda en su cofrade de coro:

—¡También te gusta a ti la señá Frasquita! ¡Y la verdad es—añadió al cabo de un momento—que, como guapa, es guapa!

---

cofrade de coro *choir companion*
como guapa, es guapa *when it comes to being
pretty, she is really pretty*

farol y Virgen *lamp and an image of the Virgin*

14 ⚇ Los consejos de Garduña

ENTRETANTO, el corregidor había subido al ayuntamiento, acompañado de Garduña, con quien mantenía hacía rato, en el salón de sesiones, una conversación más familiar de lo correspondiente a persona de su calidad y oficio.

—¡Crea usía a un perro perdiguero que conoce la caza!—decía el innoble 5 alguacil.—La señá Frasquita está perdidamente enamorada de usía, y todo lo que usía acaba de contarme contribuye a hacérmelo ver más claro que esa luz.

Y señalaba a un velón de Lucena, que apenas si esclarecía la octava parte del salón.   10

—¡No estoy yo tan seguro como tú, Garduña!—contestó don Eugenio, suspirando lánguidamente.

—¡Pues no sé por qué! Y, si no, hablemos con franqueza. Usía . . . (dicho sea con perdón) tiene una tacha en su cuerpo. ¿No es verdad?

—¡Bien, sí!—repuso el corregidor.—Pero esa tacha la tiene también el 15 tío Lucas. ¡El es más jorobado que yo!

—¡Mucho más! ¡muchísimo más! ¡sin comparación de ninguna especie! Pero en cambio (y es a lo que iba), usía tiene una cara de muy buen ver, lo que se llama una bella cara, mientras que el tío Lucas se parece al sargento Utrera, que reventó de feo.   20

El corregidor sonrió con cierta ufanía.

—Además—prosiguió el alguacil,—la señá Frasquita es capaz de tirarse por una ventana con tal de agarrar el nombramiento de su sobrino.

—Hasta ahí estamos de acuerdo. ¡Ese nombramiento es mi única esperanza!   25

—¡Pues manos a la obra, señor! Ya le he explicado a usía mi plan. ¡No hay más que ponerlo en ejecución esta misma noche!

—¡Te he dicho muchas veces que no necesito consejos!—gritó don Eugenio, acordándose de pronto de que hablaba con un inferior.

—Creí que usía me los había pedido—balbuceó Garduña.   30

—¡No me repliques!

Garduña saludó.

---

esclarecer *to light up*   tacha *defect*
perro perdiguero *setter*   velón de Lucena *Lucena lamp*
salón de sesiones *council chamber*

—¿Conque decías—prosiguió el de Zúñiga, volviendo a amansarse—que esta misma noche puede arreglarse todo eso? Pues ¡mira, hijo! me parece bien. ¡Qué diablos! ¡Así saldré pronto de esta cruel incertidumbre!

Garduña guardó silencio.

5 El corregidor se dirigió al bufete y escribió algunas líneas en un pliego de papel sellado, que selló también por su parte, guardándoselo luego en la faltriquera.

—¡Ya está hecho el nombramiento del sobrino!—dijo entonces, tomando un polvo de rapé.—¡Mañana me las compondré yo con los regidores, y, o 10 lo ratifican con un acuerdo, o habrá la de San Quintín! ¿No te parece que hago bien?

—¡Eso! ¡eso!—exclamó Garduña entusiasmado, metiendo la zarpa en la caja del corregidor y arrebatándole un polvo.—¡Eso! ¡eso! El antecesor de usía no se paraba tampoco en barras. Cierta vez . . .

15 —¡Déjate de bachillerías!—repuso el corregidor, sacudiéndole una guantada en la ratera mano.—Mi antecesor era un bestia, cuando te tuvo de alguacil. Pero vamos a lo que importa. Acabas de decirme que el molino del tío Lucas pertenece al término del lugarcillo inmediato, y no al de esta población. ¿Estás seguro de ello?

20 —¡Segurísimo! La jurisdicción de la ciudad acaba en la ramblilla donde yo me senté esta tarde a esperar que vuestra señoría . . . ¡Voto a Lucifer! ¡Si yo hubiera estado en su caso!

—¡Basta!—gritó don Eugenio.—¡Eres un insolente!

Y, cogiendo media cuartilla de papel, escribió una esquela, cerróla, 25 doblándole un pico, y se la entregó a Garduña.

—Ahí tienes—le dijo al mismo tiempo—la carta que me has pedido para el alcalde del lugar. Tú le explicarás de palabra todo lo que tiene que hacer. ¡Ya ves que sigo tu plan al pie de la letra! ¡Desgraciado de ti si me metes en un callejón sin salida!

30 —¡No hay cuidado!—contestó Garduña.—El señor Juan López tiene mucho que temer, y en cuanto vea la firma de usía, hará todo lo que yo le mande. ¡Lo menos le debe mil fanegas de grano al pósito real, y otro tanto

---

amansarse *to be pacified*
bufete *desk*
callejón sin salida *blind alley*
cuartilla *sheet of paper*
esquela *note*
faltriquera *pocket*
guantada *blow with a glove*
habrá la de San Quentín *there will be the deuce to pay*

incertidumbre *uncertainty*
pliego de papel sellado *sheet of legal paper*
polvo de rapé *snuff*
pósito real *state granary*
ratero *thieving*
sellar *to stamp*
¡Voto a Lucifer! *I swear*
zarpa *paw*

al pósito pío! Esto último contra toda ley, pues no es ninguna viuda ni ningún labrador pobre para recibir el trigo sin abonar creces ni recargo, sino un jugador, un borracho y un sinvergüenza, muy amigo de faldas, que trae escandalizado el pueblecillo. ¡Y aquel hombre ejerce autoridad! ¡Así anda el mundo!   5

—¡Te he dicho que calles! ¡Me estás distrayendo!—bramó el corregidor.

—Conque vamos al asunto—añadió luego, mudando de tono.—Son las siete y cuarto. Lo primero que tienes que hacer es ir a casa y advertirle a la señora que no me espere a cenar ni a dormir. Dile que esta noche me estaré trabajando aquí hasta la hora de la queda, y que después saldré de ronda 10 secreta contigo, a ver si atrapamos a ciertos malhechores. En fin, engáñala bien para que se acueste descuidada. De camino, dile a otro alguacil que me traiga la cena. ¡Yo no me atrevo a parecer esta noche delante de la señora, pues me conoce tanto, que es capaz de leer en mis pensamientos! Encárgale a la cocinera que ponga unos pestiños de los que se hicieron hoy, 15 y dile a Juanete que, sin que lo vea nadie, me alargue de la taberna medio cuartillo de vino blanco. En seguida te marchas al lugar, donde puedes hallarte muy bien a las ocho y media.

—¡A las ocho en punto estoy allí!—exclamó Garduña.

—¡No me contradigas!—rugió el corregidor, acordándose otra vez de lo 20 que era.

Garduña saludó.

—Hemos dicho—continuó aquél, humanizándose de nuevo—que a las ocho en punto estás en el lugar. Del lugar al molino habrá . . . Yo creo que habrá una media legua.   25

—Corta.

—¡No me interrumpas!

El alguacil volvió a saludar.

—Corta—prosiguió el corregidor.—Por consiguiente, a las diez . . . ¿Crees tú que a las diez . . . ?   30

—¡Antes de las diez! ¡A las nueve y media puede usía llamar descuidado a la puerta del molino!

—¡Hombre! ¡No me digas a mí lo que tengo que hacer! Por supuesto que tú estarás.

abonar *to pay*
bramar *to roar*
cocinera *cook*
creces *extra*

medio cuartillo *pint*
pósito pío *charity granary*
recargo *surtax*
sinvergüenza *rascal*

—Yo estaré en todas partes. Pero mi cuartel general será la ramblilla. ¡Ah, se me olvidaba! Vaya usía a pie, y no lleve linterna.

—¡Maldita la falta que me hacían tampoco esos consejos! ¿Si creerás tú que es la primera vez que salgo a campaña?

5 —Perdone usía. ¡Ah! Otra cosa. No llame usía a la puerta grande que da a la plazoleta del emparrado, sino a la puertecilla que hay encima del caz.

—¿Encima del caz hay otra puerta? ¡Mira tú una cosa que nunca se me hubiera ocurrido!

—Sí, señor, la puertecilla del caz da al mismísimo dormitorio de los 10 molineros, y el tío Lucas no entra ni sale nunca por ella. De forma que, aunque volviese de pronto.

—Comprendo, comprendo. ¡No me aturdas más los oídos!

—Por último, procure usía escurrir el bulto antes del amanecer. Ahora amanece a las seis.

15 —¡Mira otro consejo inútil! A las cinco estaré de vuelta en mi casa. Pero bastante hemos hablado ya. ¡Quítate de mi presencia!

—Pues entonces, señor, ¡buena suerte!—exclamó el alguacil, alargando lateralmente una mano al corregidor y mirando al techo al mismo tiempo.

El corregidor puso en aquella mano una peseta, y Garduña desapareció 20 como por ensalmo.

—¡Por vida de . . .! murmuró el viejo al cabo de un instante.—Se me ha olvidado decirle a ese bachillero que me trajesen también una baraja! ¡Con ella me hubiera entretenido hasta las nueve y media, viendo si me salía aquel solitario!

15 ꝭ Despedida en prosa

25   SERÍAN las nueve de aquella misma noche, cuando el tío Lucas y la señá Frasquita, terminadas todas las haciendas del molino y de la casa se cenaron una fuente de ensalada de escarola, una libreja de carne guisada con tomates, y algunas uvas de las que quedaban en la consabida cesta; todo ello rociado con un poco de vino y con grandes risotadas a costa del corregidor; después

aturdir *to deafen*	escurrir el bulto *to slip away*
baraja *pack of cards*	hacienda *task*
como por ensalmo *as if by enchantment*	libreja *pound or so*
consabido *above-mentioned*	risotada *burst of laughter*
cuartel general *headquarters*	rociar *to wash down*

de lo cual miráronse afablemente los dos esposos, como muy contentos de Dios y de sí mismos, y se dijeron, entre un par de bostezos que revelaban toda la paz y tranquilidad de sus corazones:

—Pues, señor, vamos a acostarnos, y mañana será otro día.

En aquel momento sonaron dos fuertes y ejecutivos golpes aplicados a la   5 puerta grande del molino.

El marido y la mujer se miraron sobresaltados.

Era la primera vez que oían llamar a su puerta a semejante hora.

—Voy a ver—dijo la intrépida navarra, encaminándose hacia la plazoletilla.

—¡Quita! ¡Eso me toca a mí!—exclamó el tío Lucas con tal dignidad, que 10 la señá Frasquita le cedió el paso.—¡Te he dicho que no salgas!—añadió luego con dureza, viendo que la obstinada molinera quería seguirle.

Esta obedeció, y se quedó dentro de la casa.

—¿Quién es?—preguntó el tío Lucas desde en medio de la plazoleta.

—¡La justicia!—contestó una voz al otro lado del portón.   15

—¿Qué justicia?

—La del lugar. ¡Abra usted al señor alcalde!

El tío Lucas había aplicado entretanto un ojo a cierta mirilla muy disimu- lada que tenía el portón, y reconocido a la luz de la luna al rústico alguacil del lugar inmediato.   20

bostezo *yawn*   mirilla *peephole*
ejecutivo *impatient*   sobresaltado *amazed*
me toca a mí *that's for me to do*

¡Dirás que le abra al borrachón del alguacil!—repuso el molinero, retirando la tranca.

—¡Es lo mismo—contestó el de afuera—pues que traigo una orden escrita de su merced! Tenga usted muy buenas noches, tío Lucas,—agregó luego
5 entrando, con voz menos oficial, más baja y más gorda como si ya fuera otro hombre.

—¡Dios te guarde, Toñuelo!—respondió el murciano.—Veamos qué orden es ésa. ¡Y bien podía el señor Juan López escoger otra hora más oportuna de dirigirse a los hombres de bien! Por supuesto, que la culpa será
10 tuya. ¡Como si lo viera, te has estado emborrachando en las huertas del camino! ¿Quieres un trago?

—No, señor; no hay tiempo para nada. Tiene usted que seguirme inmediatamente. Lea usted la orden.

—¿Cómo seguirte? exclamó el tío Lucas, penetrando en el molino, después
15 de tomar el papel.—¡A ver, Frasquita! ¡alumbra!

La señá Frasquita soltó una cosa que tenía en la mano, y descolgó el candil.

El tío Lucas miró rápidamente el objeto que había soltado su mujer, y reconoció su bocacha, o sea un enorme trabuco que calzaba balas de a media
20 libra.

El molinero dirigió entonces a la navarra una mirada llena de gratitud y ternura, y le dijo, tomándole la cara:

—¡Cuánto vales!

La señá Frasquita, pálida y serena como una estatua de mármol, levantó
25 el candil, cogido con dos dedos, sin que el más leve temblor agitase su pulso, y contestó secamente:

—¡Vaya, lee!

La orden decía así:

"Para el mejor servicio de S. M. el rey nuestro señor (q. D. g.), prevengo
30 a Lucas Fernández, molinero, de estos vecinos, que tan luego como reciba la presente orden, comparezca ante mi autoridad sin excusa ni pretexto alguno; advirtiéndole que, por ser asunto reservado, no lo pondrá en conocimiento de nadie; todo ello bajo las penas correspondientes, caso de desobediencia.— El Alcalde:

JUAN LÓPEZ."

Y había una cruz en vez de rúbrica.

—Oye, tú. ¿Y qué es esto?—le preguntó el tío Lucas al alguacil.—¿A qué viene esta orden?

—No lo sé—contestó el rústico, hombre de unos treinta años, cuyo rostro esquinado y avieso, propio de ladrón o de asesino, daba muy triste idea de 5 su sinceridad.—Creo que se trata de averiguar algo de brujería, o de moneda falsa. Pero la cosa no va con usted. Lo llaman como testigo o como perito. En fin, yo no me he enterado bien del particular. El señor Juan López se lo explicará a usted con más pelos y señales.

—¡Corriente!—exclamó el molinero.—Dile que iré mañana. 10

—¡Ca! ¡No, señor! Tiene usted que venirse ahora mismo, sin perder un minuto. Tal es la orden que me ha dado el señor alcalde.

Hubo un instante de silencio.

Los ojos de la señá Frasquita echaban llamas.

El tío Lucas no separaba los suyos del suelo, como si buscara alguna cosa. 15

—Me concederás cuando menos—exclamó al fin, levantando la cabeza— el tiempo preciso para ir a la cuadra y aparejar una burra.

—¡Qué burra ni qué demontre!—replicó el alguacil.—¡Cualquiera se anda a pie media legua! La noche está muy hermosa, y hace luna.

—Ya he visto que ha salido. Pero yo tengo los pies muy hinchados. 20

—Pues entonces no perdamos tiempo. Yo le ayudaré a usted a aparejar la bestia.

—¡Hola! ¡Hola! ¿Temes que me escape?

—Yo no temo nada, tío Lucas—respondió Toñuelo con la frialdad de un desalmado.—Yo soy la justicia. 25

Y, hablando así, descansó armas; con lo que dejó ver el retaco que llevaba debajo del capote.

—Pues mira, Toñuelo—dijo la molinera.—Ya que vas a la cuadra . . . a ejercer tu verdadero oficio . . ., hazme el favor de aparejar también la otra burra. 30

—¿Para qué?—interrogó el molinero.

—¡Para mí! Yo voy con vosotros.

---

aparejar *to saddle*	moneda falsa *counterfeit money*
avieso *malicious*	perito *expert*
brujería *witchcraft*	¡Qué burra ni qué demontre! *What the devil*
capote *cloak*	*do you want with a donkey!*
desalmado *soulless person*	retaco *musket*
esquinado *angular*	rúbrica *flourish of a signature*
hinchado *swollen*	testigo *witness*

—¡No puede ser, señá Frasquita!—objetó el alguacil.—Tengo orden de llevarme a su marido de usted nada más, y de impedir que usted lo siga. En ello me van "el destino y el pescuezo." Así me lo advirtió el señor Juan López. Conque . . . vamos, tío Lucas.

5   Y se dirigió hacia la puerta.

—¡Cosa más rara!—dijo a media voz el murciano sin moverse.

—¡Muy rara!—contestó la señá Frasquita.

—Esto es algo . . . que yo me sé—continuó murmurando el tío Lucas, de modo que no pudiese oírlo Toñuelo.

10   —¿Quieres que vaya yo a la ciudad—cuchicheó la navarra,—y le dé aviso al corregidor de lo que nos sucede?

—¡No!—respondió en alta voz el tío Lucas.—¡Eso no!

—¿Pues qué quieres que haga?—dijo la molinera con gran ímpetu.

—Que me mires—respondió el antiguo soldado.

15   Los dos esposos se miraron en silencio, y quedaron tan satisfechos ambos de la tranquilidad, la resolución y la energía que se comunicaron sus almas, que acabaron por encogerse de hombros y reírse.

Después de esto, el tío Lucas encendió otro candil y se dirigió a la cuadra, diciendo al paso a Toñuelo con socarronería:

20   —¡Vaya, hombre! ¡Ven y ayúdame . . supuesto que eres tan amable! Toñuelo lo siguió, canturriando una copla entre dientes.

Pocos minutos después, el tío Lucas salía del molino, caballero en una hermosa jumenta y seguido del alguacil.

La despedida de los esposos se había reducido a lo siguiente:

25   —Cierra bien—dijo el tío Lucas.

—Embózate, que hace fresco—dijo la señá Frasquita, cerrando con llave, tranca y cerrojo.

Y no hubo más adiós, ni más beso, ni más abrazo, ni más mirada. ¿Para qué?

---

caballero en *mounted on*	cuchichear *to whisper*
canturriar *to hum*	embozarse *to wrap up*
cerrojo *bolt*	encogerse de hombros *to shrug one's shoulders*
con socarronería *slyly*	pezcuezo *neck*

16 } Un ave de mal agüero

SIGAMOS por nuestra parte al tío Lucas.

Ya habían andado un cuarto de legua sin hablar palabra, el molinero subido en la borrica, y el alguacil arreándola con su bastón de autoridad, cuando divisaron delante de sí, en lo alto de un repecho que hacía el camino, la sombra de un enorme pajarraco que se dirigía hacia ellos.   5

Aquella sombra se destacó enérgicamente sobre el cielo, esclarecido por la luna, dibujándose en él con tanta precisión, que el molinero exclamó en el acto:

—Toñuelo, ¡aquél es Garduña, con su sombrero de tres picos y sus patas de alambre!   10

Mas, antes de que contestara el interpelado, la sombra, deseosa sin duda de eludir aquel encuentro, había dejado el camino y echado a correr a campo travieso con la velocidad de una verdadera garduña.

—No veo a nadie—respondió entonces Toñuelo con la mayor naturalidad.

—Ni yo tampoco—replicó el tío Lucas, comiéndose la partida.   15

Y la sospecha que ya se le ocurrió en el molino principió a adquirir cuerpo y consistencia en el espíritu receloso del jorobado.

—Este viaje mío—díjose interiormente—es una estratagema amorosa del corregidor. La declaración que le oí esta tarde desde lo alto del emparrado me demuestra que el vejete madrileño no puede esperar más. Indudable- 20 mente, esta noche va a volver de visita al molino, y por eso ha principiado quitándome de en medio. Pero ¿qué importa? ¡Frasquita es Frasquita, y no abrirá la puerta aunque le peguen fuego a la casa! Digo más: aunque la abriese; aunque el corregidor lograse, por medio de cualquier ardid, sorprender a mi excelente navarra, el pícaro viejo saldría con las manos en la 25 cabeza. ¡Frasquita es Frasquita! Sin embargo—añadió al cabo de un momento,—¡bueno será volverme esta noche a casa lo más temprano que pueda!

Llegaron con esto al lugar el tío Lucas y el alguacil, y dirigiéronse a casa del señor alcalde.   30

---

a campo travieso *across country*	interpelado *person addressed*
agüero *omen*	pajarraco *ugly bird*
ardid *trick*	patas de alambre *spindle-legged*
arrear *to urge on*	pegar fuego *to set fire*
comiéndose la partida *seeing what was up*	quitar de en medio *to get out of the way*
dibujarse *to be outlined*	receloso *suspicious*
divisar *to observe*	repecho *incline*

17 ⸓ Un alcalde de monterilla

EL señor Juan López, que como particular y como alcalde era la tiranía, la ferocidad y el orgullo personificados (cuando trataba con sus inferiores), dignábase, sin embargo, a aquellas horas, después de despachar los asuntos oficiales y los de su labranza y de pegarle a su mujer la cotidiana paliza,
5 beberse un cántaro de vino en compañía del secretario y del sacristán, operación que iba más de mediada aquella noche, cuando el molinero compareció en su presencia.

—¡Hola, tío Lucas!—le dijo, rascándose la cabeza para excitar en ella la vena de los embustes.—¿Cómo va de salud? ¡A ver, secretario, échele usted
10 un vaso de vino al tío Lucas! ¡Y la señá Frasquita? ¿Se conserva tan guapa? ¡Ya hace mucho tiempo que no la he visto! Pero, hombre . . ., ¡qué bien sale ahora la molienda! ¡El pan de centeno parece de trigo candeal! Conque . . . vaya . . . Siéntese usted, y descanse, que, gracias a Dios, no tenemos prisa.

—¡Por mi parte, maldita aquélla!—contestó el tío Lucas, que hasta en-
15 tonces no había despegado los labios, pero cuyas sospechas eran cada vez mayores al ver el amistoso recibimiento que se le hacía, después de una orden tan terrible y apremiante.

—Pues entonces, tío Lucas—continuó el alcalde,—supuesto que no tiene usted gran prisa, dormirá usted acá esta noche, y mañana temprano despa-
20 charemos nuestro asuntillo.

—Me parece bien—respondió el tío Lucas con una ironía y un disimulo que nada tenían que envidiar a la diplomacia del señor Juan López.— Supuesto que la cosa no es urgente . . ., pasaré la noche fuera de mi casa.

—Ni urgente, ni de peligro para usted—añadió el alcalde, engañado por
25 aquel a quien creía engañar.—Puede usted estar completamente tranquilo. Oye tú, Toñuelo . . . Alarga esa media-fanega, para que se siente el tío Lucas.

—Entonces . . . ¡venga otro trago!—exclamó el molinero, sentándose.

—¡Venga de ahí!—repuso el alcalde, alargándole el vaso lleno.

—Está en buena mano. Médielo usted.

amistoso *friendly*	embuste *trick*
apremiante *urgent*	labranza *farm*
asuntillo *little matter*	media-fanega *half-bushel basket*
cántaro *jug*	médielo *drink half of it*
centeno *rye*	paliza *beating*
cotidiano *daily*	particular *private citizen*
despegar *to open*	trigo candeal *white wheat*

—¡Pues, por su salud!—dijo el señor Juan López, bebiéndose la mitad del vino.

—Por la de usted, señor alcalde—replicó el tío Lucas, apurando la otra mitad.

—¡A ver, Manuela!—gritó entonces el alcalde de monterilla.—Dile a tu 5 ama que el tío Lucas se queda a dormir aquí. Que le ponga una cabecera en el granero.

—¡Ca! no . . . ¡De ningún modo! Yo duermo en el pajar como un rey.

—Mire usted que tenemos cabeceras.

—¡Ya lo creo! Pero ¿a qué quiere usted incomodar a la familia? Yo 10 traigo mi capote.

—Pues, señor, como usted guste. ¡Manuela! dile a tu ama que no la ponga.

—Lo que sí va usted a permitirme—continuó el tío Lucas, bostezando de un modo atroz—es que me acueste en seguida. Anoche he tenido mucha 15 molienda, y no he pegado todavía los ojos.

—¡Concedido!—respondió majestuosamente el alcalde.—Puede usted recogerse cuando quiera.

—Creo que también es hora de que nos recojamos nosotros—dijo el sacristán, asomándose al cántaro de vino para graduar lo que quedaba.— 20 Ya deben de ser las diez . . . o poco menos.

—Las diez menos cuartillo—notificó el secretario, después de repartir en los vasos el resto del vino correspondiente a aquella noche.

—¡Pues a dormir, caballeros!—exclamó el anfitrión, apurando su parte.

—Hasta mañana, señores—añadió el molinero, bebiéndose la suya. 25

—Espere usted que le alumbren. ¡Toñuelo! Lleva al tío Lucas al pajar.

—¡Por aquí, tío Lucas!—dijo Toñuelo, llevándose también el cántaro, por si le quedaban algunas gotas.

—Hasta mañana, si Dios quiere—agregó el sacristán, después de escurrir todos los vasos. 30

Y se marchó, tambaleándose y cantando alegremente el *De profundis.*

—Pues, señor—díjole el alcalde al secretario cuando se quedaron solos.— El tío Lucas no ha sospechado nada. Nos podemos acostar descansadamente, y . . . ¡buena pro le haga al corregidor!

anfitrión *host*
asomarse *to come close to*
cabecera *pillow*
cuartillo *about fifteen minutes*
descansadamente *without any worry*
escurrir *to drain*

graduar *to estimate*
pajar *hay loft*
pegar los ojos *to close one's eyes*
recogerse *to go to bed*
tambalearse *to stagger*

18 𝄢 Donde se verá que el tío Lucas tenía el sueño muy ligero

Cɪɴᴄᴏ minutos después, un hombre se descolgaba por la ventana del pajar del señor alcalde; ventana que daba a un corralón y que no distaría cuatro varas del suelo.

En el corralón había un cobertizo sobre una gran pesebrera, a la cual
5 hallábanse atadas seis u ocho caballerías de diversa alcurnia, bien que todas ellas del sexo débil. Los caballos, mulos y burros del sexo fuerte formaban rancho aparte en otro local contiguo.

El hombre desató una borrica, que por cierto estaba aparejada, y se encaminó, llevándola del diestro, hacia la puerta del corral; retiró la tranca
10 y desechó el cerrojo que la aseguraban; abrióla con mucho tiento, y se encontró en medio del campo.

Una vez allí, montó en la borrica, metióle los talones, y salió como una flecha con dirección a la ciudad; mas no por el carril ordinario, sino atravesando siembras y cañadas, como quien se precave contra algún mal
15 encuentro.

Era el tío Lucas, que se dirigía a su molino.

19 𝄢 Voces clamantes in deserto

¡Aʟᴄᴀʟᴅᴇs a mí, que soy de Archena!—iba diciéndose el murciano.— ¡Mañana por la mañana pasaré a ver al señor obispo, como medida preventiva, y le contaré todo lo que me ha ocurrido esta noche! ¡Llamarme con
20 tanta prisa y reserva, a hora tan desusada; decirme que venga sólo; hablarme del servicio del rey, y de moneda falsa, y de brujas, y de duendes, para echarme luego dos vasos de vino y mandarme a dormir! ¡La cosa no puede ser más clara! Garduña trajo al lugar esas instrucciones de parte del corregidor, y ésta es la hora en que el corregidor estará ya en campaña contra mi
25 mujer . . . ¡Quién sabe si me lo encontraré llamando a la puerta del molino!

alcaldes a mí *talk to me about mayors*
alcurnia *breed*
atrevesar *to cross*
bruja *witch*
cañada *ravine*
carril *road*
cobertizo *shed*
corralón *large yard*
desechar *to undo*

duende *ghost*
flecha *arrow*
pesebrera *row of mangers*
siembra *sown field*
talón *heel*
vara *yard*
voces clamantes in deserto *voices crying in the
    wilderness*

¡Quién sabe si me lo encontraré ya dentro! ¡Quién sabe! Pero ¿qué voy a decir? ¡Dudar de mi navarra! ¡Oh, esto es ofender a Dios! ¡Imposible que ella! ¡Imposible que mi Frasquita! ¡Imposible! Mas ¿qué estoy diciendo? ¿Acaso hay algo imposible en el mundo? ¿No se casó conmigo, siendo ella tan hermosa y yo tan feo? 5

Y, al hacer esta última reflexión, el pobre jorobado se echó a llorar.

Entonces paró la burra para serenarse; se enjugó las lágrimas; suspiró hondamente; sacó los avíos de fumar; picó y lió un cigarro de tabaco negro; empuñó luego pedernal, yesca y eslabón, y, al cabo de algunos golpes, consiguió encender candela. 10

En aquel mismo momento sintió rumor de pasos hacia el camino, que distaría de allí unas trescientas varas.

—¡Qué imprudente soy!—dijo.—¡Si me andará ya buscando la justicia, y yo me habré vendido al echar estas yescas!

Escondió, pues, la lumbre, y se apeó, ocultándose detrás de la borrica. 15

Pero la borrica entendió las cosas de diferente modo, y lanzó un rebuzno de satisfacción.

—¡Maldita seas!—exclamó el tío Lucas, tratando de cerrarle la boca con las manos.

Al propio tiempo resonó otro rebuzno en el camino, por vía de galante 20 respuesta.

—¡Estamos aviados!—prosiguió pensando el molinero.—¡Bien dice el refrán: el mayor mal de los males es tratar con animales!

Y, así discurriendo, volvió a montar, arreó la bestia, y salió disparado en dirección contraria al sitio en que había sonado el segundo rebuzno. 25

Y lo más particular fue que la persona que iba en el jumento interlocutor, debió de asustarse del tío Lucas tanto como el tío Lucas se había asustado de ella. Lo digo, porque apartóse también del camino, recelando sin duda que fuese un alguacil o un malhechor pagado por don Eugenio, y salió a escape por los sembrados de la otra banda. 30

El murciano, entretanto, continuó cavilando de este modo:

¡Qué noche! ¡Qué mundo! ¡Qué vida la mía desde hace una hora! ¡Alguaciles metidos a alcahuetes; alcaldes que conspiran contra mi honra;

---

a escape *at full speed*
avíos de fumar *tobacco and cigarette papers*
encender candela *to strike a light*
estar aviados *to be in a pretty fix*
hondamente *deeply*
interlocutor *answering*
liar *to roll*

malhechor *criminal*
metido a alcahuete *acting as go-between*
pedernal . . . eslabón *flint, tinder and steel*
picar *to shred*
rebuzno *bray*
sembrado *sown field*
serenarse *to calm oneself*

burros que rebuznan cuando no es menester; y aquí, en mi pecho, un miserable corazón que se ha atrevido a dudar de la mujer más noble que Dios ha criado! ¡Oh! ¡Dios mío, Dios mío! ¡Haz que llegue pronto a mi casa y que encuentre allí a mi Frasquita.

5   Siguió caminando el tío Lucas, atravesando siembras y matorrales, hasta que al fin, a eso de las once de la noche, llegó sin novedad a la puerta grande del molino.

¡Condenación! ¡La puerta del molino estaba abierta!

20 ♋ La duda y la realidad

ESTABA abierta. ¡Y él, al marcharse, había oído a su mujer cerrarla con 10 llave, tranca y cerrojo!

Por consiguiente, nadie más que su propia mujer había podido abrirla. Pero ¿cómo? ¿cuándo? ¿por qué? ¿De resultas de un engaño? ¿A consecuencia de una orden? ¿O bien deliberada y voluntariamente, en virtud de previo acuerdo con el corregidor?

15   ¿Qué iba a ver? ¿Qué iba a saber? ¿Qué le aguardaba dentro de su casa? ¿Se habría fugado la señá Frasquita? ¿Se la habrían robado? ¿Estaría muerta? ¿O estaría en brazos de su rival?

—El corregidor contaba con que yo no podría venir en toda la noche—se dijo lúgubremente el tío Lucas.—El alcalde del lugar tendría orden hasta 20 de encadenarme, antes que permitirme volver. ¿Sabía todo esto Frasquita? ¿Estaba en el complot? ¿O ha sido víctima de un engaño, de una violencia, de una infamia?

No empleó más tiempo el sin ventura en hacer todas estas crueles reflexiones que el que tardó en atravesar la plazoletilla del emparrado.

25   También estaba abierta la puerta de la casa, cuyo primer aposento (como en todas las viviendas rústicas) era la cocina.

Dentro de la cocina no había nadie.

Sin embargo, una enorme fogata ardía en la chimenea; ¡chimenea que él dejó apagada, y que no se encendía nunca hasta muy entrado el mes de 30 diciembre!

¡condenación! *Damnation!*   lúgubremente *gloomily*
fogata *fire*   matorral *thicket*
fugarse *to run away*

Por último, de uno de los ganchos de la espetera pendía un candil encendido.
¿Qué significaba todo aquello? ¿Y cómo se compadecía semejante aparato
de vigilia y de sociedad con el silencio de muerte que reinaba en la casa?
¿Qué había sido de su mujer?

Entonces, y sólo entonces, reparó el tío Lucas en unas ropas que había 5
colgadas en los espaldares de dos o tres sillas puestas alrededor de la chimenea.

Fijó la vista en aquellas ropas, y lanzó un rugido tan intenso, que se le
quedó atravesado en la garganta, convertido en sollozo mudo y sofocante.

Creyó el infortunado que se ahogaba, y se llevó las manos al cuello,
mientras que, lívido, convulso, con los ojos desencajados, contemplaba 10
aquella vestimenta, poseído de tanto horror como el reo en capilla a quien
le presentan la hopa.

Porque lo que allí veía era la capa de grana, el sombrero de tres picos, la
casaca y la chupa de color de tórtola, el calzón de seda negra, las medias
blancas, los zapatos con hebilla y hasta el bastón, el espadín y los guantes 15
del execrable corregidor. ¡Lo que allí veía era la hopa de su ignominia, la
mortaja de su honra, el sudario de su ventura!

El terrible trabuco seguía en el mismo rincón en que dos horas antes lo
dejó la navarra . . .

El tío Lucas dio un salto de tigre y se apoderó de él. Sondeó el cañón con 20
la baqueta, y vio que estaba cargado. Miró la piedra, y halló que estaba en
su lugar.

Volvióse entonces hacia la escalera que conducía a la cámara en que había
dormido tantos años con la señá Frasquita, y murmuró sordamente:

—¡Allí están!   25

Avanzó, pues, un paso en aquella dirección; pero en seguida se detuvo
para mirar en torno de sí y ver si alguien lo estaba observando.

—¡Nadie!—dijo mentalmente.—¡Sólo Dios . . . y Ese . . . ha querido
esto!

Confirmada así la sentencia, fue a dar otro paso, cuando su errante mirada 30
distinguió un pliego que había sobre la mesa . . .

Verlo, y haber caído sobre él, y tenerlo entre sus garras, fue todo cosa de
un segundo.

---

baqueta *ramrod*
cañón *barrel*
compadecerse *to be reconciled*
espaldar *back*
espetera *kitchen rack*
gancho *hook*

hopa *execution garb*
rugido *roar*
sondear *to probe*
sudario *shroud*
vestimenta *article of clothing*
vigilia *wakefulness*

¡Aquel papel era el nombramiento del sobrino de la señá Frasquita, firmado por don Eugenio de Zúñiga y Ponce de León!

—¡Este ha sido el precio de la venta!—pensó el tío Lucas, metiéndose el papel en la boca para sofocar sus gritos y dar alimento a su rabia.—¡Siempre
5 recelé que quisiera a su familia más que a mí! ¡Ah! ¡No hemos tenido hijos! ¡He aquí la causa de todo!

Y el infortunado estuvo a punto de volver a llorar.

Pero luego se enfureció nuevamente, y dijo con un ademán terrible, ya que no con la voz:
10 —¡Arriba! ¡Arriba!

Y empezó a subir la escalera, andando a gatas con una mano, llevando el trabuco en la otra, y con el papel infame entre los dientes.

En corroboración de sus lógicas sospechas, al llegar a la puerta del dormitorio (que estaba cerrada), vio que salían algunos rayos de luz por las junturas
15 de las tablas y por el ojo de la llave.

—¡Aquí están! volvió a decir.

Y se paró un instante, como para pasar aquel nuevo trago de amargura. Luego continuó subiendo hasta llegar a la puerta misma del dormitorio. Dentro de él no se oía ningún ruido.
20 —¡Si no hubiera nadie!—le dijo tímidamente la esperanza.

Pero en aquel mismo instante el infeliz oyó toser dentro del cuarto . . . ¡Era la tos medio asmática del corregidor!

¡No cabía duda! ¡No había tabla de salvación en aquel naufragio!

El molinero sonrió en las tinieblas de un modo horroroso. ¿Cómo no
25 brillan en la obscuridad semejantes relámpagos? ¿Qué es todo el fuego de las tormentas comparado con el que arde a veces en el corazón del hombre?

Sin embargo, el tío Lucas (tal era su alma, como ya dijimos en otro lugar) principió a tranquilizarse, no bien oyó la tos de su enemigo.

La realidad le hacía menos daño que la duda. Según le anunció él mismo
30 aquella tarde a la señá Frasquita, desde el punto y hora en que perdía la única fe que era vida de su alma, empezaba a convertirse en un hombre nuevo.

Semejante al moro de Venecia (con quien ya lo comparamos al describir su carácter), el desengaño mataba en él de un solo golpe todo el amor,

ademán *demeanor*	naufragio *shipwreck*
alimento *support*	no bien *as soon as*
andar a gatas *to go to one's hands and knees*	sofocar *to smother*
arriba *upstairs*	tabla *board*
juntura *joint*	toser *to cough*

transfigurando de paso la índole de su espíritu y haciéndole ver el mundo como una región extraña a que acabara de llegar. La única diferencia consistía en que el tío Lucas era por idiosincrasia menos trágico, menos austero y más egoísta que el insensato sacrificador de Desdémona.

¡Cosa rara, pero propia de tales situaciones! La duda, o sea la esperanza 5 (que para el caso es lo mismo), volvió todavía a mortificarle un momento.

—¡Si me hubiera equivocado!—pensó.—¡Si la tos hubiese sido de Frasquita!

En la tribulación de su infortunio, olvidábasele que había visto las ropas del corregidor cerca de la chimenea; que había encontrado abierta la puerta 10 del molino; que había leído la credencial de su infamia . . .

Agachóse, pues, y miró por el ojo de la llave, temblando de incertidumbre y de zozobra.

El rayo visual no alcanzaba a descubrir más que un pequeño triángulo de cama, por la parte del cabecero. ¡Pero precisamente en aquel pequeño 15 triángulo se veía un extremo de las almohadas, y sobre las almohadas la cabeza del corregidor!

Otra risa diabólica contrajo el rostro del molinero.

Dijérase que volvía a ser feliz.

—¡Soy dueño de la verdad! ¡Meditemos!—murmuró, irguiéndose tranqui- 20 lamente.

Y volvió a bajar la escalera con el mismo tiento que empleó para subirla.

—El asunto es delicado. Necesito reflexionar. Tengo tiempo de sobra para todo—iba pensando mientras bajaba.

Llegado que hubo a la cocina, sentóse en medio de ella, y ocultó la frente 25 entre las manos.

Así permaneció mucho tiempo, hasta que lo despertó de su meditación un leve golpe que sintió en un pie.

Era el trabuco que se había deslizado de sus rodillas, y que le hacía aquella especie de seña . . . 30

—¡No! ¡Te digo que no!—murmuró el tío Lucas, encarándose con el arma.—¡No me convienes! todo el mundo tendría lástima de *ellos*, ¡y a mí me ahorcarían! ¡Se trata de un corregidor . . ., y matar a un corregidor es todavía en España cosa indisculpable! Dirían que lo maté por infundados celos, y que luego lo desnudé y lo metí en mi cama. Dirían, además, que 35

agacharse *to stoop down*	índole *nature*
cabecero *head of bed*	insensato *senseless*
de paso *at the same time*	rayo visual *line of vision*
encararse *to face*	zozobra *anguish*

maté a mi mujer por simples sospechas. ¡Y me ahorcarían! ¡Vaya si me ahorcarían! Además yo habría dado muestras de tener muy poca alma, muy poco talento, si al remate de mi vida fuera digno de compasión! ¡Todos se reirían de mí! ¡Dirían que mi desventura era muy natural, siendo yo jorobado
5 y Frasquita tan hermosa! ¡Nada! ¡No! Lo que yo necesito es vengarme, y, después de vengarme, triunfar, despreciar, reír, reírme mucho, reírme de todos, evitando por tal medio que nadie pueda burlarse nunca de esta jiba que yo he llegado a hacer hasta envidiable, y que tan grotesca sería en una horca!
10 Así discurrió el tío Lucas, tal vez sin darse cuenta de ello puntualmente, y, en virtud de semejante discurso, colocó el arma en su sitio, y principió a pasearse con los brazos atrás y la cabeza baja, como buscando su venganza en el suelo, en la tierra, en las ruindades de la vida, en alguna bufonada ignominiosa y ridícula para su mujer y para el corregidor, lejos de buscar
15 aquella misma venganza en la justicia, en el desafío, en el perdón, en el cielo, como hubiera hecho en su lugar cualquier otro hombre de condición menos rebelde que la suya a toda imposición de la naturaleza, de la sociedad o de sus propios sentimientos.

De repente, paráronse sus ojos en la vestimenta del corregidor.
20 Luego se paró él mismo.

Después fue demostrando poco a poco en su semblante una alegría, un gozo, un triunfo indefinibles; hasta que, por último, se echó a reír de una manera formidable, esto es, a grandes carcajadas, pero sin hacer ningún ruido (a fin de que no lo oyesen desde arriba), metiéndose los puños por los ijares
25 para no reventar, estremeciéndose todo como un epiléptico, y teniendo que concluir por dejarse caer en una silla hasta que le pasó aquella convulsión de sarcástico regocijo. Era la propia risa de Mefistófeles.

No bien se sosegó, principió a desnudarse con una celeridad febril; colocó toda su ropa en las mismas sillas que ocupaba la del corregidor; púsose
30 cuantas prendas pertenecían a éste, desde los zapatos de hebilla hasta el sombrero de tres picos; ciñóse el espadín; embozóse en la capa de grana; cogió el bastón y los guantes, y salió del molino y se encaminó a la ciudad,

---

brazos atrás *arms behind him*
bufonada *practical joke*
desafío *challenge to a duel*
despreciar *to despise*
desventura *misfortune*
horca *gallows*
ijar *side*
jiba *hump*

puntualmente *exactly*
rebelde *rebellious*
regocijo *joy*
remate *end*
ruindades *meanness*
¡Vaya! . . . ahorcarían *I'll swear that they would hang me*

balanceándose de la propia manera que solía don Eugenio de Zúñiga, y diciéndose de vez en cuando esta frase que compendiaba su pensamiento.

—¡También la corregidora es guapa!

21 ⸘ *¡En guardia, caballero!*

ABANDONEMOS por ahora al tío Lucas, y enterémonos de lo que había ocurrido en el molino desde que dejamos allí sola a la señá Frasquita hasta 5
que su esposo volvió a él y se encontró con tan estupendas novedades.

Una hora habría pasado después que el tío Lucas se marchó con Toñuelo, cuando la afligida navarra, que se había propuesto no acostarse hasta que regresara su marido, y que estaba haciendo calceta en su dormitorio, situado en el piso de arriba, oyó lastimeros gritos fuera de la casa, hacia el paraje, 10
allí muy próximo, por donde corría el agua del caz.

—¡Socorro, que me ahogo! ¡Frasquita! ¡Frasquita!—exclamaba una voz de hombre, con el lúgubre acento de la desesperación.

—¿Si será Lucas?—pensó la navarra, llena de un terror que no necesitamos describir.   15

compendiar *to sum up*   paraje *place*
lastimero *pitiful*   propio *same*

En el mismo dormitorio había una puertecilla, de que ya nos habló Garduña, y que daba efectivamente sobre la parte alta del caz. Abrióla sin vacilación la señá Frasquita, por más que no hubiera reconocido la voz que pedía auxilio, y encontróse de manos a boca con el corregidor, que en aquel
5 momento salía todo chorreando de la impetuosísima acequia.

—¡Dios me perdone! ¡Dios me perdone!—balbuceaba el infame viejo.— ¡Creí que me ahogaba!

—¡Cómo! ¿Es usted? ¿Qué significa? ¿Cómo se atreve? ¿A qué viene usted a estas horas?—gritó la molinera con más indignación que espanto,
10 pero retrocediendo maquinalmente.

—¡Calla! ¡Calla, mujer!—tartamudeó el corregidor, colándose en el aposento detrás de ella.—Yo te lo diré todo. ¡He estado para ahogarme! ¡El agua me llevaba ya como a una pluma! ¡Mira, mira cómo me he puesto!

—¡Fuera, fuera de aquí!—replicó la señá Frasquita con mayor violencia.
15 —¡No tiene usted nada que explicarme! ¡Demasiado lo comprendo todo! ¿Qué me importa a mí que usted se ahogue? ¿Lo he llamado yo a usted? ¡Ah! ¡Qué infamia! ¡Para esto ha mandado usted prender a mi marido!

—Mujer, escucha.

—¡No escucho! Márchese usted inmediatamente, señor corregidor! ¡Már-
20 chese usted, o no respondo de su vida!

—¿Qué dices?

—¡Lo que usted oye! Mi marido no está en casa; pero yo me basto para hacerla respetar. ¡Márchese usted por donde ha venido, si no quiere que yo le arroje otra vez al agua con mis propias manos!

25 —¡Chica, chica! ¡No grites tanto, que no soy sordo!—exclamó el viejo libertino.—¡Cuando yo estoy aquí, por algo será! Vengo a libertar al tío Lucas, a quien ha preso por equivocación un alcalde de monterilla. Pero, ante todo, necesito que me seques estas ropas. ¡Estoy calado hasta los huesos!

30 —¡Le digo a usted que se marche!

—¡Calla, tonta! ¿Qué sabes tú? Mira . . . aquí te traigo un nombramiento de tu sobrino. Enciende la lumbre, y hablaremos. Por lo demás, mientras se seca la ropa, yo me acostaré en esta cama . . .

—¡Ah, ya! ¿Conque declara usted que venía por mí? ¿Conque declara
35 usted que para eso ha mandado arrestar a mi Lucas? ¿Conque traía usted

acequia *canal*   de manos a boca *unexpectedly*
bastarse *to be enough*   equivocación *mistake*
calado *soaked*   impetuosísimo *rushing*
colarse *to slip*   por más que *although*

su nombramiento y todo? ¡Santos y santas del cielo! ¿Qué se habrá figurado
de mi este mamarracho?

—¡Frasquita! ¡Soy el corregidor!

—¡Aunque fuera usted el rey! A mí, ¿qué? ¡Yo soy la mujer de mi marido,
y el ama de mi casa! ¿Cree usted que yo me asusto de los corregidores? 5
¡Yo sé ir a Madrid, y al fin del mundo, a pedir justicia contra el viejo insolente que así arrastra su autoridad por los suelos! Y, sobre todo, yo sabré
mañana ponerme la mantilla, e ir a ver a la señora corregidora.

—¡No harás nada de eso!—repuso el corregidor, perdiendo la paciencia,
o mudando de táctica.—No harás nada de eso; porque yo te pegaré un tiro, 10
si veo que no entiendes de razones.

—¡Un tiro!—exclamó la señá Frasquita con voz sorda.

—Un tiro, sí. Y de ello no me resultará perjuicio alguno. Casualmente he
dejado dicho en la ciudad que salía esta noche a caza de criminales. ¡Conque
no seas necia . . . y quiéreme . . . como yo te adoro!   15

—Señor corregidor; ¿un tiro?—volvió a decir la navarra, echando los
brazos atrás y el cuerpo hacia adelante, como para lanzarse sobre su adversario.

—Si te empeñas, te lo pegaré, y así me veré libre de tus amenazas y de tu
hermosura—respondió el corregidor, lleno de miedo y sacando un par de 20
cachorrillos.

—¿Conque pistolas también? ¡Y en la otra faltriquera el nombramiento
de mi sobrino!—dijo la señá Frasquita, moviendo la cabeza de arriba abajo.
—Pues, señor, la elección no es dudosa. Espere usía un momento; que voy
a encender la lumbre.   25

Y, así hablando, se dirigió rápidamente a la escalera, y la bajó en tres
brincos.

El corregidor cogió la luz, y salió detrás de la molinera, temiendo que se
escapara; pero tuvo que bajar mucho más despacio, de cuyas resultas, cuando
llegó a la cocina, tropezó con la navarra, que volvía ya en su busca.   30

—¿Conque decía usted que me iba a pegar un tiro?—exclamó aquella
indomable mujer dando un paso atrás.—Pues, ¡en guardia, caballero; que
yo ya lo estoy!

Dijo, y se echó a la cara el formidable trabuco que tanto papel representa
en esta historia.   35

A mí, ¿qué? *What do I care?*   entender de razones *to listen to reason*
cachorrillo *pocket pistol*   mamarracho *clown*
elección *choice*   perjuicio *harm*
en su busca *looking for him*

—¡Detente, desgraciada! ¿Qué vas a hacer?—gritó el corregidor, muerto de susto.—Lo de mi tiro era una broma. Mira. Los cachorrillos están descargados. En cambio, es verdad lo del nombramiento. Aquí lo tienes. Tómalo. Te lo regalo. Tuyo es . . . de balde, enteramente de balde.

5   Y lo colocó temblando sobre la mesa.

—¡Ahí está bien!—repuso la navarra.—Mañana me servirá para encender la lumbre, cuando le guise el almuerzo a mi marido. ¡De usted no quiero ya ni la gloria; y, si mi sobrino viniese alguna vez de Estella, sería para pisotearle a usted la fea mano con que ha escrito su nombre en ese papel

10 indecente! ¡Ea, lo dicho! ¡Márchese usted de mi casa! ¡Aire! ¡aire! ¡pronto! ¡que ya se me sube la pólvora a la cabeza!

El corregidor no contestó a este discurso. Habíase puesto lívido, casi azul; tenía los ojos torcidos, y un temblor como de terciana agitaba todo su cuerpo. Por último, principió a castañetear los dientes, y cayó al suelo, presa de una

15 convulsión espantosa.

El susto del caz, lo muy mojadas que seguían todas sus ropas, la violenta escena del dormitorio, y el miedo al trabuco con que le apuntaba la navarra, habían agotado las fuerzas del enfermizo anciano.

—¡Me muero!—balbuceó.—¡Llama a Garduña! Llama a Garduña, que

20 estará ahí . . . en la ramblilla. ¡Yo no debo morirme en esta casa! . . .

No pudo continuar. Cerró los ojos, y se quedó como muerto.

—¡Y se morirá como lo dice!—prorrumpió la señá Frasquita.—Pues, señor, ¡ésta es la más negra! ¿Qué hago yo ahora con este hombre en mi casa? ¿Qué dirían de mí, si se muriese? ¿Qué diría Lucas? ¿Cómo podría

25 justificarme, cuando yo misma le he abierto la puerta? ¡Oh! no . . . Yo no debo quedarme aquí con él. ¡Yo debo buscar a mi marido; yo debo escandalizar el mundo antes de comprometer mi honra!

Tomada esta resolución, soltó el trabuco, fuese al corral, cogió la burra que quedaba en él, la aparejó de cualquier modo, abrió la puerta grande de

30 la cerca, montó de un salto, a pesar de sus carnes, y se dirigió a la ramblilla.

—¡Garduña! ¡Garduña!—iba gritando la navarra, conforme se acercaba a aquel sitio.

—¡Presente!—respondió al cabo el alguacil, apareciendo detrás de un seto.

¡Aire! *Get out!*
castañetear *to chatter*
de cualquier modo *any old way*
desgraciada *wretched woman*
enfermizo *sickly*
espantoso *fightful*
ésta es la más negra *this is the worst of all*

pisotear *to trample on*
prorrumpir *to burst out*
se me sube . . . cabeza *I am beginning to lose my temper*
seto *hedge*
terciana *malarial fever*

—¿Es usted, señá Frasquita?

—Sí, soy yo. ¡Ve al molino, y socorre a tu amo, que se está muriendo!

—¿Qué dice usted?—¡Vaya un maula!

—Lo que oyes, Garduña.

—¿Y usted, alma mía? ¿Adónde va a estas horas?   5

—¿Yo? ¡Quita allá, badulaque! ¡Yo voy a la ciudad por un médico!— contestó la señá Frasquita, arreando la burra con un talonazo y a Garduña con un puntapié.

Y tomó . . ., no el camino de la ciudad, como acababa de decir, sino el del lugar inmediato.   10

Garduña no reparó en esta última circunstancia; pues iba ya dando zancajadas hacia el molino y discurriendo al par de esta manera:

—¡Va por un médico! ¡La infeliz no puede hacer más! ¡Pero él es un pobre hombre! ¡Famosa ocasión de ponerse malo! ¡Dios le da confites a quien no puede roerlos!   15

22 𝄞 Garduña se multiplica

CUANDO Garduña llegó al molino el corregidor principiaba a volver en sí, procurando levantarse del suelo.

En el suelo también, y a su lado, estaba el velón encendido que bajó su señoría del dormitorio.

—¿Se ha marchado ya?—fue la primera frase de don Eugenio.   20

—¿Quién?

—¡El demonio! Quiero decir, la molinera.

—Sí, señor. Ya se ha marchado . . .; y no creo que iba de muy buen humor.

—¡Ay, Garduña! Me estoy muriendo.   25

—Pero ¿qué tiene usía? ¡Por vida de los hombres!

—Me he caído en el caz, y estoy hecho una sopa. ¡Los huesos se me parten de frío!

—¡Toma, toma! ¡Ahora salimos con eso!

—¡Garduña! ¡ve lo que te dices!   30

al par *meanwhile*
badulaque *idiot*
confites *candy*
famosa ocasión *a fine time*
hecho una sopa *sopping wet*
puntapié *kick*

roer *to chew*
se me parten de frío *are numb (splitting)*
talonazo *digging in with the heels*
¡Vaya una maula! *What a cheap trick!*
zancajada *long stride*

—Yo no digo nada, señor.

—Pues bien: sácame de este apuro.

—Voy volando. ¡Verá usía qué pronto lo arreglo todo!

Así dijo el alguacil, y, en un periquete, cogió la luz con una mano, y con la
5 otra se metió al corregidor debajo del brazo; subiólo al dormitorio; púsolo
en cueros; acostólo en la cama; corrió al jaraiz; reunió un brazado de leña;
fue a la cocina; hizo una gran lumbre; bajó todas las ropas de su amo;
colocólas en los espaldares de dos o tres sillas; encendió un candil; lo colgó
de la espetera, y tornó a subir a la cámara.

10 —¿Qué tal vamos?—preguntóle entonces a don Eugenio, levantando en
alto el velón para verle mejor el rostro.

—¡Admirablemente! ¡Conozco que voy a sudar! ¡Mañana te ahorco,
Garduña!

—¿Por qué, señor?

15 —¿Y te atreves a preguntármelo? ¿Crees tú que, al seguir el plan que me
trazaste, esperaba yo acostarme solo en esta cama, después de recibir por
segunda vez el sacramento del bautismo? ¡Mañana mismo te ahorco!

—Pero cuénteme usía algo . . . ¿La señá Frasquita?

—La señá Frasquita ha querido asesinarme. ¡Es todo lo que he logrado
20 con tus consejos! Te digo que te ahorco mañana por la mañana.

—¡Algo menos será, señor corregidor!—repuso el alguacil.

—¿Por qué lo dices, insolente? ¿Porque me ves aquí postrado?

—No, señor. Lo digo, porque la señá Frasquita no ha debido de mostrarse
tan inhumana como usía cuenta, cuando ha ido a la ciudad a buscarle un
25 médico.

—¡Dios santo! ¿Estás seguro de que ha ido a la ciudad?—exclamó don
Eugenio más aterrado que nunca.

—A lo menos, eso me ha dicho ella.

—¡Corre, corre, Garduña! ¡Ah! ¡Estoy perdido sin remedio! ¿Sabes a
30 qué va la señá Frasquita a la ciudad? ¡A contárselo todo a mi mujer! ¡A
decirle que estoy aquí! ¡Oh, Dios mío, Dios mío! ¿Cómo había yo de
figurarme esto? ¡Yo creí que se habría ido al lugar en busca de su marido;
y, como lo tengo allí a buen recaudo, nada me importaba su viaje! Pero
¡irse a la ciudad! ¡Garduña, corre, corre, tú que eres andarín, y evita mi
35 perdición! ¡Evita que la terrible molinera entre en mi casa!

buen recaudo *well cared for*
andarín *fast walker*
apuro *difficulty*
brazado *armful*
mañana mismo *tomorrow, for sure*

periquete *instant*
poner en cueros *to strip to the skin*
postrado *prostrate*
¿Qué tal vamos? *How are we getting along?*
sudar *to sweat*

—¿Y no me ahorcará usía si lo consigo?—preguntó irónicamente el alguacil.

—¡Al contrario! Te regalaré unos zapatos en buen uso, que me están grandes. ¡Te regalaré todo lo que quieras!

—Pues voy volando. Duérmase usía tranquilo. Dentro de media hora 5 estoy aquí de vuelta, después de dejar en la cárcel a la navarra. ¡Para algo soy más ligero que una borrica!

Dijo Garduña, y desapareció por la escalera abajo.

Se cae de su peso que, durante aquella ausencia del alguacil, fue cuando el molinero estuvo en el molino y vio visiones por el ojo de la llave. 10

Dejemos, pues, al corregidor sudando en el lecho ajeno, y a Garduña corriendo hacia la ciudad (adonde tan pronto había de seguirle el tío Lucas con sombrero de tres picos y capa de grana), y, convertidos también nosotros en andarines, volemos con dirección al lugar, en seguimiento de la valerosa seña Frasquita.
15

23 ✕ Otra vez el desierto y las consabidas voces

La única aventura que le ocurrió a la navarra en su viaje desde el molino al pueblo, fue asustarse un poco al notar que alguien echaba yescas en medio de un sembrado.

—¿Si será un esbirro del corregidor? ¿Si irá a detenerme?—pensó la molinera.
20

En esto se oyó un rebuzno hacia aquel mismo lado.

—¡Burros en el campo a estas horas!—siguió pensando la seña Frasquita. —Pues lo que es por aquí no hay ninguna huerta ni cortijo. ¡Vive Dios que los duendes se están despachando esta noche a su gusto! Porque la borrica de mi marido no puede ser. ¿Qué haría mi Lucas, a media noche, parado 25 fuera del camino? ¡Nada! ¡nada! ¡Indudablemente es un espía!

La burra que montaba la seña Frasquita creyó oportuno rebuznar también en aquel instante.

—¡Calla, demonio!—le dijo la navarra, clavándole un alfiler de a ochavo en mitad de la cruz.
30

alfiler de ochavo *big pin*
clavar *to stick*
cruz *withers*
echar yescas *to strike a light*

esbirro *constable*
lo que es por aquí *around here*
se están despachando *are hurrying about*

Y, temiendo algún encuentro que no le conviniese, sacó también su bestia fuera del camino y la hizo trotar por otros sembrados.

Sin más accidente, llegó a las puertas del lugar, a tiempo que serían las once de la noche.

24 ⸘ Un rey de entonces

5　HALLÁBASE ya durmiendo la mona el señor alcalde, vuelta la espalda a la espalda de su mujer (y formando así con ésta la figura de águila austriaca de dos cabezas que dice nuestro inmortal Quevedo), cuando Toñuelo llamó a la puerta de la cámara nupcial, y avisó al señor Juan López que la señá Frasquita, la del molino, quería hablarle.

10　No tenemos para qué referir todos los gruñidos y juramentos inherentes al acto de despertar y vestirse el alcalde de monterilla, y nos trasladamos desde luego al instante en que la molinera lo vio llegar, desperezándose como un gimnasta que ejercita la musculatura, y exclamando en medio de un bostezo interminable:

15　—¡Téngalas usted muy buenas, señá Frasquita! ¿Qué le trae a usted por aquí? ¿No le dijo a usted Toñuelo que se quedase en el molino? ¿Así desobedece usted a la autoridad?

—¡Necesito ver a mi Lucas!—respondió la navarra.—¡Necesito verlo al instante! ¡Que le digan que está aquí su mujer!

20　—¡Necesito! ¡necesito! Señora, ¡a usted se le olvida que está hablando con el rey!

—¡Déjeme usted a mí de reyes, señor Juan, que no estoy para bromas! ¡Demasiado sabe usted lo que me sucede! ¡Demasiado sabe para qué ha preso a mi marido!

25　—Yo no sé nada, señá Frasquita. Y en cuanto a su marido de usted, no está preso, sino durmiendo tranquilamente en esta su casa, y tratado como yo trato a las personas. ¡A ver, Toñuelo! ¡Toñuelo! Anda al pajar, y dile al tío Lucas que se despierte y venga corriendo. Conque vamos . . . ¡cuénteme usted lo que pasa! ¿Ha tenido usted miedo de dormir sola?

30　—¡No sea usted desvergonzado, señor Juan! ¡Demasiado sabe usted que a mí no me gustan sus bromas ni sus veras! Lo que me pasa es una cosa muy

---

desperezarse *to stretch oneself*　　　　juramentos *oath*
dormir la mona *to sleep off a drunk*　　musculatura *set of muscles*
gruñido *grunt*　　　　　　　　　　　　vera *serious remark*

sencilla: que usted y el señor corregidor han querido perderme; ¡pero que
se han llevado un solemne chasco! ¡Yo estoy aquí sin tener de qué abo-
chornarme, y el señor corregidor se queda en el molino muriéndose!

—¡Muriéndose el corregidor!—exclamó su subordinado.—Señora, ¿sabe
usted lo que se dice?   5

—¡Lo que usted oye! Se ha caído en el caz, y casi se ha ahogado, o ha
cogido una pulmonía, o yo no sé. ¡Eso es cuenta de la corregidora! Yo
vengo a buscar a mi marido, sin perjuicio de salir mañana mismo para
Madrid, donde le contaré al Rey . . .

—¡Demonio, demonio!—murmuró el señor Juan López.—¡A ver, Man- 10
uela! ¡muchacha! Anda y aparéjame la mulilla. Señá Frasquita, al molino
voy. ¡Desgraciada de usted si le ha hecho algún daño al señor corregidor!

—¡Señor alcalde, señor alcalde!—exclamó en esto Toñuelo, entrando más
muerto que vivo.—El tío Lucas no está en el pajar. Su burra no se halla
tampoco en los pesebres, y la puerta del corral está abierta. ¡De modo que 15
el pájaro se ha escapado!

—¿Qué estás diciendo?—gritó el señor Juan López.

—¡Virgen del Carmen! ¿Qué va a pasar en mi casa?—exclamó la señá
Frasquita.—¡Corramos, señor alcalde; no perdamos tiempo! Mi marido
va a matar al corregidor al encontrarlo allí a estas horas.   20

—¿Luego usted cree que el tío Lucas está en el molino?

—¿Pues no lo he de creer?—Digo más . . . cuando yo venía me he cruzado
con él sin conocerlo. ¡El era sin duda uno que echaba yescas en medio de
un sembrado! ¡Dios mío! ¡Cuando piensa una que los animales tienen más
entendimiento que las personas! Porque ha de saber usted, señor Juan, 25
que indudablemente nuestras dos burras se reconocieron y se saludaron,
mientras que mi Lucas y yo ni nos saludamos ni nos reconocimos. ¡Antes
bien huimos el uno del otro, tomándonos mutuamente por espías!

—¡Bueno está su Lucas de usted!—replicó el Alcalde.—En fin, vamos
andando, y ya veremos lo que hay que hacer con todos ustedes. ¡Conmigo 30
no se juega! ¡Yo soy el rey! Pero no un rey como el que ahora tenemos en
Madrid, o sea en el Pardo, sino como aquel que hubo en Sevilla, a quien
llamaban don Pedro el Cruel. ¡A ver, Manuela! ¡Tráeme el bastón, y dile
a tu ama que me marcho!

Obedeció la sirvienta (que era por cierto más buena moza de lo que con- 35
venía a la alcaldesa y a la moral), y, como la mulilla del señor Juan López
estuviese ya aparejada, la señá Frasquita y él salieron para el molino, seguidos
del indispensable Toñuelo.

abochornarse *to be ashamed*   pesebre *manger*
antes bien *rather*   sin perjuicio de *reserving the right to*
llevar chasco *to be very disappointed*

25 ⚬ *La estrella de Garduña*

PRECEDÁMOSLES nosotros, supuesto que tenemos carta blanca para andar más de prisa que nadie.

Garduña se hallaba ya de vuelta en el molino, después de haber buscado a la señá Frasquita por todas las calles de la ciudad.

5 El astuto alguacil había tocado de camino en el corregimiento, donde lo encontró todo muy sosegado. Las puertas seguían abiertas como en medio del día, según es costumbre cuando la autoridad está en la calle ejerciendo sus sagradas funciones. Dormitaban en la meseta de la escalera y en el recibimiento otros alguaciles y ministros, esperando descansadamente a su
10 amo; mas, cuando sintieron llegar a Garduña, desperezáronse dos o tres de ellos, y le preguntaron al que era su decano y jefe inmediato.

—¿Viene ya el señor?

—¡Ni por asomo! Estaos quietos. Vengo a saber si ha habido novedad en la casa.

15 —Ninguna.

— ¿Y la señora?

—Recogida en sus aposentos.

—¿No ha entrado una mujer por estas puertas hace poco?

—Nadie ha parecido por aquí en toda la noche.

20 —Pues no dejéis entrar a persona alguna, sea quien sea y diga lo que diga. ¡Al contrario! Echadle mano al mismo lucero del alba que venga a preguntar por el señor o por la señora, y llevadlo a la cárcel.

—¿Parece que esta noche se anda a caza de pájaros de cuenta?—preguntó uno de los esbirros.

25 —¡Caza mayor!—añadió otro.

—¡Mayúscula!—respondió Garduña solemnemente.—¡Figuraos si la cosa será delicada, cuando el señor corregidor y yo hacemos la batida por nosotros mismos! Conque . . . hasta luego, buenas piezas, y ¡mucho ojo!

—Vaya usted con Dios, señor Bastián,—repusieron todos, saludando a
30 Garduña.

—¡Mi estrella se eclipsa!—murmuró éste al salir del corregimiento.—
¡Hasta las mujeres me engañan! La molinera se encaminó al lugar en busca

---

de camino *on the way*
decano *senior officer*
dormitar *to doze*
hacer la batida *to do the hunting*

mayúsculo *very large*
meseta *landing*
ni por asomo *by no means*
recibimiento *vestibule*

de su esposo, en vez de venirse a la ciudad. ¡Pobre Garduña! ¿Qué se ha
hecho de tu olfato?

Y, discurriendo de este modo, tomó la vuelta del molino.

Razón tenía el alguacil para echar de menos su antiguo olfato, pues que
no venteó a un hombre que se escondía en aquel momento detrás de unos 5
mimbres, a poca distancia de la ramblilla, y el cual exclamó para su capote,
o más bien para su capa de grana:

—¡Guarda, Pablo! ¡Por allí viene Garduña! Es menester que no me vea.

Era el tío Lucas, vestido de corregidor, que se dirigía a la ciudad, repitiendo
de vez en cuando su diabólica frase: 10

—¡También la corregidora es guapa!

Pasó Garduña sin verlo, y el falso corregidor dejó su escondite y penetró
en la población.

Poco después llegaba el alguacil al molino, según dejamos indicado.

26 𝄞 Reacción

EL corregidor seguía en la cama, tal y como acababa de verlo el tío Lucas 15
por el ojo de la llave.

—¡Qué bien sudo, Garduña! ¡Me he salvado de una enfermedad!—
exclamó tan luego como penetró el alguacil en la estancia.—¿Y la señá
Frasquita? ¿Has dado con ella? ¿Viene contigo? ¿Ha hablado con la señora?

—La molinera, señor—respondió Garduña con angustiado acento,— me 20
engañó como a un pobre hombre, pues no se fue a la ciudad, sino al pueblecillo, en busca de su esposo. Perdone usía la torpeza.

—¡Mejor! ¡mejor!—dijo el madrileño, con los ojos chispeantes de maldad.

—¡Todo se ha salvado entonces! Antes de que amanezca estarán caminando
para las cárceles de la Inquisición, atados codo con codo, el tío Lucas y la 25
señá Frasquita, y allí se pudrirán sin tener a quien contarle sus aventuras de
esta noche. Tráeme la ropa, Garduña, que ya estará seca. ¡Tráemela, y
vísteme! ¡El amante se va a convertir en corregidor!

Garduña bajó a la cocina por la ropa.

---

chispeante *glittering*
echar de menos *to miss*
escondite *hiding place*
estancia *room*
mimbre *willow tree*

olfato *sense of smell*
para su capote *to himself*
pudrirse *to rot*
torpeza *stupidity*
ventear *to get the scent of*

27 ♎ ¡Favor al rey!

ENTRETANTO, la señá Frasquita, el señor Juan López y Toñuelo avanzaban hacia el molino, al cual llegaron pocos minutos después.

—¡Yo entraré delante!—exclamó el alcalde de monterilla.—¡Para algo soy la autoridad! Sígueme, Toñuelo, y usted, señá Frasquita, espérese a la puerta
5 hasta que yo la llame.

Penetró, pues, el señor Juan López bajo la parra, donde vio a la luz de la luna un hombre casi jorobado, vestido como solía el molinero, con chupetín y calzón de paño pardo, faja negra, medias azules, montera murciana de felpa, y el capote de monte al hombro.
10 —¡El es!—gritó el alcalde.—¡Favor al rey! ¡Entréguese usted, tío Lucas!

El hombre de la montera intentó meterse en el molino.

—¡Date!—gritó a su vez Toñuelo, saltando sobre él, cogiéndolo por el pescuezo, aplicándole una rodilla al espinazo y haciéndole rodar por tierra.

Al mismo tiempo, otra especie de fiera saltó sobre Toñuelo, y, agarrándolo
15 de la cintura, lo tiró sobre el empedrado y principió a darle de bofetones.

Era la señá Frasquita, que exclamaba:

—¡Tunante! ¡Deja a mi Lucas!

Pero, en esto, otra persona, que había aparecido llevando del diestro una borrica, metióse resueltamente entre los dos, y trató de salvar a Toñuelo.
20 Era Garduña, que, tomando al alguacil del lugar por don Eugenio de Zúñiga, le decía a la molinera:

—¡Señora, respete usted a mi amo!

Y la derribó de espaldas sobre el lugareño.

La señá Frasquita, viéndose entre dos fuegos, descargó entonces a Garduña
25 tal revés en medio del estómago, que le hizo caer de boca tan largo como era.

Y, con él, ya eran cuatro las personas que rodaban por el suelo.

El señor Juan López impedía entretanto levantarse al supuesto tío Lucas, teniéndole plantado un pie sobre los riñones.

—¡Garduña! ¡Socorro! ¡Favor al rey! ¡Yo soy el corregidor!—gritó al

---

alcalde de monterilla *small town mayor*
bofetón *blow*
chupetín *waistcoat*
espinazo *spine, small of the back*
faja *sash*
Favor al Rey *In the King's name*

felpa *plush*
pardo *dark gray*
revés *backhand blow*
riñón *kidney*
tunante *scoundrel*

fin don Eugenio, sintiendo que la pezuña del alcalde, calzada con albarca de
piel de toro, lo reventaba materialmente.

—¡El corregidor! ¡Pues es verdad!—dijo el señor Juan López, lleno de
asombro.

—¡El corregidor!—repitieron todos.   5

Y pronto estuvieron de pie los cuatro derribados.

—¡Todo el mundo a la cárcel!—exclamó don Eugenio de Zúñiga.—¡Todo
el mundo a la horca!

—Pero, señor . . .—observó el señor Juan López, poniéndose de rodillas.
—¡Perdone usía que lo haya maltratado! ¿Cómo había de conocer a usía   10
con esa ropa tan ordinaria?

—¡Bárbaro!—replicó el corregidor.—¡Alguna había de ponerme! ¿No
sabes que me han robado la mía? ¿No sabes que una compañía de ladrones,
mandada por el tío Lucas . . .?

—¡Miente usted!—gritó la navarra.   15

—Escúcheme usted, señá Frasquita—le dijo Garduña, llamándola aparte.
—Con permiso del señor corregidor y la compaña . . . ¡Si usted no arregla
esto, nos van a ahorcar a todos, empezando por el tío Lucas!

—Pues ¿qué ocurre?—preguntó la señá Frasquita.

—Que el tío Lucas anda a estas horas por la ciudad vestido de corregidor   20
. . ., y que Dios sabe si habrá llegado con su disfraz hasta el propio dormitorio
de la corregidora.

Y el alguacil le refirió en cuatro palabras todo lo que ya sabemos.

—¡Jesús!—exclamó la molinera.—¡Conque mi marido me cree deshon-
rada! ¡Conque ha ido a la ciudad a vengarse! ¡Vamos, vamos a la ciudad, y   25
justificadme a los ojos de mi Lucas!

—¡Vamos a la ciudad, e impidamos que ese hombre hable con mi mujer
y le cuente todas las majaderías que se haya figurado!—dijo el corregidor,
arrimándose a una de las burras.—Deme usted un pie para montar, señor
alcalde.   30

—Vamos a la ciudad, sí—añadió Garduña—¡y quiera el cielo, señor
corregidor, que el tío Lucas, amparado por su vestimenta, se haya contentado
con hablarle a la señora!

—¿Qué dices, desgraciado?—prorrumpió don Eugenio de Zúñiga.—
¿Crees tú a ese villano capaz . . .?   35

—¡De todo!—contestó la señá Frasquita.

albarca *sandal*   derribado *knocked down*
arrimar *to lean against*   pezuña *hoof*
calzado *shoe*

28 } ¡Ave María Purísima! ¡Las doce y media y sereno!

Así gritaba por las calles de la ciudad quien tenía facultades para tanto, cuando la molinera y el corregidor, cada cual en una de las burras del molino, el señor Juan López en su mula, y los dos alguaciles andando, llegaron a la puerta del corregimiento.

5 La puerta estaba cerrada.

Dijérase que para el gobierno, lo mismo que para los gobernados, había concluido todo por aquel día.

—¡Malo!—pensó Garduña.

Y llamó con el aldabón dos o tres veces.

10 Pasó mucho tiempo, y ni abrieron ni contestaron.

La señá Frasquita estaba más amarilla que la cera.

El corregidor se había comido ya todas las uñas de ambas manos.

Nadie decía una palabra.

¡Pum!... ¡Pum!... ¡Pum!... golpes y más golpes a la puerta del corregi-
15 miento, aplicados sucesivamente por los dos alguaciles y por el señor Juan López. ¡Y nada! ¡No respondía nadie! ¡No abrían! ¡No se movía una mosca!

Sólo se oía el claro rumor de los caños de una fuente que había en el patio de la casa.

20 Y de esta manera transcurrían minutos, largos como eternidades.

Al fin, cerca de la una, abrióse un ventanillo del piso segundo, y dijo una voz femenina:

—¿Quién?

—Es la voz del ama de leche—murmuró Garduña.

25 —¡Yo!—respondió don Eugenio de Zúñiga.—¡Abrid!

Pasó un instante en silencio.

—¿Y quién es usted?—replicó luego la nodriza.

—¿Pues no me está usted oyendo? ¡Soy el amo! ¡el corregidor!...

Hubo otra pausa.

30 —¡Vaya usted mucho con Dios!—repuso la buena mujer.—Mi amo vino hace una hora, y se acostó en seguida. ¡Acuéstense ustedes también, y duerman el vino que tendrán en el cuerpo!

---

aldabón *big knocker*
ama de leche *wet nurse*
caño *jet of water*

facultad *right*
nodriza *nurse*
uña *fingernail*

Y la ventana se cerró de golpe.

La señá Frasquita se cubrió el rostro con las manos.

—¡Ama!—tronó el corregidor, fuera de sí.—¿No oye usted que le digo que abra la puerta? ¿No oye usted que soy yo? ¿Quiere usted que la ahorque también?

La ventana volvió a abrirse.

—Pero vamos a ver—expuso el ama.—¿Quién es usted para dar esos gritos?

—¡Soy el corregidor!

—¡Dale, bola! ¿No le digo a usted que el señor corregidor vino antes de las doce y que yo lo vi con mis propios ojos encerrarse en las habitaciones de la señora? ¿Se quiere usted divertir conmigo? ¡Pues espere usted y verá lo que le pasa!

Al mismo tiempo se abrió repentinamente la puerta, y una nube de criados y ministriles, provistos de sendos garrotes, se lanzó sobre los de afuera, exclamando furiosamente:

—¡A ver! ¿Dónde está ese que dice que es el corregidor? ¿Dónde está ese chusco? ¿Dónde está ese borracho?

Y se armó un lío de todos los demonios en medio de la obscuridad, sin que nadie pudiera entenderse, y no dejando de recibir algunos palos el corregidor, Garduña, el señor Juan López y Toñuelo.

Era la segunda paliza que le costaba a don Eugenio su aventura de aquella noche, además del remojón que se dio en el caz del molino.

La señá Frasquita, apartada de aquel laberinto, lloraba por la primera vez de su vida.

—¡Lucas! ¡Lucas!—decía.—¡Y has podido dudar de mí! ¡Y has podido estrechar en tus brazos a otra! ¡Ah! ¡Nuestra desventura no tiene ya remedio!

armarse *to start up*
chusco *fool*
¡Dale, bola! *The same old story!*
laberinto *confusion*

lío *row*
remojón *soaking*
sendos garrotes *each with a club*

29 𝄢 Post nubila . . . Diana

¿QUÉ escándalo es éste?—dijo al fin una voz tranquila, majestuosa y de gracioso timbre, resonando encima de aquella baraúnda.

Todos levantaron la cabeza, y vieron a una mujer vestida de negro, asomada al balcón principal del edificio.

5 —¡La señora!—dijeron los criados, suspendiendo la retreta de palos.

—¡Mi mujer!—tartamudeó don Eugenio.

—Que pasen esos rústicos. El señor corregidor dice que lo permite— agregó la corregidora.

Los criados cedieron el paso, y el de Zúñiga y sus acompañantes penetraron
10 en el portal y tomaron por la escalera arriba.

Ningún reo ha subido al patíbulo con paso tan inseguro y semblante tan demudado como el corregidor subía las escaleras de su casa. Sin embargo, la idea de su deshonra principiaba ya a descollar, con noble egoísmo, por encima de todos los infortunios que había causado y que lo afligían y sobre
15 las demás ridiculeces de la situación en que se hallaba.

—¡Antes que todo—iba pensando,—soy un Zúñiga y un Ponce de León! . . . ¡Ay de aquellos que lo hayan echado en olvido! ¡Ay de mi mujer, si ha mancillado mi nombre!

30 𝄢 Una señora de clase

LA corregidora recibió a su esposo y a la rústica comitiva en el salón
20 principal del corregimiento.

Estaba sola, de pie, y con los ojos clavados en la puerta.

Erase una principalísima dama, bastante joven todavía, de plácida y severa hermosura, más propia del pincel cristiano que del pincel gentílico, y estaba vestida con toda la nobleza y seriedad que consentía el gusto de la época.

¡Ay de aquellos! *Woe to them!*
baraúnda *uproar*
demudado *changed*
descollar *to rise*
gentílico *pagan*
gracioso *pleasing*
mancillar *to cast a stain on*

patíbulo *gallows*
post nubila . . . diana *after the clouds . . . comes the moonlight*
principalísimo *very distinguished*
retreta *tattoo*
timbre *tone*

Su traje, de corta y estrecha falda y mangas huecas y subidas, era de alepín negro; una pañoleta de blonda blanca, algo amarillenta, velaba sus admirables hombros, y larguísimos maniquetes o mitones de tul negro cubrían la mayor parte de sus alabastrinos brazos.   Abanicábase majestuosamente con un pericón enorme, traído de las islas Filipinas, y empuñaba con la otra mano 5 un pañuelo de encaje, cuyos cuatro picos colgaban simétricamente con una regularidad sólo comparable a la de su actitud y menores movimientos.

Aquella hermosa mujer tenía algo de reina y mucho de abadesa, e infundía por ende veneración y miedo a cuantos la miraban.   Por lo demás, el atildamiento de su traje a semejante hora, la gravedad de su continente y las muchas 10 luces que alumbraban el salón, demostraban que la corregidora se había esmerado en dar a aquella escena una solemnidad teatral y un tinte ceremonioso que contrastasen con el carácter villano y grosero de la aventura de su marido.

Advertiremos, finalmente, que aquella señora se llamaba doña Mercedes 15 Carrillo de Albornoz y Espinosa de los Monteros, y que era hija, nieta, biznieta, tataranieta y hasta vigésima nieta de la ciudad, como descendiente de sus ilustres conquistadores.   Su familia, por razones de vanidad mundana, la había inducido a casarse con el viejo y acaudalado corregidor, y ella, que de otro modo hubiera sido monja, pues su vocación natural la iba llevando 20 al claustro, consintió en aquel doloroso sacrificio.

A la sazón tenía ya dos vástagos del arriscado madrileño, y aún se susurraba que había otra vez moros en la costa.

Conque volvamos a nuestro cuento.

abadesa *abbess*
abanicar *to fan*
acaudalado *wealthy*
alepín *bombazine (kind of cloth)*
arriscado *dashing*
atildamiento *correctness*
biznieta *great-granddaughter*
blonda *lace*
continente *bearing*
doloroso *painful*
encaje *lace*
esmerar *to take pains*
hueco *puffed*
maniquete *glove*

mitón *mitten*
otra vez . . . costa *another child on the way*
pañoleta *kerchief*
pericón *large fan*
por ende *therefore*
subido *short*
susurrarse *to whisper*
tataranieta *great-great-granddaughter*
tinte *appearance*
tul *tulle*
vástagos *children*
velar *to veil*
vigésimo *twentieth*

31 𝄢 La pena del talión

¡MERCEDES!—exclamó el corregidor al comparecer delante de su esposa.—
Necesito saber inmediatamente . . .

—¡Hola, tío Lucas! ¿Usted por aquí?—dijo la corregidora, interrumpién-
dole.—¿Ocurre alguna desgracia en el molino?

5 —¡Señora, no estoy para chanzas!—repuso el corregidor hecho una fiera.
—Antes de entrar en explicaciones por mi parte, necesito saber qué ha sido
de mi honor.

—¡Esa no es cuenta mía! ¿Acaso me lo ha dejado usted a mí en depósito?

—Sí, señora. ¡A usted!—replicó don Eugenio.—¡Las mujeres son de
10 positarias del honor de sus maridos!

—Pues entonces, mi querido tío Lucas, pregúntele usted a su mujer.
Precisamente nos está escuchando.

La señá Frasquita, que se había quedado a la puerta del salón, lanzó una
especie de rugido.

15 —Pase usted, señora, y siéntese—añadió la corregidora, dirigiéndose a la
molinera con dignidad soberana.

Y, por su parte, encaminóse al sofá.

La generosa navarra supo comprender desde luego toda la grandeza de
la actitud de aquella esposa injuriada, e injuriada acaso doblemente. Así
20 es que, alzándose en el acto a igual altura, dominó sus naturales ímpetus, y
guardó un silencio decoroso. Esto sin contar con que la señá Frasquita,
segura de su inocencia y de su fuerza, no tenía prisa de defenderse. Teníala,
sí, de acusar; y mucha; pero no ciertamente a la corregidora. ¡Con quien
ella deseaba ajustar cuentas era con el tío Lucas, y el tío Lucas no estaba allí!

25 —Señá Frasquita—repitió la noble dama, al ver que la molinera no se
había movido de su sitio,—le he dicho a usted que puede pasar y sentarse.

Esta segunda indicación fue hecha con voz más afectuosa y sentida que la
primera. Dijérase que la corregidora había adivinado también por instinto,
al fijarse en el reposado continente y en la varonil hermosura de aquella
30 mujer, que no iba a habérselas con un ser bajo y despreciable, sino quizá
más bien con otra infortunada como ella; ¡infortunada, sí, por el solo hecho
de haber conocido al corregidor!

---

chanza *joke*   habérselas con *to have to deal with*

Cruzaron, pues, sendas miradas de paz y de indulgencia aquellas dos mujeres que se consideraban dos veces rivales, y notaron con gran sorpresa que sus almas se aplacieron la una en la otra, como dos hermanos que se reconocen.

No de otro modo se divisan y saludan a lo lejos las castas nieves de las 5 encumbradas montañas.

Saboreando estas dulces emociones, la molinera entró majestuosamente en el salón, y se sentó en el filo de una silla.

A su paso por el molino, previendo que en la ciudad tendría que hacer visitas de importancia, se había arreglado un poco y puéstose una mantilla 10 de franela negra, con grandes felpones, que le sentaba divinamente. Parecía toda una señora.

Por lo que toca al corregidor, dicho se está que había guardado silencio durante aquel episodio. El rugido de la señá Frasquita y su aparición en la escena no habían podido menos de sobresaltarlo. ¡Aquella mujer le causaba 15 ya más terror que la suya propia!

—Conque vamos, tío Lucas,—prosiguió doña Mercedes, dirigiéndose a su marido.—Ahí tiene usted a la señá Frasquita. ¡Puede usted volver a formular su demanda! ¡Puede usted preguntarle aquello de su honra!

—Mercedes, ¡por los clavos de Cristo!—gritó el corregidor.—¡Mira que 20 tú no sabes de lo que soy capaz! ¡Nuevamente te conjuro a que dejes la broma y me digas todo lo que ha pasado aquí durante mi ausencia! ¿Dónde está ese hombre?

—¿Quién? ¿Mi marido? Mi marido se está levantando, y ya no puede tardar en venir.   25

—¡Levantándose!—bramó don Eugenio.

—¿Se asombra usted? ¿Pues dónde quería usted que estuviese a estas horas un hombre de bien, sino en su casa, en su cama, y durmiendo con su legítima consorte, como manda Dios?

—¡Merceditas! ¡Ve lo que te dices! ¡Repara en que nos están oyendo! 30 ¡Repara en que soy el corregidor!

—¡A mí no me dé usted voces, tío Lucas, o mandaré a los alguaciles que lo lleven a la cárcel!—replicó la corregidora, poniéndose de pie.

—¡Yo a la cárcel! ¡Yo! ¡El corregidor de la ciudad!

---

aplacerse *to take pleasure*
felpón *fringe*
filo *edge*
franela *flannel*

saborear *to enjoy*
sendas miradas *mutual glances*
sobresaltar *to startle*

—El corregidor de la ciudad, el representante de la justicia, el apoderado
del rey—repuso la gran señora con una severidad y una energía que ahogaron
la voz del fingido molinero,—llegó a su casa a la hora debida, a descansar
de las nobles tareas de su oficio, para seguir mañana amparando la honra y
5 la vida de los ciudadanos, la santidad del hogar y el recato de las mujeres,
impidiendo de este modo que nadie pueda entrar, disfrazado de corregidor
ni de ninguna otra cosa, en la alcoba de la mujer ajena; que nadie pueda
sorprender a la virtud en su descuidado reposo; que nadie pueda abusar de
su casto sueño . . .

10 —¡Merceditas! ¿Qué es lo que profieres?—silbó el corregidor con labios
y encías.—¡Si es verdad que ha pasado eso en mi casa, diré que eres una
pícara, una pérfida, una licenciosa!

—¿Con quién habla este hombre?—prorrumpió la corregidora desdeñosamente, y paseando la vista por todos los circunstantes.—¿Quién es este loco?
15 ¿Quién es este ebrio? ¡Ni siquiera puedo ya creer que sea un honrado moli-

apoderado *representative*   recato *honor*
proferir *to say*   tarea *duty*

nero como el tío Lucas, a pesar de que viste su traje de villano! Señor Juan López, créame usted—continuó, encarándose con el alcalde de monterilla, que estaba aterrado,—mi marido, el corregidor de la ciudad, llegó a esta su casa hace dos horas, con su sombrero de tres picos, su capa de grana, su espadín de caballero y su bastón de autoridad. Los criados y alguaciles que 5 me escuchan se levantaron, y lo saludaron al verlo pasar por el portal, por la escalera y por el recibimiento. Cerráronse en seguida todas las puertas, y desde entonces no ha penetrado nadie en mi hogar hasta que llegaron ustedes. ¿Es esto cierto? Responded vosotros.

—¡Es verdad! ¡Es muy verdad!—contestaron la nodriza, los domésticos 10 y los ministriles, todos los cuales, agrupados a la puerta del salón, presenciaban aquella singular escena.

—¡Fuera de aquí todo el mundo!—gritó don Eugenio, echando espumarajos de rabia.—¡Garduña! ¡Garduña! ¡Ven y prende a estos viles que me están faltando al respeto! ¡Todos a la cárcel! ¡Todos a la horca!   15

Garduña no parecía por ningún lado.

—Además, señor,—continuó doña Mercedes, cambiando de tono y dignándose ya mirar a su marido y tratarle como a tal, temerosa de que las chanzas llegaran a irremediables extremos,—supongamos que usted es mi esposo. Supongamos que usted es don Eugenio de Zúñiga y Ponce de León. 20

—¡Lo soy!

—Supongamos, además, que me cupiese alguna culpa en haber tomado por usted al hombre que penetró en mi alcoba vestido de corregidor.

—¡Infames!—gritó el viejo, echando mano a la espada, y encontrándose sólo con el sitio o sea con la faja del molinero murciano.   25

La navarra se tapó el rostro con un lado de la mantilla para ocultar las llamaradas de sus celos.

—Supongamos todo lo que usted quiera—continuó doña Mercedes con una impasibilidad inexplicable.—Pero dígame usted ahora, señor mío: ¿Tendría derecho a quejarse? ¿Podría usted acusarme como fiscal? ¿Podría 30 usted sentenciarme como juez? ¿Viene usted acaso del sermón? ¿Viene usted de confesar? ¿Viene usted de oír misa? ¿O de dónde viene usted con ese traje? ¿De dónde viene usted con esa señora? ¿Dónde ha pasado usted la mitad de la noche?

—Con permiso,—exclamó la señá Frasquita, poniéndose de pie como 35 empujada por un resorte, y atravesándose arrogantemente entre la corregidora y su marido.

---

aterrado *terrified*   echar espumarajos *to foam at the mouth*
ebrio *drunkard*   fiscal *public prosecutor*

Este, que iba a hablar, se quedó con la boca abierta al ver que la navarra entraba en fuego.

Pero doña Mercedes se anticipó, y dijo:

—Señora, no se fatigue usted en darme a mí explicaciones. ¡Yo no se las
5 pido a usted, ni mucho menos! Allí viene quien puede pedírselas a justo título. ¡Entiéndase usted con él!

Al mismo tiempo se abrió la puerta de un gabinete, y apareció en ella el tío Lucas, vestido de corregidor de pies a cabeza, y con bastón, guantes y espadín, como si se presentase en las salas de cabildo.

32 ♪ La fe mueve las montañas

10 TENGAN ustedes muy buenas noches,—pronunció el recién llegado, quitándose el sombrero de tres picos, y hablando con la boca sumida, como solía don Eugenio de Zúñiga.

En seguida se adelantó por el salón, balanceándose en todos sentidos, y fue a besar la mano de la corregidora.

15 Todos se quedaron estupefactos. El parecido del tío Lucas con el verdadero corregidor era maravilloso.

Así es que la servidumbre, y hasta el mismo señor Juan López, no pudieron contener una carcajada.

Don Eugenio sintió aquel nuevo agravio, y se lanzó sobre el tío Lucas
20 como un basilisco.

Pero la señá Frasquita metió el montante, apartando al corregidor con el brazo de marras, y su señoría, en evitación de otra voltereta y del consiguiente ludibrio, se dejó atropellar sin decir oxte ni moxte. Estaba visto que aquella mujer había nacido para domadora del pobre viejo.

25 El tío Lucas se puso más pálido que la muerte al ver que su mujer se le acercaba; pero luego se dominó, y, con una risa tan horrible que tuvo que llevarse la mano al corazón para que no se le hiciese pedazos, dijo, remedando siempre al corregidor:

—¡Dios te guarde, Frasquita! ¿Le has enviado ya a tu sobrino el nombra-
30 miento?

de marras *afore-mentioned*
domadura *tamer*
estupefacto *dumfounded*
evitación *avoidance*
fatigarse *to bother*
ludibrio *derision*

meter el montante *to separate the adversaries*
ni mucho menos *far from it*
parecido *resemblance*
remedar *to imitate*
voltereta *tumble*

¡Hubo que ver entonces a la navarra! Tiróse la mantilla atrás, levantó la frente con soberanía de leona, y, clavando en el falso corregidor dos ojos como dos puñales:

—¡Te desprecio, Lucas!—le dijo en mitad de la cara.

Todos creyeron que le había escupido.   5

¡Tal gesto, tal ademán y tal tono de voz acentuaron aquella frase!

El rostro del molinero se transfiguró al oír la voz de su mujer. Una especie de inspiración, semejante a la de la fe religiosa, había penetrado en su alma, inundándola de luz y de alegría. Así es que, olvidándose por un momento de cuanto había visto y creído ver en el molino, exclamó, con las lágrimas 10 en los ojos y la sinceridad en los labios:

—¿Conque tú eres mi Frasquita?

—¡No!—respondió la navarra fuera de sí.—¡Yo no soy ya tu Frasquita! Yo soy . . . ¡Pregúntaselo a tus hazañas de esta noche, y ellas te dirán lo que has hecho del corazón que tanto te quería!   15

Y se echó a llorar, como una montaña de hielo que se hunde y principia a derretirse.

La corregidora se adelantó hacia ella sin poder contenerse, y la estrechó en sus brazos con el mayor cariño.

La señá Frasquita se puso entonces a besarla, sin saber tampoco lo que 20 se hacía, diciéndole entre sus sollozos, como una niña que busca amparo en su madre:

—¡Señora, señora! ¡Qué desgraciada soy!

—¡No tanto como usted se figura!—contestábale la corregidora, llorando también generosamente.   25

—¡Yo sí que soy desgraciado!—gemía al mismo tiempo el tío Lucas, andando a puñetazos con sus lágrimas, como avergonzado de verterlas.

—Pues ¿y yo?—prorrumpió al fin don Eugenio, sintiéndose ablandado por el contagioso lloro de los demás, o esperando salvarse también por la vía húmeda; quiero decir, por la vía del llanto.—¡Ah, yo soy un pícaro! ¡un 30 monstruo! ¡un calavera deshecho, que ha llevado su merecido!

Y rompió a berrear tristemente, abrazado a la barriga del señor Juan López.

Y éste y los criados lloraban de igual manera, y todo parecía concluido, y, sin embargo, nadie se había explicado.   35

acentuar *to accentuate*   escupir *to spit (at)*
andar a puñetazos *to fight back*   soberanía *majesty*
barriga *belly*   verter *to shed*
berrear *to bellow*

33 ♪ Pues ¿y tú?

EL tío Lucas fue el primero que salió a flote en aquel mar de lágrimas. Era que empezaba a acordarse otra vez de lo que había visto por el ojo de la llave.

—¡Señores, vamos a cuentas!—dijo de pronto.

5 —No hay cuentas que valgan, tío Lucas—exclamó la corregidora.—¡Su mujer de usted es una bendita!

—Bien . . ., sí . . .; pero . . .

—¡Nada de pero! Déjela usted hablar, y verá cómo se justifica. Desde que la vi, me dio el corazón que era una santa, a pesar de todo lo que usted me
10 había contado.

—¡Bueno; que hable!—dijo el tío Lucas.

—¡Yo no hablo!—contestó la molinera.—¡El que tiene que hablar eres tú! Porque la verdad es que tú . . .

Y la señá Frasquita no dijo más, por impedírselo el invencible respeto que
15 le inspiraba la corregidora.

— Pues ¿y tú?—respondió el tío Lucas, perdiendo de nuevo toda fe.

—Ahora no se trata de ella—gritó el corregidor, tornando también a sus celos.—¡Se trata de usted y de esta señora! ¡Ah, Merceditas! ¿Quién había de decirme que tú . . .?

20 —Pues ¿y tú?—repuso la corregidora, midiéndolo con la vista.

Y durante algunos momentos, los dos matrimonios repitieron cien veces las mismas frases:

—¿Y tú?

—Pues ¿y tú?

25 —¡Vaya que tú!

—¡No, que tú!

—Pero ¿cómo has podido tú? . . .

Etc., etc., etc.

La cosa hubiera sido interminable, si la corregidora, revistiéndose de
30 dignidad, no dijese por último a don Eugenio:

—¡Mira, cállate tú ahora! Nuestra cuestión particular la ventilaremos más adelante. Lo que urge en este momento es devolver la paz al corazón del

---

bendita *saint*
medir . . . vista *measure with the eyes*
revistiéndose de dignidad *assuming a dignified
  attitude again*

salir a flote *to come to the surface*
Vamos a cuentas *Let's get this business straightened out*
ventilar *to discuss*

tío Lucas, cosa muy fácil, a mi juicio; pues allí distingo al señor Juan López y a Toñuelo, que están saltando por justificar a la señá Frasquita.

—¡Yo no necesito que me justifiquen los hombres!—respondió ésta.— Tengo dos testigos de mayor crédito, a quienes no se dirá que he seducido ni sobornado. 5

—Y ¿dónde están?—preguntó el molinero.

—Están abajo, en la puerta.

—Pues diles que suban, con permiso de esta señora.

—Las pobres no podrían subir.

—¡Ah! ¡Son dos mujeres! ¡Vaya un testimonio fidedigno! 10

—Tampoco son dos mujeres. Sólo son dos hembras.

—¡Peor que peor! ¡Serán dos niñas! Hazme el favor de decirme sus nombres.

—La una se llama Piñona y la otra Liviana.

—¡Nuestras dos burras! Frasquita, ¿te estás riendo de mí? 15

—No, que estoy hablando muy formal. Yo puedo probarte, con el testimonio de nuestras burras, que no me hallaba en el molino cuando tú viste en él al señor corregidor.

—¡Por Dios te pido que te expliques!

—¡Oye, Lucas! . . ., y muérete de vergüenza por haber dudado de mi 20 honradez. Mientras tú ibas esta noche desde el lugar a nuestra casa, yo me dirigía desde nuestra casa al lugar, y, por consiguiente, nos cruzamos en el camino. Pero tú marchabas fuera de él, o, por mejor decir, te habías detenido a echar unas yescas en medio de un sembrado.

—¡Es verdad que me detuve! Continúa. 25

—En esto rebuznó tu borrica.

—¡Justamente! ¡Ah, qué feliz soy! ¡Habla, habla; que cada palabra tuya me devuelve un año de vida!

—Y a aquel rebuzno le contestó otro en el camino.

—¡Oh! sí . . . sí . . . ¡Bendita seas! ¡Me parece estarlo oyendo! 30

—Eran Liviana y Piñona, que se habían reconocido y se saludaban como buenas amigas, mientras que nosotros dos ni nos saludamos ni nos reconocimos.

—¡No me digas más! ¡No me digas más!

—Tan no nos reconocimos—continuó la señá Frasquita,—que los dos nos 35 asustamos y salimos huyendo en direcciones contrarias. ¡Conque ya ves

---

cruzarse *to pass each other*   fidedigno *trustworthy*
están saltando por justificar *can hardly wait to*   formal *seriously*
   testify in favor of   sobornar *to bribe*

que yo no estaba en el molino! Si quieres saber ahora por qué encontraste
al señor corregidor en nuestra cama, tienta esas ropas que llevas puestas, y
que todavía estarán húmedas, y te lo dirán mejor que yo. ¡Su señoría se
cayó en el caz del molino, y Garduña lo desnudó y lo acostó allí! Si quieres
5 saber por qué abrí la puerta, fue porque creí que eras tú el que se ahogaba y
me llamaba a gritos. Y, en fin, si quieres saber lo del nombramiento . . .
Pero no tengo más que decir por la presente. Cuando estemos solos, te
enteraré de ese y otros particulares, que no debo referir delante de esta señora.

—¡Todo lo que ha dicho la señá Frasquita es la pura verdad!—gritó el
10 señor Juan López, deseando congraciarse con doña Mercedes, visto que ella
imperaba en el corregimiento.

—¡Todo! ¡Todo!—añadió Toñuelo, siguiendo la corriente de su amo.

—¡Hasta ahora, todo!—agregó el corregidor, muy complacido de que las
explicaciones de la navarra no hubieran ido más lejos.

15 —¡Conque eres inocente!—exclamaba en tanto el tío Lucas, rindiéndose a
la evidencia.—¡Frasquita mía, Frasquita de mi alma! ¡Perdóname la injusticia, y deja que te dé un abrazo!

—Esa es harina de otro costal—contestó la molinera, hurtando el cuerpo.
—Antes de abrazarte, necesito oír tus explicaciones.

20 —Yo las daré por él y por mí—dijo doña Mercedes.

— ¡Hace una hora que las estoy esperando!—profirió el corregidor, tratando de erguirse.

—Pero no las daré—continuó la corregidora, volviendo la espalda desdeñosamente a su marido—hasta que estos señores hayan descambiado vesti-
25 mentas; y, aun entonces, se las daré tan sólo a quienes merezcan oírlas.

—Vamos . . . Vamos a descambiar—díjole el murciano a don Eugenio,
alegrándose mucho de no haberlo asesinado, pero mirándolo todavía con un
odio verdaderamente morisco.—¡El traje de vuestra señoría me ahoga!
¡He sido muy desgraciado mientras lo he tenido puesto!

30 —¡Porque no lo entiendes!—respondióle el corregidor.—¡Yo estoy, en
cambio, deseando ponérmelo, para ahorcarte a ti y a medio mundo, si no
me satisfacen las exculpaciones de mi mujer!

La corregidora, que oyó estas palabras, tranquilizó a la reunión con una
suave sonrisa, propia de aquellos afanados ángeles cuyo ministerio es guardar
35 a los hombres.

---

afanado *patient*   harina de otro costal *a different matter*
congraciarse *to ingratiate oneself*   hurtar el cuerpo *to withdraw*
erguirse *to straighten up*   llevar puesto *to have on* (*clothes*)
exculpación *explanation*   tentar *to feel*

34 ⸱ *También la corregidora es guapa*

SALIDO que hubieron de la sala el corregidor y el tío Lucas, sentóse de
nuevo la corregidora en el sofá; colocó a su lado a la señá Frasquita, y,
dirigiéndose a los domésticos y ministriles que obstruían la puerta, les dijo
con afable sencillez:

—¡Vaya, muchachos! Contad ahora vosotros a esta excelente mujer todo 5
lo malo que sepáis de mí.

Avanzó el cuarto estado, y diez voces quisieron hablar a un mismo tiempo;
pero el ama de leche, como la persona que más alas tenía en la casa, impuso
silencio a los demás, y dijo de esta manera:

—Ha de saber usted, señá Frasquita, que estábamos yo y mi señora esta 10
noche al cuidado de los niños, esperando a ver si venía el amo y rezando el
tercer rosario para hacer tiempo (pues la razón traída por Garduña había
sido que andaba el señor corregidor detrás de unos facinerosos muy terribles,
y no era cosa de acostarse hasta verlo entrar sin novedad), cuando sentimos
ruido de gente en la alcoba inmediata, que es donde mis señores tienen su 15
cama de matrimonio. Cogimos la luz, muertas de miedo, y fuimos a ver
quién andaba en la alcoba, cuando ¡ay, Virgen del Carmen!, al entrar, vimos
que un hombre, vestido como mi señor, pero que no era él (¡como que era
su marido de usted!), trataba de esconderse debajo de la cama. "¡Ladrones!"
principiamos a gritar desaforadamente, y un momento después la habitación 20
estaba llena de gente, y los alguaciles sacaban arrastrando de su escondite al
fingido corregidor. Mi señora, que, como todos, había reconocido al tío
Lucas, y que lo vio con aquel traje, temió que hubiese matado al amo, y
empezó a dar unos lamentos que partían las piedras. "¡A la cárcel! ¡A la
cárcel!" decíamos entre tanto los demás. "¡Ladrón! ¡Asesino!" era la mejor 25
palabra que oía el tío Lucas; y así es que estaba como un difunto, arrimado
a la pared, sin decir esta boca es mía. Pero, viendo luego que se lo llevaban
a la cárcel, dijo . . . lo que voy a repetir, aunque verdaderamente mejor sería
para callado: "Señora, yo no soy ladrón ni asesino; el ladrón y el asesino
. . . de mi honra está en mi casa, acostado con mi mujer." 30

—¡Pobre Lucas!—suspiró la señá Frasquita.

—¡Pobre de mí!—murmuró la corregidora tranquilamente.

---

cuarto estado *servants*　　　　　　　　facineroso *criminal*
desaforadamente *wildly*　　　　　　　lamento *wail*
difunto *dead man*　　　　　　　　　　tener alas *to have authority*

—Eso dijimos todos. "¡Pobre tío Lucas y pobre señora!" Porque . . .
la verdad, señá Frasquita, ya teníamos idea de que mi señor había puesto
los ojos en usted . . ., y, aunque nadie se figuraba que usted . . .

—¡Ama!—exclamó severamente la corregidora.—¡No siga usted por ese
5 camino!

—Continuaré yo por el otro—dijo un alguacil, aprovechando aquella
coyuntura para apoderarse de la palabra.—El tío Lucas (que nos engañó
de lo lindo con su traje y su manera de andar cuando entró en la casa, tanto
que todos lo tomamos por el señor corregidor) no había venido con muy
10 buenas intenciones que digamos, y si la señora no hubiera estado levantada,
figúrese usted lo que habría sucedido.

—¡Vamos! ¡Cállate tú también!—interrumpió la cocinera.—¡No estás
diciendo más que tonterías! Pues, sí, señá Frasquita, el tío Lucas, para
explicar su presencia en la alcoba de mi ama, tuvo que confesar las intenciones
15 que traía. ¡Por cierto que la señora no se pudo contener al oírlo, y le arrimó
una bofetada en medio de la boca, que le dejó la mitad de las palabras dentro
del cuerpo! Yo misma lo llené de insultos y denuestos, y quise sacarle los
ojos. Porque ya conoce usted, señá Frasquita, que, aunque sea su marido
de usted, eso de venir con sus manos lavadas . . .

20 —¡Eres una bachillera!—gritó el portero, poniéndose delante de la oradora.

—¿Qué más hubieras querido tú? En fin, señá Frasquita; óigame usted a mí,
y vamos al asunto. La señora hizo y dijo lo que debía; pero luego, calmado
ya su enojo, compadecióse del tío Lucas y paró mientes en el mal proceder
del señor corregidor, viniendo a pronunciar estas o parecidas palabras:
25 "Por infame que haya sido su pensamiento de usted, tío Lucas, y aunque
nunca podré perdonar tanta insolencia, es menester que su mujer de usted
y mi esposo crean durante algunas horas que han sido cogidos en sus propias
redes, y que usted, auxiliado por ese disfraz, les ha devuelto afrenta por
afrenta. ¡Ninguna venganza mejor podemos tomar de ellos que este engaño,
30 tan fácil de desvanecer cuando nos acomode!" Adoptada tan graciosa resolución, la señora y el tío Lucas nos aleccionaron a todos de lo que teníamos
que hacer y decir cuando volviese su señoría; y por cierto que yo le he pegado
a Sebastián Garduña tal palo en la rabadilla, que creo no se le olvidará en
mucho tiempo la noche de San Simón y San Judas.

afrenta *insult*   de lo lindo *nicely*
aleccionar *to instruct*   denuesto *abuse*
arrimar una bofetada *to hit*   parar mientes *to consider*
auxiliado *aided*   que digamos *so to speak*
con sus manos lavadas *with evil intent*   rabadilla *rump*
compadecerse *to take pity on*   red *net*

Cuando el portero dejó de hablar, ya hacía rato que la corregidora y la molinera cuchicheaban al oído, abrazándose y besándose a cada momento, y no pudiendo en ocasiones contener la risa.

¡Lástima que no se oyera lo que hablaban! Pero el lector se lo figurará sin gran esfuerzo; y, si no el lector, la lectora.   5

35 ⸿ Decreto imperial

REGRESARON en esto a la sala el corregidor y el tío Lucas, vestido cada cual con su propia ropa.

—¡Ahora me toca a mí!—entró diciendo el insigne don Eugenio de Zúñiga.

Y, después de dar en el suelo un par de bastonazos como para recobrar 10 su energía (a guisa de Anteo oficial, que no se sentía fuerte hasta que su caña de Indias tocaba en la Tierra), díjole a la corregidora con un énfasis y una frescura indescriptibles:

—¡Merceditas, estoy esperando tus explicaciones!

Entretanto, la molinera se había levantado y le tiraba al tío Lucas un 15 pellizco de paz, que le hizo ver estrellas, mirándolo al mismo tiempo con desenojados y hechiceros ojos.

El corregidor, que observara aquella pantomima, quedóse hecho una pieza, sin acertar a explicarse una reconciliación tan inmotivada.

Dirigióse, pues, de nuevo a su mujer, y le dijo, hecho un vinagre: 20

—¡Señora! ¡Todos se entienden menos nosotros! Sáqueme usted de dudas. ¡Se lo mando como marido y como corregidor!

Y dio otro bastonazo en el suelo.

—¿Conque se marcha usted?—exclamó doña Mercedes, acercándose a la señá Frasquita y sin hacer caso de don Eugenio.—Pues vaya usted descuidada, 25 que este escándalo no tendrá ningunas consecuencias. ¡Rosa!, alumbra a estos señores, que dicen que se marchan. Vaya usted con Dios, tío Lucas.

desenojado *appeased*   hecho una pieza *dumbfounded*
hechicero *bewitching*

—¡Oh, no!—gritó el de Zúñiga, interponiéndose.—¡Lo que es el tío Lucas
no se marcha! ¡El tío Lucas queda arrestado hasta que sepa yo toda la
verdad! ¡Hola, alguaciles! ¡Favor al Rey!

Ni un solo ministro obedeció a don Eugenio. Todos miraban a la corregi-
5 dora.

—¡A ver, hombre! ¡Deja el paso libre!—añadió ésta, pasando casi sobre
su marido, y despidiendo a todo el mundo con la mayor finura; es decir,
con la cabeza ladeada, cogiéndose la falda con la punta de los dedos, y
agachándose graciosamente, hasta completar la reverencia que a la sazón
10 estaba de moda, y que se llamaba *la pompa*.

—Pero yo . . . Pero tú . . . Pero nosotros . . . Pero aquéllos . . .—seguía
mascujando el vejete, tirándole a su mujer del vestido y perturbando sus
cortesías mejor iniciadas.

¡Inútil afán! ¡Nadie hacía caso de su señoría!

15 Marchado que se hubieron todos, y solos ya en el salón los desavenidos
cónyuges, la corregidora se dignó al fin decirle a su esposo, con el acento que
hubiera empleado una czarina de todas las Rusias para fulminar sobre un
ministro caído la orden de perpetuo destierro a la Siberia.

—Mil años que vivas, ignorarás lo que ha pasado esta noche en mi alcoba.
20 Si hubieras estado en ella, como era regular, no tendrías necesidad de pregun-
társelo a nadie. Por lo que a mí toca, no hay, ya, ni habrá jamás, razón
ninguna que me obligue a satisfacerte; pues te desprecio de tal modo, que si
no fueras el padre de mis hijos, te arrojaría ahora mismo por ese balcón,
como te arrojo para siempre de mi dormitorio. Conque, buenas noches,
25 caballero.

Pronunciadas estas palabras, que don Eugenio oyó sin pestañear (pues lo
que es a solas no se atrevía con su mujer), la corregidora penetró en el
gabinete, y del gabinete pasó a la alcoba, cerrando las puertas detrás de sí;
y el pobre hombre se quedó plantado en medio de la sala, murmurando entre
30 encías (que no entre dientes) y con un cinismo de que no habrá habido otro
ejemplo:

—¡Pues, señor, no esperaba yo escapar tan bien! ¡Garduña me buscará
acomodo!

---

acomodo *arrangement (another girl)*   finura *courtesy*
¡Deja el paso libre! *Step aside!*   mascujar *to mumble*
destierro *exile*   pestañear *to blink*

36 ⸙ Conclusión, moraleja y epílogo

PIABAN los pajarillos saludando el alba, cuando el tío Lucas y la señá Frasquita salían de la ciudad con dirección a su molino.

Los esposos iban a pie, y delante de ellos caminaban apareadas las dos burras.

—El domingo tienes que ir a confesar—le decía la molinera a su marido,— 5 pues necesitas limpiarte de todos tus malos juicios y criminales propósitos de esta noche.

—Has pensado muy bien—contestó el molinero.—Pero tú, entretanto, vas a hacerme otro favor, y es dar a los pobres los colchones y ropa de nuestra cama, y ponerla toda de nuevo. ¡Yo no me acuesto donde ha sudado aquel 10 bicho venenoso!

—¡No me lo nombres, Lucas!—replicó la señá Frasquita.—Conque hablemos de otra cosa. Quisiera merecerte un segundo favor.

—Pide por esa boca.

—El verano que viene vas a llevarme a tomar los baños del Solán de Cabras. 15

—¿Para qué?

—Para ver si tenemos hijos.

—¡Felicísima idea! Te llevaré, si Dios nos da vida.

bicho venenoso *poisonous vermin*   moraleja *moral*
colchón *mattress*

Y con esto llegaron al molino, a punto que el sol, sin haber salido todavía, doraba ya las cúspides de las montañas.

. . . .

A la tarde, con gran sorpresa de los esposos, que no esperaban nuevas visitas de altos personajes después de un escándalo como el de la precedente
5 noche, concurrió al molino más señorío que nunca. El venerable prelado, muchos canónigos, el jurisconsulto, dos priores de frailes y otras varias personas (que luego se supo habían sido convocadas allí por su señoría ilustrísima) ocuparon materialmente la plazoletilla del emparrado.

Sólo faltaba el corregidor.
10 Una vez reunida la tertulia, el señor obispo tomó la palabra, y dijo que, por lo mismo que habían pasado ciertas cosas en aquella casa, sus canónigos y él seguirían yendo a ella lo mismo que antes, para que ni los honrados molineros ni las demás personas allí presentes participasen de la censura pública, sólo merecida por aquel que había profanado con su torpe conducta
15 una reunión tan morigerada y tan honesta. Exhortó paternalmente a la señá Frasquita para que en lo sucesivo fuese menos provocativa y tentadora en sus dichos y ademanes, y procurase llevar más cubiertos los brazos y más alto el escote del jubón; aconsejó al tío Lucas más desinterés, mayor circunspección y menos inmodestia en su trato con los superiores; y acabó
20 dando la bendición a todos y diciendo que, como aquel día no ayunaba, se comería con mucho gusto un par de racimos de uvas.

Lo mismo opinaron todos respecto de este último particular, y la parra se quedó temblando aquella tarde. ¡En dos arrobas de uvas apreció el gasto el molinero!

. . . .

25 Cerca de tres años continuaron estas sabrosas reuniones, hasta que, contra la previsión de todo el mundo, entraron en España los ejércitos de Napoleón y se armó la Guerra de la Independencia.

El señor obispo, el magistral y el penitenciario murieron el año de 8, y el abogado y los demás contertulios en los de 9, 10, 11 y 12, por no poder
30 sufrir la vista de los franceses, polacos y otras alimañas que invadieron aquella tierra, ¡y que fumaban en pipa, en el presbiterio de las iglesias, durante la misa de la tropa!

---

alimañas *riffraff*	jurisconsulto *counsellor*
concurrir *to assemble*	misa de la tropa *regimental mass*
cúspide *peak*	morigerado *well-bred*
dorar *to gild*	previsión *expectation*
en lo sucesivo *in the future*	torpe *base*

El corregidor, que nunca más tornó al molino, fue destituído por un mariscal francés, y murió en la cárcel de corte, por no haber querido ni un solo instante (dicho sea en honra suya) transigir con la dominación extranjera.

Doña Mercedes no se volvió a casar, y educó perfectamente a sus hijos, retirándose a la vejez a un convento, donde acabó sus días en opinión de santa.

Garduña se hizo afrancesado.

El señor Juan López fue guerrillero, y mandó una partida, y murió, lo mismo que su alguacil, en la famosa batalla de Baza, después de haber matado muchísimos franceses.

Finalmente, el tío Lucas y la señá Frasquita (aunque no llegaron a tener hijos, a pesar de haber ido al Solán de Cabras y de haber hecho muchos votos y rogativas) siguieron siempre amándose del propio modo, y alcanzaron una edad muy avanzada, viendo desaparecer el absolutismo en 1812 y 1820, y reaparecer en 1814 y 1823, hasta que, por último, se estableció de veras el sistema constitucional a la muerte del rey absoluto, y ellos pasaron a mejor vida (precisamente al estallar la Guerra Civil de los siete años), sin que los sombreros de copa que ya usaba todo el mundo pudiesen hacerles olvidar aquellos tiempos simbolizados por el sombrero de tres picos.

F I N

destituir *to dismiss from office*
estallar *to break out*
mariscal *marshall*
partida *troop of soldiers*

rogativa *prayer*
sombrero de copa *top hat*
transigir *to compromise*

El sombrero de tres picos

PREPARACIÓN Y EJERCICIOS

El sombrero de tres picos

(*Prefacio, Páginas 150–152*)

PREPARACIÓN

COGNATES

admirar	forma	occidental	texto
aventura	inocencia	presente	trascendental
carácter	literatura	primitivo	versión
diferente	motivo	público	verso
diverso	nacional	relativo	visita
dramático	natural	rústico	
filósofo	ocasión	servir	

IDIOM DRILL

1. *acabar de*   He has just arrived.
2. *con motivo de*   There was a fiesta in connection with her marriage.
3. *hacer papel*   He did not play much part in the ceremony.
4. *hace . . . años*   This happened more than ten years ago.
5. *hacerse*   These stories never become more respectable (*decentes*).
6. *poner al corriente*   They brought me up to date on what had happened.
7. *ponerse colorado*   The girls blushed.
8. *por consiguiente*   Consequently, he didn't say anything.
9. *servir de*   This story serves as a basis for the novel.
10. *tener razón*   I think that he is right.
11. *tocarle a uno*   It is my turn now.

EJERCICIOS

A. CUESTIONARIO

1. ¿De quién oyó Alarcón esta historieta? **2.** ¿Quién era el rústico que relató esta historieta? **3.** ¿Qué hizo este pastor de cabras con motivo de un bautismo o una boda? **4.** ¿Por qué se pusieron coloradas las chicas casaderas? **5.** ¿Por qué quería Alarcón cambiar el título del cuento? **6.** ¿Qué era el título original de esta leyenda?

B. TRADUCCIÓN

1. Many Spaniards have heard the story about the miller's wife and the mayor. **2.** This story is one that a goatherd used to tell at weddings. **3.** Alarcón heard the goatherd tell the story. **4.** The goatherd was a rustic with little education. **5.** On holidays and at weddings the goatherd would recite ballads. **6.** The young girls blushed when they heard the story. **7.** The mothers thought it was an off-color story. **8.** Alarcón said he had heard many different versions. **9.** He wanted to tell it the way it originally was told. **10.** That is why he wrote *El sombrero de tres picos*.

1 ⅔

(*Páginas 153–154*)

PREPARACIÓN

COGNATES

atrociadad	gaceta	municipal	pirámide
comenzar	gracia	nación	ponderar
completamente	héroe	número	privilegio
descendiente	importante	objeto	respectivo
dinastía	Inquisición	obscuro	revolución
Europa	inventar	parte	singularidad
Francia	Italia	península	terminar
gloria	libertad	persona	transfigurar

IDIOM DRILL

1. *en medio de*   He found himself in the middle of everything.
2. *mudar de traje*   The soldier changed his clothes.
3. *la mayor parte*   The mail reached most of the cities.
4. *por lo demás*   Furthermore, the bulletin said nothing about the war.
5. *sin embargo*   However, many of us read it.
6. *tener que ver con*   This has nothing to do with me.
7. *tratarse de*   It is not a question of money.
8. *una vez*   The mail comes only once a week.

EJERCICIOS

A. CUESTIONARIO

1. ¿Quién reinaba en España a principios del siglo diez y nueve? **2.** ¿Qué habían perdido los descendientes de Luis XIV? **3.** ¿Quién era Napoleón? **4.** ¿Cuántas veces por semana llegaba el correo de Madrid a las poblaciones? **5.** ¿Qué clase de noticias llevaba *La Gaceta?* **6.** ¿Cómo vivían los españoles en ese siglo? **7.** ¿Qué son los Pirineos? **8.** ¿Qué era la muralla de la China? **9.** ¿Qué tiene en común el Pirineo y la muralla de la China? **10.** ¿Cuáles países eran las potencias del norte?

B. TRADUCCIÓN

1. Napoleon was the son of an obscure lawyer. **2.** He was the victor in many battles. **3.** He placed Charlemagne's crown on his own head. **4.** He created and suppressed whole nations. **5.** The mail arrived from Madrid once each week. **6.** The newspaper was called the *Gazette.* **7.** Most Spaniards continued to live in the old Spanish fashion. **8.** The Spaniards did not believe that Napoleon would invade Spain. **9.** At this time Spaniards had to pay more than fifty different taxes. **10.** The Pyrenees had become another Chinese wall for Spain.

2 $\overset{?}{\circ}$

(*Página 155*)

PREPARACIÓN

COGNATES

chocolate	generalidad	sociedad
clase	historia	tradición
comedia	humano	uniformidad
continuar	poeta	uso
drama	posesión	variedad
entrar	prosaico	
especialmente	rosario	

IDIOM DRILL

1. *a las nueve*   They have breakfast at nine.
2. *asistir a*   My friends attended mass.
3. *dormir la siesta*   They take a nap after lunch.
4. *en vez de*   He wrote a comedy instead of a drama.
5. *entre dos luces*   They left the city at twilight.
6. *por ejemplo*   For example, they never get up early.

EJERCICIOS

A. CUESTIONARIO

1. ¿En qué parte de España está Andalucía? 2. ¿Cuál es la ciudad más grande de Andalucía? 3. ¿A qué hora almorzaban los andaluces? 4. ¿A qué hora de la tarde comían los andaluces? 5. ¿Cuándo dormían la siesta los andaluces? 6. ¿Cuántas veces cada día iban a la iglesia? 7. ¿Qué tomaban en la cena? 8. ¿Qué hacían los andaluces nueve meses del año antes de acostarse? 9. ¿Por qué dice Alarcón que este tiempo era "dichosísimo"? 10. ¿Qué es un sainete?

B. TRADUCCIÓN

1. This story that you are going to hear took place in Andalusia. 2. The people went to church three or four times a day. 3. They got up early every morning. 4. They ate dinner at one o'clock. 5. They ate breakfast at nine. 6. They went to bed early. 7. It was so cold they had to warm the beds. 8. The French invasion changed many things. 9. Alarcón didn't like to remember old times. 10. So he said, "Let's get on with the story of *The Three-Cornered Hat*."

3 ₹

(*Páginas 157–158*)

PREPARACIÓN

COGNATES

alternado	existir	ocupar
contribución	famoso	permiso
convento	fino	predilecto
cuarto	legua	reverencia
discreto	mula	situar

IDIOM DRILL

1. *al año*   He saves a thousand dollars a year.
2. *como a*   The mill is about a quarter of a league from the town.
3. *de vez en cuando*   He comes here from time to time.
4. *todo el mundo*   Everybody knows what he thinks.
5. *tomar el fresco*   He enjoys the cool air here in the summer.
6. *ya no existe*   It is not there now.

EJERCICIOS

A. CUESTIONARIO

1. ¿A qué distancia de la ciudad estaba situado el famoso molino?
2. ¿Quiénes visitaban el molino casi todos los días? 3. ¿Qué clase de persona era el molinero? 4. ¿Qué ofrecía a los señores en el verano? 5. ¿Qué ofrecía a las personas importantes en el invierno? 6. ¿Cuántos tributos se pagaban al Estado y a la Iglesia? 7. ¿Cómo se llamaba el molinero? 8. ¿Era rico el molinero? 9. ¿En dónde se sentaban cuando hacía mucho frío?

B. TRADUCCIÓN

1. The mill was situated about a quarter of a league from the town. 2. This mill no longer exists. 3. In front of the mill there was a small paved courtyard. 4. The small courtyard was covered by an enormous grapevine. 5. A road ran from the village to the mill. 6. The miller offered melons and grapes to the gentlemen who visited him. 7. In winter he would offer them roasted chestnuts and almonds. 8. From time to time, on very cold afternoons, he gave them a swallow of homemade wine. 9. When it was very cold they sat by the fire. 10. Lucas' rich friends did many favors for him.

4 ?

(*Páginas 159–161*)

PREPARACIÓN

COGNATES

admirable	demonio	melancólico
ángel	estatua	observar
animal	estatura	prodigio
animación	Eva	proporción
animar	franciscano	reposo
ciencia	frecuentar	responder
colosal	helénico	romano
considerar	legítimo	
contemplar	matrona	

IDIOM DRILL

1. *a sus anchas* He wants to live at his ease.
2. *acabar por* He ended up marrying Mary.
3. *al regresar* On returning home, he did not say anything.
4. *sentar plaza, por último* He finally enlisted.
5. *casarse con* He married his cousin.
6. *visto por fuera* As seen from the outside, it does not interest me.
7. *tal vez* Perhaps he will come to see us tomorrow.

EJERCICIOS

A. CUESTIONARIO

1. ¿De dónde era la esposa del molinero? **2.**¿ Cuántos años tenía la señá Frasquita? **3.** ¿De dónde venía el molinero? **4.** ¿Quiénes eran los ilustres personas que visitaban el molino? **5.** ¿En dónde conoció Lucas a Frasquita? **6.** ¿Cómo se diferenciaba Frasquita de la mujeres campesinas de Andalucía? **7.** ¿Quién era el famoso pintor español que vivía en esa época? **8.** ¿Cuánto tiempo se detuvo Frasquita en Madrid al trasladarse de Navarra a Andalucía? **9.** Haga el favor de describir la voz de Frasquita. **10.** ¿Quién era la reina María Luisa?

B. TRADUCCIÓN

1. The miller's wife was approaching the age of thirty. **2.** Lucas came from Murcia and Frasquita was from Navarre. **3.** The mayor said that Frasquita was a good woman, like a little girl four years old. **4.** Frasquita had two dimples in one cheek and one in the other. **5.** How old was Lucas when he went to the city? **6.** The bishop had educated him to be a priest. **7.** When the Bishop died, Lucas decided not to become a priest. **8.** He enlisted as a soldier and went to the north of Spain. **9.** He fell in love with Frasquita and married her. **10.** He took her to Andalusia where the Bishop had left him a mill.

5 ⅔

(*Páginas 161–162*)

PREPARACIÓN

IDIOM DRILL

1. *a lo menos*   He was at least forty years old.
2. *cerca de*   You are nearly thirty, aren't you?
3. *en aquel entonces*   He was a shepherd at that time.
4. *en cambio*   On the other hand, he is one of our friends.
5. *en fin*   In short, I do not know what he wants.

EJERCICIOS

A. CUESTIONARIO

1. ¿Cuántos años tenía el tío Lucas? **2.** ¿Cuántos años tenía Frasquita cuando se enamoró de Lucas? **3.** ¿En qué parte de España nació Frasquita? **4.** Descríbase la persona de Lucas. **5.** ¿Qué puede usted decir en cuanto a su voz? **6.** ¿Quiénes eran los padres de Lucas? **7.** Descríbase la voz de Lucas. **8.** ¿Cómo era la dentadura de Lucas?

B. TRADUCCIÓN

1. Uncle Lucas was a very ugly man. **2.** At that time he was about fifty years old. **3.** Lucas' parents were shepherds. **4.** Lucas was somewhat stoop-shouldered and was very dark. **5.** When the bishop died, Lucas left the seminary for the barracks. **6.** Lucas was the personal orderly of General Caro. **7.** Having completed his military service, he was able to win the heart of Frasquita. **8.** Frasquita was about twenty years old when she married Lucas. **9.** Lucas was rough and ugly only on the outside. **10.** His mouth was regular and his teeth excellent.

6 ⅞

(*Páginas 163–165*)

PREPARACIÓN

COGNATES

acueducto	diversión	relación
adorar	exótico	resultar
atención	fruta	sentimental
carácter	imposible	solicitud
combinación	miniatura	sucesión
considerar	precisión	superfluo
construir	producir	

IDIOM DRILL

1. *darse cuenta de*   He didn't realize what I said.
2. *jugar a*   I don't know how to play cards.

3. *lo mismo que*   He is fond of flowers, the same as his mother.
4. *por ejemplo, servir de*   For example, the pond serves as a fish hatchery.

EJERCICIOS

A. CUESTIONARIO

1. ¿Cuántos años tenían los molineros? **2.** ¿Cómo se trataban los esposos?
3. ¿Cómo triplicó Lucas el agua del molino? **4.** ¿Por qué se consideraba
Frasquita la mujer más feliz del mundo? **5.** ¿Qué hacía Frasquita en la
casa? **6.** ¿Qué habilidades extraordinarias tenía Lucas? **7.** ¿Qué hizo
Lucas de ingeniero? **8.** ¿Qué había enseñado Lucas a un perro? **9.** ¿Qué
producía la huerta del molino?

B. TRADUCCIÓN

1. Frasquita loved Uncle Lucas madly. **2.** She considered herself the
happiest woman in the world. **3.** Frasquita was very beautiful and very
industrious. **4.** She knew how to sing, dance and play the guitar. **5.** She
also knew how to cook and sew. **6.** On the other hand, Uncle Lucas
knew how to cultivate the fields. **7.** He also worked as a carpenter, blacksmith and mason. **8.** Lucas always helped his wife with her household
tasks. **9.** Uncle Lucas, as well as his wife, loved flowers. **10.** He had
constructed a dam and an aqueduct which tripled the water supply.

7

(*Páginas 165–166*)

PREPARACIÓN

COGNATES

acto	inmediatamente	respetar
consistir	mortal	sentimiento
exterminio	penetración	simple
felicidad	posible	supremo
indivisible	principalmente	virtud

IDIOM DRILL

1. *¿a qué . . .?*   But why this melodramatic attitude?
2. *consistir en*   This tragedy consists of three acts.
3. *pedir cuentas*   I am not calling you to account.
4. *por parte de*   She was the object of attention on the part of many men.
5. *tardar en*   He is late in coming back.
6. *tener celos*   She is never jealous.

EJERCICIOS

A. CUESTIONARIO

1. ¿Cuál de los esposos amaba más al otro? **2.** ¿Cuál de los esposos tenía más confianza en el otro? **3.** ¿Por qué iba el tío Lucas a otros pueblos? **4.** ¿Qué pensaba Lucas de las atenciones que recibía Frasquita? **5.** ¿Quiénes eran los señores que frecuentaban el molino? **6.** ¿Por qué no tenía Lucas celos de Frasquita? **7.** ¿Qué pensaban los señores de Frasquita? **8.** ¿Por qué dijo Alarcón que Lucas era un Otelo con alpargatas?

B. TRADUCCIÓN

1. You would have believed that Frasquita loved Lucas more than he loved her. **2.** Frasquita was jealous of Lucas. **3.** She would call her husband to account when he was late in returning from the city. **4.** Lucas used to go to other villages for grain. **5.** Frasquita was the object of the attention of the gentlemen who frequented the mill. **6.** Lucas would leave Frasquita alone whole days without the least worry. **7.** Lucas' love was no less intense than Frasquita's. **8.** He had more faith in her than she had in him. **9.** Alarcón says that Lucas was an Othello from Murcia.

8 ?

(*Páginas 166–169*)

PREPARACIÓN

COGNATES

absolutismo	despotismo	manera
absoluto	expresión	octubre
absurdo	formar	remoto
aristocrático	fórmula	repetir
autoridad	grotesco	repugnante
caricatura	histórico	respectable
color	idiota	retrospectivo
contribuir	indicar	revelar
criminal	instrumento	satisfacción
describir	invocar	

IDIOM DRILL

1. *a poco de llegar*   He left the city shortly after he arrived.
2. *dar miedo*   What you say does not frighten me.
3. *dar un paseo*   That hour was unsuitable to take a walk.
4. *en cambio*   On the other hand, he is never here.
5. *es muy de extrañar*   It is surprising that he is not here.
6. *hacer calor*   It is three o'clock and very hot.
7. *ir a pie*   I think I will walk.
8. *por decirlo de una vez*   He was a little heavy in the shoulders, to say it once and for all (bluntly).

EJERCICIOS

A. CUESTIONARIO

1. ¿En qué mes del año empieza esta historieta? 2. ¿Qué hacían los canónigos después de comer? 3. ¿Quién salió de la ciudad aquella tarde? 4. ¿Cómo se llamaba el alguacil? 5. ¿Cuántos años tenía Garduña? 6. ¿Cómo se vestía Garduña? 7. ¿A cuánta distancia seguía al corregidor? 8. ¿Cómo se llamaba su señoría el corregidor? 9. ¿Cuánto tiempo había sido corregidor? 10. ¿A cuántos corregidores había servido Garduña?

B. TRADUCCIÓN

1. At one o'clock the church bell rang for vespers. **2.** The principal people of the city had already eaten lunch. **3.** The laity took a nap every afternoon. **4.** The mayor of the city used to wear a large scarlet cape. **5.** The author says he remembers having seen the cape and hat hanging on a nail. **6.** The mayor was more stoop shouldered than Lucas. **7.** In fact, he was almost hunchbacked, to say it bluntly. **8.** The mayor swayed from side to side when he walked. **9.** His face was wrinkled because of his lack of teeth. **10.** The mayor was born in Madrid and was now approaching the age of fifty-five.

9 $\frac{9}{6}$

(Páginas 169–170)

PREPARACIÓN

COGNATES

apéndice
personaje
respecto

IDIOM DRILL

1. *a su vez*   She asked me something in her turn.
2. *hacer cosquillas*   Don't tickle me.
3. *por dondequiera*   The farmers looked at him wherever he passed.
4. *ser aficionado a*   They say he is crazy about girls.

EJERCICIOS

A. CUESTIONARIO

1. ¿Qué hacían los labradores cuando vieron pasar al corregidor? **2.** ¿Quiénes usualmente estaban con el corregidor cuando daba el paso al molino? **3.** ¿Qué preguntó Josefa a su marido? **4.** ¿Qué exclamó el marido? **5.** ¿Quién, según Josefa, era aficionado a faldas?

B. TRADUCCIÓN

1. When the mayor passed, the farmers would take off their hats.
2. He usually took a walk to the mill with other people. **3.** This afternoon the mayor is certainly going to the mill early. **4.** Why was he going
to the mill? **5.** Everybody thought Frasquita was a fine woman. **6.** Josefa's husband was carrying her behind him on the horse. **7.** "I have
heard that the mayor is a woman chaser," said Josefa. **8.** The woman
who was talking was very ugly. **9.** Uncle Lucas has a temper when he
gets angry. **10.** The husband changed the conversation.

10 ¿

(*Páginas 170–172*)

PREPARACIÓN

COGNATES

completamente	familiar
convertir	profundo
declarar	talento

IDIOM DRILL

1. *a solas*   There they were, alone.
2. *al contrario*   On the contrary, there is someone with them.
3. *alegrarse de*   I am very glad you have come.
4. *echarse a*   He started to laugh.
5. *gustar*   I don't like what you say.
6. *ojalá*   I wish it were so.
7. *por cierto*   I certainly don't know why it is not so.

EJERCICIOS

A. CUESTIONARIO

1. ¿Cuántas sillas había debajo de lo más espeso del emparrado?
2. ¿Dónde estaba Lucas? **3.** ¿De qué hablaban los esposos? **4.** ¿Por qué
dijo Lucas que parecía un mono? **5.** ¿Qué hizo Frasquita después de
barrer la plazoletilla? **6.** ¿Qué vio el tío Lucas cuando estaba subido en
la parra? **7.** ¿Para qué venía al molino tan temprano el corregidor?
8. ¿Para qué quería el tío Lucas quedarse en la parra? **9.** ¿En dónde se

había sentado Garduña?   **10.** ¿Qué clase de canción rompió a cantar Frasquita?

B. TRADUCCIÓN

1. Every day Frasquita sprinkled and swept the little courtyard.   **2.** Lucas was cutting the best bunches of grapes and arranging them in a basket. **3.** "The mayor is in love with you," said Lucas.   **4.** "I told you that a long time ago," answered Frasquita.   **5.** "Be careful, don't fall."   **6.** Lucas said that with his hunchback he looked like a monkey.   **7.** "Don't be so jealous."   **8.** "On the contrary, I'm glad the mayor likes you."   **9.** Frasquita stopped sweeping and stood with her hands on her hips.   **10.** Lucas scratched his head as if he wanted to get a profound idea.

11 ⸘

(Páginas 172–177)

PREPARACIÓN

COGNATES

abandonar	depender	murmurar	secreto
acento	diferencia	pacífico	severidad
bestia	divino	pálido	suficiente
calma	efecto	perpetuo	terror
compasión	elefante	persuadir	total
contemplar	expresar	preparar	violencia
declaración	formidable	pronunciar	
defensa	furia	secretario	

IDIOM DRILL

1. *a media voz*   He was speaking in a low voice.
2. *apoderarse de*   He took possession of the money.
3. *andar de puntillas*   Why don't you walk on tiptoe?
4. *boca arriba*   There he was on the ground, face up.
5. *de balde*   I will give you the book free.
6. *de lo contrario*   On the contrary, I don't think he said it.
7. *en el acto*   He got up at once.
8. *mirar de hito en hito*   He looked at me fixedly.
9. *por lo visto*   Apparently, this chair is broken.
10. *apresurarse a*   I hasten to answer your letter.

EJERCICIOS

A. CUESTIONARIO

1. ¿Cómo estaba andando el corregidor cuando apareció en el molino? **2.** ¿A quién estaban esperando en persona esta tarde? **3.** ¿A qué hora llegó el corregidor al molino? **4.** ¿Qué hizo Frasquita cuando el corregidor trató de apoderarse de su brazo. **5.** ¿Qué dijo el corregidor a la molinera? **6.** ¿Qué dijo Lucas? **7.** ¿Por qué se puso triste la seña Frasquita? **8.** ¿Qué hacía Frasquita cuando Lucas bajaba de la parra? **9.** ¿Por qué no le miró el corregidor a Frasquita con mucha rabia? **10.** ¿Cómo bajó el tío Lucas de la parra?

B. TRADUCCIÓN

1. The mayor spoke to Frasquita in a low voice. **2.** He was walking on tiptoe. **3.** The bishop had promised Lucas to come and taste the first grapes of the year. **4.** The mayor asked if Lucas was asleep. **5.** "Certainly. He always takes a nap when it is hot," answered Frasquita. **6.** The mayor turned paler than he already was. **7.** The mayor said, "I think of you all the time, day and night." **8.** Don Eugenio tried to sieze Frasquita by the arm. **9.** The miller's wife pushed him over backwards, chair and all. **10.** The mayor was lying on the ground, face up.

12 ?

(Páginas 177–179)

PREPARACIÓN

COGNATES

acción	doctrina	invadir	presentar	sincero
administrar	elevar	irresistible	probabilidad	territorio
afable	época	latín	rápido	tranquilo
cómico	espléndido	lívido	resistir	transparente
conservar	extremo	magnífico	resulta	veneración
contentar	extraño	noble	reverendo	
cristiano	imperial	ocurrencia	santo	
diócesis	insistir	pasar	severidad	

IDIOM DRILL

1. *contentarse*   You are not content with eating the grapes.
2. *detenerse*   I am going to stop here.
3. *en esto*   At this moment the secretary appeared.
4. *fuera del alcance*   The grapes are out of my reach.
5. *hacer falta*   I don't need anything.
6. *sentarse*   After this some of us sat down.

EJERCICIOS

A. CUESTIONARIO

1. ¿Quién apareció al extremo de la plazoleta? 2. ¿Quiénes acompañaban al obispo del diócesis? 3. ¿Para qué se detuvo un rato su ilustrísima? 4. ¿Quién era el primero que corrió a besar el anillo al obispo? 5. ¿Por qué se puso lívido don Eugenio de Zúñiga? 6. ¿De qué hablaron después de que todos estaban sentados? 7. ¿Qué tiempo hacía a la sazón? 8. ¿Creían esas personas que Napoleón invadiría a España? 9. ¿Qué hizo el obispo cuando el loro dio las cinco?

B. TRADUCCIÓN

1. The miller's wife cast a rapid glance at her husband. 2. She asked the mayor if he wanted to try the grapes. 3. "They are the first that have been gathered this year." 4. She stood in front of the mayor with a bunch of grapes in each hand. 5. The bishop stopped a moment to contemplate that picture. 6. Everybody ran to kiss the bishop's ring. 7. The bishop extended his hand and blessed all those present. 8. The mayor took a bunch of grapes from the hands of Frasquita. 9. A small table was set in the center of the company. 10. The cake brought by the bishop was cut into pieces.

13 ?

(*Páginas 180–181*)

PREPARACIÓN

COGNATES

conducta	devoción	imparcialidad	respectivo
confesar	divino	inocente	tono
conyugal	estómago	palacio	

IDIOM DRILL

1. *a estas horas* Nobody was in the street at that hour.
2. *a tientas* He was walking around here, groping his way.
3. *estar de vuelta* I don't think he is back yet.
4. *estar enamorado de* I believe he is in love with you.
5. *hay que* It is necessary to do something now.
6. *ya lo creo* Do something? I should say so.

EJERCICIOS

A. CUESTIONARIO

1. ¿A qué hora estaban todos de vuelta en la ciudad? 2. ¿Cómo había vuelto el obispo a su palacio? 3. ¿Qué se veía cerca de todas las rejas? 4. ¿Cuántos años había cumplido el penitenciario? 5. ¿Qué pensaba el magistral de Frasquita?

B. TRADUCCIÓN

1. An hour later all the people were back in the city. 2. The bishop had returned to his palace. 3. The lawyer and two canons accompanied the mayor to the city hall. 4. Some took the road to their respective houses, guiding themselves by the stars. 5. Others went along groping as if they were blind men. 6. The moon had not yet risen and there was no street lighting. 7. From time to time you would see a young man at the grating talking to a girl. 8. "What will my family think when I come home at this hour?" 9. "Let's talk of something else. How beautiful Frasquita was!" 10. "The poor mayor is in love with her."

14 ¿?

(Páginas 182–185)

PREPARACIÓN

COGNATES

continuar	ejecución	jurisdicción	secreto
contribuir	inferior	ratificar	silencio
conversación	insolente	sargento	tono

IDIOM DRILL

1. *al pie de la letra* Don't take what I say literally.
2. *como por ensalmo* His hand appeared as if by magic.
3. *de nuevo* He did it for me again.
4. *en punto* I shall be here at exactly nine o'clock.
5. *en seguida* Come back here at once!
6. *estar de acuerdo* Up to then we were in agreement.
7. *guardar silencio* I want you to keep still.
8. *parecerse a* He looks like his brother.
9. *por supuesto* Of course he didn't say anything.
10. *tener que hacer* I have nothing to do now.

EJERCICIOS

A. CUESTIONARIO

1. ¿Dónde se hablaban el corregidor y su alguacil? 2. ¿Qué hizo el corregidor cuando se dirigió al bufete? 3. ¿En cuál término estaba el molino del tío Lucas? 4. ¿En dónde estaba sentado Garduña cuando su amo visitó el molino? 5. ¿Qué quería el corregidor que Garduña dijera a su esposa? 6. ¿Por qué no se atrevía don Eugenio a aparecer ante su señora? 7. ¿Qué quería el corregidor que la cocinera pusiera en su cena? 8. ¿Por dónde debía el corregidor entrar en el molino? 9. ¿A qué hora estaría don Eugenio de vuelta en su casa? 10. ¿Con qué se entretenía Garduña?

B. TRADUCCIÓN

1. For a little while the mayor had been carrying on an intimate conversation with Garduña. **2.** "Frasquita is madly in love with you," said Garduña. **3.** "I am not so sure as you are," answered don Eugenio. **4.** Then Garduña saluted and remained silent. **5.** The mayor went to the desk and wrote some lines on a piece of paper. **6.** "Did you say that the mill is in the district of the next village?" **7.** "You must follow my plan to the letter." **8.** "Go tell my wife not to wait for me for supper." **9.** "On your way, and tell one of the bailiffs to bring me some supper." **10.** The mayor gave Garduña a peseta and he disappeared as if by magic.

15 ?

(*Páginas 185–189*)

PREPARACIÓN

COGNATES

aplicar	recibir
comunicar	reducir
contento	resolución
energía	revelar
excusa	separar
gratitud	sereno
instante	servicio
objetar	terminar
pretexto	tomate
rápidamente	tranquilizar

IDIOM DRILL

1. *a semejante hora*   Why is he here at such an hour?
2. *ahora mismo*   Do it right now.
3. *cerrar con llave*   Please lock the door.
4. *hacer fresco*   It is cool here at night.
5. *hacer luna*   There is no moon tonight.
6. *serían las diez*   It was somewhere around ten when they arrived.
7. *tener que*   I have to go now.

EJERCICIOS

A. CUESTIONARIO

1. ¿A qué hora cenaron el tío Lucas y su mujer? **2.** ¿Qué comieron esa noche? **3.** ¿Qué hicieron cuando sonaron dos fuertes golpes en la puerta del molino? **4.** ¿Quién llamó a la puerta? **5.** ¿Qué orden llevaba Toñuelo? **6.** ¿Cuántos años tenía el alguacil que llevó la orden al molino? **7.** ¿Cuánto tiempo concedió el alguacil al molinero? **8.** ¿Por qué quería Frasquita que aparejase la otra burra? **9.** ¿Por qué dijo Toñuelo que la molinera no pudiera acompañarles? **10.** ¿Qué dijo Frasquita cuando su marido salía del molino?

B. TRADUCCIÓN

1. It must have been nine o'clock when the miller and his wife sat down to eat. **2.** Upon hearing two knocks on the door, the couple looked at each other in alarm. **3.** They had never heard anyone knock on the mill door at such an hour. **4.** "I'll go to the door," said Lucas. "This is my concern." **5.** "John López could have chosen a more fitting time to send me a message." **6.** "You must come right now without losing a minute." **7.** "I think it is a question of investigating something about counterfeit money." **8.** There was a moment of silence and Lucas went to the stable to saddle the donkey. **9.** The night was very beautiful; it was cool and the moon was shining. **10.** A few minutes later Lucas left the mill and Frasquita locked the door.

16 ⅔

(*Página 190*)

PREPARACIÓN

COGNATES

aclaración	momento
autoridad	precisión
enorme	responder
excelente	velocidad
exclamar	visita

IDIOM DRILL

1. *dirigirse a*   He turned towards me at this point.
2. *echar a*   I don't know why he started to run.
3. *ni yo tampoco*   You don't know, nor I either.
4. *pegar fuego a*   He did not set fire to the house.
5. *sin embargo*   Nevertheless, someone said he did.

EJERCICIOS

A. CUESTIONARIO

1. ¿Cuándo vio Lucas el pájaro? **2.** ¿Qué tipo de pájaro era? **3.** ¿Qué hizo el pájaro al oír la voz de Lucas? **4.** ¿Qué sospecha se le ocurrió al molinero esa tarde? **5.** ¿Qué declaración había hecho el corregidor a la molinera? **6.** ¿Para qué había recibido Lucas la orden? **7.** ¿Creía Lucas que Frasquita abriría la puerta del molino? **8.** ¿Cuándo quería Lucas volver a casa? **9.** ¿Qué hicieron Lucas y el alguacil cuando llegaron al lugar próximo? **10.** ¿Quién era el corregidor de este otro lugar?

B. TRADUCCIÓN

1. They had gone about a quarter of a league when they saw the shadow of an enormous bird coming towards them. **2.** At once the miller said, "That is Garduña with his three-cornered hat." **3.** Then the shadow began to run across the field with the speed of a weasel. **4.** Toñuelo said that he did not see anybody. **5.** "I don't either," replied Lucas. **6.** That afternoon the miller had heard the mayor make a declaration of love to Frasquita. **7.** "The mayor will return to the mill tonight," thought Lucas. **8.** "Frasquita will not open the door, even if they should set fire to the house." **9.** Lucas thought that it would be well to return home as early as he could. **10.** At this point Lucas and the bailiff arrived at the house of the mayor.

17 ⚬

(*Páginas 191–192*)

PREPARACIÓN

COGNATES

correspondiente	resto
diplomacia	terrible
excitar	tranquilo
ferocidad	urgente

IDIOM DRILL

1. *cada vez*   Every time I see him, he doesn't speak to me.
2. *cómo va usted de salud*   Tell me, how are you today?
3. *es hora de*   Isn't it time to eat?
4. *hasta mañana*   God willing, I'll see you tomorrow.
5. *por aquí*   You enter this way.
6. *quedarse*   Tell him I am staying here.
7. *supuesto que*   Since you say so, I believe it.
8. *tener (gran) prisa*   I am not in a big hurry.

EJERCICIOS

A. CUESTIONARIO

1. ¿Cómo se llamaba el alcalde del otro lugar? 2. ¿Con quiénes estaba bebiendo vino? 3. ¿Qué dijo el señor Juan López cuando Lucas compareció en su presencia? 4. ¿Qué hora era cuando Lucas compareció en el otro lugar? 5. ¿Cómo se llamaba la criada del alcalde? 6. ¿Quería Lucas beber un vaso de vino? 7. ¿En dónde dormiría Lucas esa noche? 8. ¿A qué hora se acostó Lucas?

B. TRADUCCIÓN

1. When John López dealt with his inferiors he was pride personified. 2. After dispatching the affairs of his office, he sat down and drank a jug of wine. 3. "Hello, Lucas, how is your health?" 4. "Pour a glass of wine for Lucas," the mayor said to his secretary. 5. "How is Frasquita? I haven't seen her for a long time." 6. Every moment Lucas' suspicions

were greater, upon seeing the friendly reception. **7.** "Since you are not in a great hurry, you can sleep here tonight." **8.** "To your health," said the mayor, drinking half the wine. **9.** Manuela told her mistress that Uncle Lucas would stay there to sleep. **10.** "It is time for us to go to bed; it must be ten o'clock."

18 ≷

(*Página 193*)

PREPARACIÓN

COGNATES

aparte	mulo
dirección	ordinario
distar	sexo
montar	

IDIOM DRILL

1. *bien que*   He is not rich, although he has a lot of land.
2. *con dirección a*   He left here, going toward the city.
3. *con mucho tiento*   Open the door carefully.
4. *dar a*   This window opens on the patio.
5. *salir como una flecha*   He went out of here in a big hurry.

EJERCICIOS

A. CUESTIONARIO

1. ¿Cómo salió el tío Lucas del pajar? **2.** ¿Cuánto distaba la ventana del pajar del suelo? **3.** ¿Qué se hallaba debajo del cobertizo? **4.** ¿Qué hizo el hombre después de llegar al cobertizo? **5.** ¿Quién era el hombre que se descolgaba del pajar? **6.** ¿Cuántos animales estaban atados debajo del cobertizo? **7.** ¿En dónde se halló Lucas después de salir del corral? **8.** Después de montar, ¿en qué dirección salió? **9.** ¿A dónde iba Lucas al salir del segundo lugar? **10.** ¿Cuándo se dio cuenta el alcalde de que Lucas se había escapado?

B. TRADUCCIÓN

1. A man slid down from the window of the hayloft. **2.** The window faced on a large corral. **3.** Six or seven animals were tied to a row of mangers under a shed. **4.** The horses and donkeys formed a group apart. **5.** The man untied a donkey very carefully. **6.** Then he opened the gate of the corral and found himself in open country. **7.** He mounted and left like a flash in the direction of the city. **8.** He crossed fields and ravines and headed for the mill. **9.** It was Uncle Lucas returning to the mill to see how Frasquita was. **10.** The mayor did not realize that Uncle Lucas had escaped.

19 ⸰

(*Páginas 193–195*)

PREPARACIÓN

COGNATES

imprudente
instrucción
miserable
ocurrir
ofender
preventivo
reflexión
rumor
servicio
tabaco

IDIOM DRILL

1. *atreverse*   I don't dare to tell you what I think.
2. *enjugarse las lágrimas*   Then she wiped away her tears.
3. *mañana por la mañana*   I'll be there tomorrow morning.
4. *salir a escape*   He went out in a tremendous hurry.
5. *volver a*   Don't do it again.

EJERCICIOS

A. CUESTIONARIO

1. ¿En qué pensaba el tío Lucas mientras iba hacia el molino? **2.** ¿Qué pensaba contar Lucas al obispo la mañana siguiente? **3.** ¿Por qué paró Lucas la borrica? **4.** ¿Qué hizo la borrica mientras Lucas preparaba el cigarrillo? **5.** ¿De qué se había asustado el tío Lucas? **6.** ¿En qué dirección salió? **7.** ¿Quiénes, según Lucas, conspiraban contra su honra? **8.** ¿A qué hora llegó Lucas a la puerta grande del molino? **9.** ¿Qué le sorprendió y le asustó al llegar al molino?

B. TRADUCCIÓN

1. Lucas was riding along talking to himself. **2.** "Tormorrow morning I shall tell the bishop everything that has happened tonight." **3.** "Why did they call me at such an hour?" **4.** "Why did they pour me two glasses of wine and order me to go to sleep?" **5.** "The mayor is probably at the mill now with Frasquita," he thought. **6.** Then he stopped the donkey in order to calm himself. **7.** He dried his tears, sighed deeply and then took out his tobacco. **8.** After a few blows with a flint he succeeded in striking a light. **9.** He dismounted and hid behind the donkey. **10.** Finally, at about eleven o'clock at night Lucas reached the mill.

20 ⚬

(*Páginas 195–200*)

PREPARACIÓN

COGNATES

asmático	idiosincracia	región
austero	ignominia	significar
corroboración	intenso	situación
chimenea	lógico	sociedad
diciembre	mudo	tigre
egoísta	presente	trágico
horror	rayo	tranquilizarse

IDIOM DRILL

1. *a punto de* He was on the point of leaving.
2. *alrededor de* They were seated around the chimney.
3. *andar a gatos* He climbed the stairs on his hands and knees.
4. *de repente* He stopped suddenly.
5. *por consiguiente* Consequently there was nobody there.
6. *ser de* What will become of him?
7. *tardar en* He is very late in getting here.

EJERCICIOS

A. CUESTIONARIO

1. ¿Quién podría abrir la puerta del molino durante la ausencia de Lucas?
2. ¿Cuándo encendía Lucas la chimenea? 3. ¿Qué pendía de la espetera
del molino? 4. ¿En qué reparó el tío Lucas alrededor de la chimenea?
5. ¿Qué se hallaba en el rincón de la cocina? 6. ¿Cómo subió Lucas la
escalera? 7. ¿Cuál era el pliego de papel que Lucas distinguió en la mesa?
8. ¿Qué vio Lucas al mirar por el ojo de la llave? 9. ¿De qué manera
volvió Lucas a bajar la escalera? 10. ¿Qué hizo Lucas cuando llegó a la
cocina? 11. ¿Por qué se echó a reír cuando sus ojos vieron la ropa del
corregidor? 12. ¿Qué hizo Lucas después de desnudarse? 13. ¿Cómo
salió Lucas del molino?

B. TRADUCCIÓN

1. Upon leaving the mill Lucas had heard his wife lock the door. 2. Consequently, only she would be able to open the door. 3. Would she have
opened it because of some order? 4. He was not long in crossing the
courtyard and entering the mill. 5. There was a big fire burning in the
fireplace. 6. He never lit a fire until late in the month of December.
7. He noticed some clothes on two or three chairs placed around the fire.
8. The blunderbuss was in the corner where Lucas had seen it two hours
before. 9. Carrying the gun in his hand, Lucas began to crawl up the
stairs. 10. When he reached the bedroom door he heard a cough.

21 ⸺

(Páginas 200–204)

PREPARACIÓN

COGNATES

acento	escandalizar	paciencia
adversario	estupendo	pistola
aflijido	indignación	resolución
circunstancia	inmediatamente	selección
convulsión	justificar	vacilación
corral	libertino	violento
desesperación	lívido	
equivocación	lúgubre	

IDIOM DRILL

1. *acostarse*   Isn't it time to go to bed?
2. *ahogarse*   I don't think he is going to drown.
3. *empeñarse en*   If you insist on doing it, I shall say nothing.
4. *marcharse*   She told him to get out at once.
5. *por ahora*   This is enough for now.
6. *por lo demás*   Furthermore, he will not say anything.
7. *ponerse malo*   This is a great time to get sick.
8. *sobre todo*   Especially in the house where you are.

EJERCICIOS

A. CUESTIONARIO

1. ¿Qué oyó Frasquita una hora después de que Lucas se había marchado con Toñuelo? **2.** ¿Qué oyó Frasquita por donde corría el agua del caz? **3.** ¿Qué hizo Frasquita al abrir la puerta? **4.** ¿Para qué dijo el corregidor que había venido al molino? **5.** ¿Qué traía el corregidor para la molinera? **6.** ¿Por qué se dirigió Frasquita a la escalera y la bajó en tres brincos? **7.** ¿Qué había agotado las fuerzas del enfermizo corregidor? **8.** ¿Por qué quería que Frasquita llamase a Garduña? **9.** ¿En dónde estaba escondido Garduña? **10.** ¿Qué hizo Frasquita después de soltar el trabuco?

B. TRADUCCIÓN

1. About an hour had passed since Lucas left and Frasquita decided not to go to bed until he returned. **2.** She was sitting in her bedroom knitting when she heard shouts outside the house. **3.** "What does this mean? How do you dare come here at this hour?" **4.** The mayor stammered that he had fallen into the mill race and was about to drown. **5.** "Get out of here," replied Frasquita. "What does it matter to me if you do drown?" **6.** "While my clothes are drying, I shall lie down on this bed." **7.** The mayor said he would shoot Frasquita and be free from her threats. **8.** The mayor was afraid that Frasquita would run away so he went down the stairs, too. **9.** "Tomorrow I shall use this appointment to light the fire to cook my husband's lunch." **10.** The mayor had turned blue; his eyes were distorted and his body trembled. **11.** Finally his teeth began to chatter and he fell to the floor. **12.** "Call Garduña, I ought not to die in this house."

22 $\frac{2}{6}$

(Páginas 204–206)

PREPARACIÓN

COGNATES

admirablemente
convertir
humor
irónicamente
visión

IDIOM DRILL

1. *caerse de su peso*   This is self evident.
2. *estar de vuelta*   When will you be back?
3. *estar hecho una sopa*   He is sopping wet.
4. *estar seguro de*   I am sure that he will be here soon.
5. *figurarse*   Just imagine. He doesn't know that.
6. *¿Qué tal?*   How are you getting along?
7. *querer decir*   I don't know what you mean.
8. *volver en sí*   I think he is coming to.

EJERCICIOS

A. CUESTIONARIO

1. ¿Dónde se hallaba el corregidor al llegar Garduña al molino? **2.** ¿Qué estaba en el suelo al lado del corregidor? **3.** ¿Al ver a Garduña, qué fue la primera frase que pronunció don Eugenio? **4.** ¿Dónde puso Garduña los vestidos del corregidor? **5.** ¿Qué dijo el corregidor que haría con Garduña al día siguiente? **6.** ¿Según Garduña, a dónde había ido Frasquita? **7.** ¿Por qué dijo Garduña que Frasquita había ido a la ciudad? **8.** ¿Qué prometió el corregidor regalar a Garduña? **9.** ¿Por qué corrió Garduña hacia la ciudad?

B. TRADUCCIÓN

1. The mayor was beginning to regain consciousness when Garduña arrived at the mill. **2.** He was trying to get up from the floor. **3.** "I fell into the mill race and I am sopping wet." **4.** My bones are breaking from the cold. **5.** Garduña carried the mayor up to the bedroom and put him to bed. **6.** Then he carried his master's wet clothes down to the kitchen. **7.** He made a big fire in the fireplace and hung the clothes on three chairs. **8.** He lit a lamp and hung it on a hook; then he went back upstairs. **9.** "How are you feeling now?" he said. **10.** "I am hopelessly lost. Run to the city, Garduña." **11.** "I shall be back within half an hour."

23

(Páginas 206–207)

PREPARACIÓN

COGNATES

accidente
indudablemente
oportuno

IDIOM DRILL

1. *a media noche*   He will be here at midnight.
2. *asustarse*   He is not frightened by anything.
3. *en esto*   At this moment a shot was heard.
4. *¿Qué haría?*   What can he be doing now?

EJERCICIOS

A. CUESTIONARIO

1. ¿Qué fue la única aventura que le ocurrió a la navarra en su viaje al pueblo? **2.** ¿Qué ruido asustó a Frasquita? **3.** ¿Qué hizo la burra que ella montaba? **4.** ¿Cómo podía Frasquita hacer callar la burra? **5.** ¿A qué hora llegó al lugar?

B. TRADUCCIÓN

1. Frasquita was frightened when she noticed that someone was striking a light in the field. **2.** At this point the braying of a donkey could be heard. **3.** By heaven! The goblins are hurrying around tonight. **4.** What could Lucas be doing in the middle of a field at midnight? **5.** The donkey Frasquita was riding brayed, too. **6.** It must have been eleven o'clock when she arrived at the town.

24 ⑦

(Páginas 207–208)

PREPARACIÓN

COGNATES

gimnasta
indispensable
inmortal
mutuamente
nupcial
solemne

IDIOM DRILL

1. *de modo que*   And so they got away.
2. *desde luego*   We shall be there right away.
3. *en fin*   In short, let's go.
4. *estar para bromas*   He was in no mood for joking.
5. *olvidarse de*   Don't forget what I said.
6. *por cierto*   She was certainly a good-looking girl.
7. *tener miedo (de que)*   I am afraid he will not come back.

EJERCICIOS

A. CUESTIONARIO

1. ¿Qué hacía el alcalde cuando Frasquita llegó a su casa? 2. ¿Qué quería Frasquita? 3. ¿Qué le dijo el alcalde? 4. ¿Qué dijo Frasquita del corregidor? 5. ¿Qué halló Toñuelo cuando fue al pajar? 6. ¿Por qué quería Frasquita que salieran al instante para el molino? 7. ¿Quién había echado yescas en un sembrado? 8. ¿Por qué se huyeron Lucas y Frasquita el uno del otro? 9. ¿Por qué dijo el alcalde "Yo soy el rey." 10. ¿Qué pidió el alcalde a su sirvienta Manuela?

B. TRADUCCIÓN

1. Toñuelo knocked at the alcalde's bedroom door. 2. At that time the mayor was sleeping off his hangover. 3. Finally the mayor waked up and dressed. 4. "Didn't Toñuelo tell you to stay at the mill?" 5. "Don't forget you are talking with the king." 6. "Leave off talking about kings. I'm in no mood for joking." 7. Toñuelo went to the hayloft to wake up Lucas. 8. Frasquita said that the mayor was at the mill dying. 9. He had fallen into the mill race and had caught pneumonia. 10. Toñuelo returned from the hayloft more dead than alive. 11. Lucas was not there and his donkey was not to be found either.

25 ¿

(*Páginas 209–210*)

PREPARACIÓN

COGNATES

delicado
eclipsar
función
ministro
penetrar

IDIOM DRILL

1. *andar de prisa*   Don't walk so fast.
2. *diga lo que diga*   Say what you will, I shall not be there.
3. *echar de menos*   We miss you every day.
4. *echarle mano a*   Seize him, when he gets here.
5. *hasta luego*   And so, I'll see you later.
6. *mucho ojo*   Keep on the alert.
7. *por allí*   He must be around here.
8. *tener carta blanca*   We have permission to order anything.

EJERCICIOS

A. CUESTIONARIO

1. ¿Por dónde había buscado Garduña a la señá Frasquita? 2. ¿Por qué seguían abiertas las puertas del corregimiento? 3. ¿En dónde dormitaban los alguaciles y ministros? 4. ¿Qué hicieron los alguaciles cuando sintieron llegar a Garduña? 5. ¿En dónde se escondió Lucas? 6. ¿Cómo estaba vestido el tío Lucas? 7. ¿Qué era la frase diabólica que repetía de vez en cuando?

B. TRADUCCIÓN

1. The writer has permission to go faster than anyone. 2. Garduña was already back at the mill. 3. The doors were still wide open as in the middle of the day. 4. The bailiffs were dozing on the stair landing. 5. "Did a woman come in through these doors a while ago?" 6. "Don't let a single person come in, whoever it may be or whatever he may say." 7. At that moment a man was hiding behind some willow trees a short distance from the gulley. 8. Uncle Lucas, dressed as the mayor, was walking towards the city. 9. From time to time he would say, "The mayor's wife is pretty, too." 10. A little later the bailiff reached the mill.

26 ⸮

(*Página 210*)

PREPARACIÓN

COGNATES
convertir

IDIOM DRILL

1. *dar con*   He could not find his bailiff.
2. *irse*   They have gone away.
3. *ojo de la llave*   He looked through the keyhole.

EJERCICIOS

A. CUESTIONARIO
   1. ¿En dónde esta el corregidor? **2.** ¿Cómo se había salvado el corregidor?

B. TRADUCCIÓN
   1. "I am perspiring and that has saved me from a serious illness."
   2. "Have you run upon Frasquita yet?" **3.** "The miller's wife deceived me." **4.** "Bring me my clothes, Garduña. They are probably dry now."
   5. Garduña went down to the kitchen in search of the mayor's clothes.
   6. "Wait at the door until I call you."

27 ♑

(*Páginas 211–212*)

PREPARACIÓN

COGNATES

avanzar   impedir

contentar   vestimenta

IDIOM DRILL

1. *caer de boca*   He fell over on his face.
2. *estar de pie*   Everyone was on his feet.
3. *ha de*   How is one to know that?
4. *ponerse de rodillas*   He knelt down before the door.
5. *tratar de*   He is trying to say something.

EJERCICIOS

A. CUESTIONARIO

1. ¿Quiénes estaban avanzando hacia el molino? 2. ¿Quién entró primero en el molino? 3. ¿Cuál de ellos debía esperar a la puerta? 4. ¿Qué vio el señor Juan López debajo de la parra? 5. ¿Por qué quiso este hombre meterse en el molino? 6. ¿Dónde estaba el tío Lucas a esa hora? 7. ¿Con cuántas personas tenía que luchar Frasquita?

B. TRADUCCIÓN

1. "Frasquita, wait here at the door until I call you." 2. In the moonlight he saw a man dressed like the miller. 3. Toñuelo grabbed the man by the back of the neck. 4. Frasquita sprang upon Toñuelo, grabbing him around the waist. 5. She threw him to the pavement and began to pound him. 6. At this point another person appeared, leading a donkey by the bridle. 7. Frasquita hit Garduña in the stomach, making him fall face down on the floor. 8. Mr. Juan López got to his knees and asked the mayor to pardon him. 9. In four words, the bailiff related everything that we already know. 10. I hope Uncle Lucas has been content with speaking to the mayor's wife.

28 ‽

(Páginas 213–214)

PREPARACIÓN

COGNATES

eternidad	minuto	pausa
feminino	· patio	sucesivamente

IDIOM DRILL

1. *al fin*   Finally he opened the door.
2. *armarse un lío*   Then they started a big row.
3. *cada cual*   Everyone had something to say.
4. *de golpe*   The door opened suddenly.
5. *dar gritos*   Don't cry out. You are safe.
6. *fuera de sí*   The corregidor was beside himself.
7. *no hay remedio*   Tell me, is there no way out?

EJERCICIOS

A. CUESTIONARIO

1. ¿Cuál es el título del capítulo veinte y ocho? **2.** ¿Qué quiere decir este título? **3.** ¿Cómo estaba la puerta del corregimiento? **4.** ¿Quién llamó a la puerta? **5.** ¿Qué preguntó el ama de leche al abrir la ventana? **6.** ¿Quiénes llegaron a la puerta del corregimiento? **7.** ¿Qué sucedió cuando al fin se abrió la puerta? **8.** ¿Cuántas palizas recibió don Eugenio esa noche? **9.** ¿Quién recibió los palos de los criados? **10.** ¿Qué hacía Frasquita por la primera vez de su vida?

B. TRADUCCIÓN

1. They arrived at the door of the mayor's house at twelve-thirty. **2.** They knocked at the door but no one answered. **3.** Frasquita was as yellow as wax. **4.** Minutes passed which seemed as long as eternities. **5.** Finally a window on the second floor was opened and a woman's voice was heard. **6.** The nurse said that the master had come home an hour ago and had gone to bed. **7.** The window closed with a bang. **8.** After a few minutes it opened again. **9.** The mayor said, "Nurse, I tell you to open that window."

29 ⸮

(Página 215)

PREPARACIÓN

COGNATES

balcón	principal
deshonra	situación
idea	suspender
majestuoso	tranquilo
permitir	

IDIOM DRILL

1. *asomarse a*   Don't show yourself on the balcony.
2. *ceder el paso*   Please let me pass.
3. *echar en olvido*   I am sorry they have forgotten that.
4. *encima de*   Her voice was heard over the tumult.
5. *vestir de*   There she was, dressed in black.

EJERCICIOS

A. CUESTIONARIO

1. ¿Quién se asomó por el balcon principal del edificio? 2. ¿Cómo subía el corregidor las escaleras de su casa? 3. ¿Qué iba pensando el corregidor?

B. TRADUCCIÓN

1. A woman dressed in black appeared on the main balcony of the house.
2. "What's all this disturbance?" she said in a calm and majestic voice.
3. "Let those peasants come in." 4. The servants made way and the people entered the door. 5. The mayor climbed the stairs of his house as if he were going up to the gallows. 6. Those who have forgotten that I am mayor are going to suffer.

30 ¿

(Páginas 215–216)

PREPARACIÓN

COGNATES

actitud	familia	regularidad
ceremonioso	finalmente	sacrificio
claustro	gravedad	simétricamente
comparable	inducir	solemnidad
contrastar	ilustre	vanidad
cristiano	movimiento	veneración
descendiente	principal	vocación

IDIOM DRILL

1. *de otro modo*   He would have been here otherwise.
2. *tener algo*   This woman has something of a queen about her.
3. *esmerarse en*   He has taken pains to do that.

EJERCICIOS

A. CUESTIONARIO

1. ¿En dónde recibió la corregidora a su esposa? 2. ¿Cómo estaba vestida la corregidora? 3. ¿Dónde se había obtenido el pericón enorme? 4. ¿Para qué se había casado doña Mercedes con el corregidor? 5. ¿Cómo era la vocación natural de doña Mercedes?

B. TRADUCCIÓN

1. The mayor's wife was alone, standing in the middle of the living room. 2. That beautiful woman had the air of a queen and inspired fear in everybody. 3. Her family had persuaded her to marry the rich old mayor. 4. Otherwise, she would have become a nun. 5. At that time she already had two children by the mayor. 6. It was even whispered that she would have another soon.

31 ⅔

(Páginas 217–221)

PREPARACIÓN

COGNATES

abusar	depósito	escena	legítimo
acusar	doméstico	honor	notar
consorte	dominar	importancia	rival
decoroso	emoción	indulgencia	singular
demanda	episodio	inmediatamente	suponer

IDIOM DRILL

1. *cambiar de*   He has changed his mind (opinion).
2. *contar con*   Don't count on me.
3. *dar voces*   Don't shout at me.
4. *fijarse en*   He did not notice what I said.
5. *habérselas con*   He doesn't want to have any dealings with us.
6. *más bien*   It is not that, rather it is something else.
7. *ni mucho menos*   I am not asking you for that, nor anything like it.
8. *no estar para*   He is in no mood for jokes.
9. *no poder menos*   I can't help saying something.
10. *ponerse de pie*   They rose to their feet.
11. *por lo que toca a*   As far as I am concerned, I have nothing to say.
12. *por su parte*   For my part, I have no explanation.

EJERCICIOS

A. CUESTIONARIO

1. ¿Qué pregunta dirigió el corregidor a su esposo? 2. ¿Qué dijo don Eugenio del honor? 3. ¿Qué dijo la corregidora a Frasquita? 4. ¿Por qué se había arreglado un poco Frasquita a su paso por el molino? 5. ¿Descríbase la mantilla que Frasquita se había puesto? 6. ¿Según la corregidora, cuándo había llegado el corregidor a casa? 7. ¿Qué hicieron los criados cuando llegó? 8. ¿Dónde estaba Garduña cuando su amo le llamó? 9. ¿Por qué topó la navarra el rostro con un lado de la mantilla? 10. ¿Qué preguntas dirigió doña María a su esposo?

B. TRADUCCIÓN

1. "Madam, I'm in no mood for jokes," replied the mayor. **2.** The miller's wife entered the room majestically and sat down on the edge of a chair. **3.** When she was in the mill she had fixed herself up a little. **4.** The mayor had kept silent during the whole episode. **5.** "Again I beg you to tell me everything that happened during my absence." **6.** "The mayor arrived home at the proper hour and went to bed to rest." **7.** "My husband came home two hours ago, wearing his scarlet cape." **8.** "The servants got up, greeted him and then they locked the doors. **9.** "Everybody get out of here," shouted don Eugenio. **10.** The door opened and Lucas appeared, dressed like the mayor from head to foot.

32 ✧

(*Páginas 221–222*)

PREPARACIÓN

COGNATES

contagioso	inspiración
dominar	monstruo
frase	religioso
horrible	transfigurar

IDIOM DRILL

1. *adelantarse*   Then he stepped forward.
2. *así es que*   So it was that he spoke with tears in his eyes.
3. *de igual manera*   Everybody began to talk in the same way.
4. *de marras*   This is the story mentioned before.
5. *estaba visto*   It is evident that he hasn't heard anything.
6. *ponerse a*   Why don't you start talking?
7. *quitarse (el sombrero)*   He did not take off his hat.
8. *sin decir oxte ni moxte*   He did not say a single solitary thing.
9. *tener buenas noches*   I wish you good evening.

EJERCICIOS

A. CUESTIONARIO

1. ¿Qué dijo don Lucas al aparecer en la puerta? **2.** ¿Por qué se quedaron todos estupefactos al ver al molinero? **3.** ¿Qué hicieron entonces los criados? **4.** ¿Por qué se puso don Lucas más pálido que la muerte? **5.** ¿Qué le dijo Frasquita a Lucas? **6.** ¿Cómo se echó a llorar Frasquita? **7.** ¿Qué hizo la corregidora al adelantarse a Frasquita? **8.** ¿Por qué rompieron a llorar los criados?

B. TRADUCCIÓN

1. "A very good evening to you," the newcomer said, taking off his hat. **2.** Lucas walked through the room and kissed the hand of the mayor's wife. **3.** Lucas' resemblance to the mayor was so remarkable that the servants laughed. **4.** It was clear that Frasquita had been born to be the tamer of the mayor. **5.** Lucas turned paler than death upon seeing his wife approaching him. **6.** Frasquita began to cry like a mountain of ice that was beginning to melt. **7.** Mercedes went up to Frasquita and clasped her in her arms. **8.** Don Eugenio began to bellow sadly. **9.** Then the servants began to cry, too.

33 ?

(*Páginas 223–225*)

PREPARACIÓN

COGNATES

cuestión	invencible
dignidad	interminable
durante	puro
evidencia	respeto
guardar	testimonio
inspirar	

IDIOM DRILL

1. *acordarse de*   I am afraid you don't remember me.
2. *es harina de otro costal*   I'll tell you something, that is a horse of another color.
3. *me dio el corazón*   I had a hunch that he would win.
4. *medir con la vista*   They looked him up and down.
5. *nada de pero*   Don't say *but* to me.
6. *peor que peor*   This is getting worse and worse.

EJERCICIOS

A. CUESTIONARIO

1. ¿Quién fue el primero que salió a flote de aquel mar de lágrimas? 2. ¿Qué testigos tenía Frasquita que podrían justificarle? 3. ¿Qué hacía la seña Frasquita mientras su esposo iba desde su casa al lugar? 4. ¿Por qué se había detenido el tío Lucas en un sembrado? 5. ¿Qué hicieron las burras cuando el tío Lucas estaba detenido en el sembrado? 6. ¿Por qué había abierto la puerta la seña Frasquita? 7. ¿Cuánto tiempo hacía que el corregidor estaba esperando una explicación? 8. ¿Cómo tranquilizó la corregidora a la reunión?

B. TRADUCCIÓN

1. Uncle Lucas was the first to come to the surface in that sea of tears. 2. He remembered what he had seen through the keyhole. 3. "Gentlemen, let's clear up this business." 4. The important thing now is to return peace to the heart of Uncle Lucas. 5. Frasquita said that she had two witnesses downstairs at the door. 6. "Tell them to come up." 7. Things were going from bad to worse. 8. "Are you laughing at me?" 9. "For Heaven's sake. Will you please explain?" 10. The donkeys had recognized and greeted each other. 11. "I have no more to say at present." 12. "That is a different matter," said Frasquita. 13. Don Eugenio said he had been waiting an hour for an explanation.

34 ⸮

(*Páginas 226–228*)

PREPARACIÓN

COGNATES

afable	lamento
excelente	presencia
imponer	resolución
insolencia	severamente
intonación	tranquilamente

IDIOM DRILL

1. *ha de saber*   You must know, gentlemen, that there is nothing here.
2. *hacer tiempo*   He is only killing time.
3. *era cosa de*   It wasn't a matter of time.
4. *imponer silencio*   She made them all keep quiet.
5. *sin novedad*   I made the trip without any trouble.
6. *vamos al asunto*   Let's get to the point.

EJERCICIOS

A. CUESTIONARIO

1. ¿Qué hizo la corregidora cuando el corregidor y el tío Lucas salieron de la sala? 2. ¿Qué dijo la corregidora a los domésticos que obstruían la puerta? 3. ¿Quién impuso silencio a los otros? 4. ¿Qué hacía la corregidora para hacer tiempo? 5. ¿Por qué cogió el ama la luz? 6. ¿A quién vieron al entrar en la alcoba? 7. ¿En dónde trataba el tío Lucas de esconderse? 8. ¿Qué pensaba la corregidora cuando vio a Lucas vestido del traje del corregidor? 9. ¿Cómo los había engañado el tío Lucas? 10. ¿Cómo podría Lucas explicar su presencia en la alcoba de la corregidora?

B. TRADUCCIÓN

1. "Tell this excellent woman all the bad things you know about me," said the mayor's wife. 2. Four people tried to speak at the same time. 3. The mayor's wife was praying the rosary while she waited for her husband. 4. The mayor's wife had not yet gone to bed. 5. The nurse

said that they had heard a noise in the next bedroom. **6.** She picked up a light and went to see what it was. **7.** The mayor's wife was afraid that Uncle Lucas had killed her husband. **8.** Lucas had deceived them all with his manner of walking. **9.** He was also dressed like the mayor. **10.** Doña Mercedes and Frasquita were whispering to each other.

35 ⸲

(*Páginas 228–229*)

PREPARACIÓN

COGNATES

arrestar	escapar
completar	explicación
consecuencia	ministro
czarina	perpetuo
enfasis	reconciliación

IDIOM DRILL

1. *acerta a*   He wasn't able to explain himself.
2. *estar de moda*   This hat is out of style.
3. *dejar el paso libre*   I want you to let me pass.
4. *hacer caso de*   He is not paying any attention to us.

EJERCICIOS

A. CUESTIONARIO

1. ¿Cómo estaban vestidos el corregidor y Lucas al regresar a la sala? **2.** ¿Qué dijo don Eugenio a su esposa? **3.** ¿Cómo le contestó doña Mercedes? **4.** ¿Qué orden dio el corregidor al ver a Lucas? **5.** ¿Qué hicieron los ministros al oír lo que dijo el corregidor? **6.** ¿Cómo se despidió doña Mercedes de los molineros? **7.** ¿Qué dijo la corregidora a su esposo cuando todos se hubieron marchado? **8.** ¿Qué hizo la corregidora después de hablar a su esposo? **9.** ¿Qué dijo el corregidor?

B. TRADUCCIÓN

1. At this point the two men returned to the sitting room. **2.** "Now it is my turn," said the mayor. **3.** He said he was waiting for an explanation. **4.** Again the mayor addressed his wife who was as sour as vinegar. **5.** "I think I will be going now," said Frasquita. **6.** "You can go without worrying. This scandal will have no consequences." **7.** "Uncle Lucas is under arrest until I can find out the whole truth." **8.** "You will not find out what happened in my bedroom tonight, even if you live a thousand years." **9.** "If you were not the father of my children I would throw you off that balcony." **10.** The mayor's wife went to her bedroom, closing the door behind her.

36 ?

(*Páginas 230–232*)

PREPARACIÓN

COGNATES

absolutismo	favor	provocativo
censura	honesto	público
circumspección	inmodesto	reunión
confesar	materialmente	sufrir
criminal	participar	superior
dominación	paternalmente	usar
educar	perfectamente	venerable
exhortar	profanar	

IDIOM DRILL

1. *a punto de*   He arrived just as the sun was coming up.
2. *de veras*   Really, I didn't know that.
3. *en lo sucesivo*   Hereafter I want you to be here.
4. *fumar en pipa*   Who wants to smoke a pipe?
5. *ir a pie*   I think I will walk.
6. *otra cosa*   Let's talk about something else.
7. *tomar la palabra*   The miller took the floor.

EJERCICIOS

A. CUESTIONARIO

1. ¿A qué hora salían Frasquita y Lucas de la ciudad? **2.** ¿Por qué dijo Frasquita que Lucas tenía que confesar el domingo? **3.** ¿Por qué no quería Lucas volver a acostarse en su cama? **4.** ¿Por qué quería Frasquita ir al Solán de Cabras? **5.** ¿Qué pasó en el molino el día siguiente? **6.** ¿Qué dijo el obispo al tío Lucas? **7.** ¿Qué le aconsejó el obispo a Frasquita? **8.** ¿En qué año invadió Napoleón a España? **9.** ¿Llegaron los molineros a tener hijos? **10.** ¿En qué año se estableció de veras el sistema constitucional en España?

B. TRADUCCIÓN

1. It was dawn when Lucas and Frasquita left the city. **2.** The couple were walking, following their two donkeys. **3.** Frasquita asked another favor of her husband. **4.** She wanted him to take her to the baths of Solán de Cabras. **5.** They did not expect visitors after the scandal of the night before. **6.** But many friends came to see them; only the mayor was missing. **7.** When they were all there the bishop took the floor and began to speak. **8.** He asked Frasquita to try to be less provocative in the future. **9.** He ended by giving all of them his blessing. **10.** Then he said he would be very happy to eat a couple of bunches of grapes. **11.** After the death of the mayor, doña Mercedes did not marry again.

Lista de palabras y modismos

LISTA DE PALABRAS Y MODISMOS

Todas las palabras españolas de este libro se encuentran en esta *Lista de palabras y modismos*. Desde la lección primera hasta la lección décima, cada forma de los verbos que se encuentra en el texto se encuentra también en el vocabulario. Empezando con la lección once, sólo los infinitivos se incluyen en el vocabulario.

ABREVIATURAS

adj.	adjective		*m.*	masculine
adv.	adverb		*n.*	noun
cond.	conditional		*part.*	participle
dim.	diminutive		*past.*	past, preterite
f.	feminine		*pl.*	plural
fut.	future		*pres.*	present
imperf.	imperfect		*pron.*	pronoun
infin.	infinitive		*subj.*	subjunctive

a to, at, after, on, upon, in, by, for, from
abadesa *f.* abbess
abajo down, downstairs, below; low;
  por la escalera abajo down the stairs
abandonar to abandon, give up, leave
abanicar to fan
abastos *m. pl.* supplies
abeja *f.* bee
abierto, -a open; cut
abismo *m.* abyss
ablandar to soften
abnegación *f.* abnegation, self-denial
abochornarse to burn up; blush (for),
  be ashamed (of)
abogado *m.* lawyer
abonar to vouch for; pay
abono *m.* fertilizer
abrazar to embrace; abrazado a clinging
  (to)
abrazo *m.* embrace
abres [*pres. of* abrir] you open
abreviatura *f.* abbreviation
abril *m.* April
abrir to open
abro [*pres. of* abrir] I open
absolutismo *m.* absolutism
absoluto, -a absolute; licencia absoluta
  discharge
absolver to absolve
absorto, -a absorbed
abstinencia *f.* abstinence, self-denial
absurdo, -a absurd
abuelo *m.* grandfather; abuelos grand-
  parents
abundancia *f.* abundance
abundante abundant
aburrido, -a tiresome, weary
aburrir to bore
abusar to abuse
abuso *m.* abuse
acá here; por acá this way
acaba de [*pres. of* acabar de] (he) has just
acabar to end, finish, exhaust; acabar
  con to put an end to; acabar de to
  have just; acabarse to end, be ended
acabe con [*pres. subj. of* acabar con]
  put an end to

académico *m.* academician; académico
  correspondiente corresponding member
acaricia [*pres. and imperative of* acari-
  ciar] caress
acariciar to caress
acaso perhaps
acaudalado, -a wealthy, rich
accidental accidental, incidental
accidente *m* accident, casualty, mishap
acción *f.* action
aceite *m.* oil; pan de aceite bread made
  with olive oil
aceituna *f.* olive
acento *m.* accent, tone
acentuar to accentuate, mark
aceptar to accept
acepto, -a acceptable
acequia *m.* irrigation canal; millstream
acercándose approaching
acercaron [*past of* acercar] (they) approached
acercarse to approach, draw near
acercó [*past of* acercar]; se acercó (he)
  approached
acero *m.* steel
acerqué [*past of* acercar]; me acerqué I
  approached
acertar to hit the mark, be right, guess
  right; happen; succeed
acomodar to suit, please
acomodo *m.* arrangement (another girl)
acompañado, -a accompanied
acompañante *m.* companion
acompañar to accompany
aconsejar to advise
acontecer to happen
acordarse (de) to remember
acostado, -a lying down; gone to bed;
  in bed
acostándose [*pres. part. of* acostarse]
  going to bed
acostar to lay down, put to bed;
  acostarse to go to bed
acosté [*past of* acostarse]; me acosté I
  went to bed
acostumbrado, -a accustomed

acostumbrar to accustom
acribillar to riddle
actitud *f.* attitude
actividad *f.* activity, industry, action
acto *m.* act; **en el acto** immediately
actual present, present day
acudió [*past of* **acudir**] (it) came up
acudir to come up, arrive, go to, assist
acueducto *m.* aqueduct
acuérdese [*pres. subj. of* **acordarse**] remember
acuerdo *m.* agreement; **con un acuerdo,** unanimously; **estar de acuerdo** to agree, be in agreement
acusar to accuse
adecuado, -a adequate, appropriate, a propos
adelantarse to advance, walk, go towards
adelante ahead, on, further on, later, forward; **Adelante** Go on, Come in; **hacia adelante** forward; **más adelante** later
adelantó [*past of* **adelantar**]; **se adelantó** (he) advanced
ademán *m.* demeanor, attitude, gesture
además besides, furthermore; **además de** besides
adherir to adhere, stick
adiós goodbye, farewell
adivinar to prophesy, guess, divine
administrar to administrate
admirable admirable, wonderful
admirablemente admirably
admiración *f.* admiration, wonder
admirar to admire; **admirarse de** to be surprised at
admitido, -a admitted, accepted
admitir to admit, permit, accept, receive
adonde where; **¿adónde?** where?
adoptar to adopt; fit
adorar to adore
adorno *m.* adornment
adoro [*pres. of* **adorar**] I adore
adquerir to acquire, take on
adversario *m.* adversary
advertir to warn, advise, give notice, state; point out
aéreo, -a aerial, air
aeroplano *m.* airplane
afable affable

afablemente affably
afán *m.* hard work; solicitude; worry
afanado, -a hard-working; patient
afectar to affect, make a show of, feign
afecto *m.* liking, preference, desire
afectuoso, -a affectionate; kind
afición *f.* love, affection
aficionado, -a fond of; **aficionado a faldas** woman crazy
afilado, -a sharp; slender
afligido, -a afflicted, distressed, worried
afligir to afflict, grieve
afortunado, -a fortunate, lucky
afrancesado *m.* French sympathizer
afrancesado, -a Frenchified, imitating the French
afrancesar to side, sympathize with the French
afrenta *f.* insult
Africa *f.* Africa
afuera outside; **el de afuera** the one outside; **los de afuera** those outside
afueras *f. pl.* outskirts
agacharse to bow, bend over, stoop down
agarrar to grasp, seize, get; **estoy bien agarrado** I have a good hold
agasajar to regale, entertain
agasajo *m.* entertainment; show of consideration
ágil agile, quick
agilísimo, -a very agile, very quick
agitar to agitate, quicken, shake
agitó [*past of* **agitar**] (he) shook
agosto *m.* August
agotar to exhaust
agradable agreeable, pleasant
agradar to please
agradecido, -a grateful
agravio *m.* insult
agregar to add
agricultura *f.* agriculture
agrupado, -a grouped
agua *f.* water
aguantarse to bear; be composed, keep calm
aguardar to wait for, await
agudo, -a sharp
agüero *m.* omen, sign
águila *f.* eagle

Agustín Augustine
ah ah
ahí there; **ahí tiene usted** there is; **hasta ahí** so far
ahogar(se) to stifle, choke, drown
ahora now; **ahora mismo** right now; **hasta ahora** so far; **por ahora** for the present, for the time being
ahorcar to hang; **ahorcar los hábitos** to leave the priesthood
ahorrar to save
aire *m.* air; **¡Aire!** Get out!; **en los aires** in the air
ajeno, -a of another; strange
ajorca *f.* bracelet
ajustar to adjust
ajusticiado, -a executed criminal
al = a el to the, on the, at the, on, upon; **al contrario** on the contrary; **al fin** finally
ala *f.* wing; **tener más alas** to have most authority
alabastrino, -a alabaster, very white
alambre *m.* wire
alargar to extend, stretch out, hold out, pull out
alarma *f.* alarm
alarmado, -a alarmed
alba *f.* dawn; **lucero del alba** morning star
albañil *m.* mason
albarca *f.* sandal
alcabala *f.* sales tax
alcahuete *m.* procurer, go-between
alcalde *m.* mayor
alcadesa *f* mayor's wife
alcance *m.* reach
alcanzar to reach; suffice, overtake
alcoba *f.* alcove, bedroom
alcurnia *f.* lineage; race, breed
aldaba *f.* knocker; **tener buenas aldabas** to have great influence, to have "pull"
aldabón *m.* large knocker
aldea *f.* village, town
aleccionar to instruct
alegrar to gladden, fill with joy; **alegrarse** to be glad
alegre happy, merry
alegremente happily, gaily
alegría *f.* happiness, joy

alejarse to go away
alejó [*past of* **alejar**]; **se alejó** (he) went away
Alemania *f.* Germany
alepín *m.* bombazine (kind of cloth)
alfabeto *m.* alphabet
alfiler *m.* pin; **alfiler a ochavo** big pin
algo something, somewhat; **algo menos será** it won't be as bad as that; **por algo será** there must be some reason for it
alguacil *m.* bailiff, constable
alguien someone, somebody
algún, alguno, -a some, any; **alguno que otro** one or two
algunos, -as some
Alhambra beautiful Moorish palace in Granada, constructed in the XIII and XIV centuries. The last stronghold of the Arabs in Spain, it was surrendered to Ferdinand and Isabella in 1492.
aliento *m.* breath
alimaña *f.* varmint; riffraff
alimento *m.* food, nourishment, support
alma *f.* soul, heart; **alma mía** sweetheart; **hijos de mi alma** my dear children
almagre *m.* red ochre
almendra *f.* almond
almohada *f.* pillow
almohadón *m.* large pillow
almorzar to take lunch; (in *El sombrero de tres picos*) to take breakfast
almuerzo *m.* lunch
alpargata *f.* canvas sandal
alpujarreño, -a from the Alpujarras (mountains in Southern Spain)
alrededor (de) around
altar *m.* altar
alternado, -a alternate
alto, -a high; **a las altas horas** at a late hour; **en alta voz** aloud; **lo alto, lo más alto** the top; **¡Alto!** Halt!
altura *f.* height
aludir to allude, refer
alumbrado *m.* lighting; **alumbrado público** street lighting
alumbrar to illuminate, light; hold a light; enlighten, light the way
alumbraron [*past of* **alumbrar**] (they) lit, illuminated

alzar to raise, lift
allá: más allá de beyond; **por allá** that way; **allá ellos** it's their business
allende beyond
allí there; **por allí** around there, that way
ama *f.* mistress; nurse; **ama de leche** wet nurse
amaba [*imperf. of* **amar**] (he) loved
amable amiable, kind, lovable
amanecer to dawn, become light
amanecer *m.* dawn
amansarse to become gentle; be pacified
amante *m. f.* lover
amar to love
amargura *f.* bitterness
amarillento, -a yellowish
amarillo, -a yellow
amasar to knead, make bread
ambiente *m.* atmosphere
ambos, -as both
amenaza *f.* threat
amenizar to make pleasant, to make agreeable
América *f.* America; **la América del Norte** North America; **la América del Sur** South America
americano, -a American
amigo, -a *m. f.* friend
amistoso, -a friendly
amo *m.* master, owner; **amos** master and mistress
amor *m.* love; **al amor de la lumbre** by the fireside
amoroso, -a amorous
amparar to aid, assist, help, protect
amparo *m.* protection, defense; refuge
Ana Anne
anciano *m.* old man
ancho, -a wide; **a sus anchas** at their ease
andada *f.* track; **volver a las andadas** to retrace one's steps
Andalucía *f.* Andalusia, southern region of Spain, comprising eight provinces, and the cities Sevilla, Granada and Córdoba.
andaluz, -za Andalusian, native of Andalusia
andar to walk, go; pass
andarín *m.* fast walker
andén *m.* platform

anfitrión *m.* host
ángel *m.* angel
angosto, -a narrow; tight-fitting
ángulo *m.* angle, corner
angustia *f.* anguish
angustiado, -a worried, sorrowful
anillo *m.* ring
animación *f.* animation
animado, -a animated, lively
animal *m.* animal; stupid person
Animas *f. pl.* ringing of church bells at night as a signal for the faithful to pray for souls in Purgatory.
anoche last night
anónimo, -a anonymous
anotar to note, jot down
ansiado, -a desired, longed for
ansiar to desire
Antártico, -a Antarctic
ante before
antecesor *m.* predecessor
Anteo Antaeus, (giant who was invincible as long as he was touching the earth)
anterior previous; **anterior a** preceding
antes before, formerly; **antes de** before, rather than; **antes (de) que** before; **cuanto antes** right away
anticipación *f.* anticipation; **llegar con bastante anticipación** to arrive quite early
anticiparse to anticipate, act first, speak first
Anticristo *m.* Antichrist
anticuado, -a antiquated
antigüedad *f.* antiquity
antiguo, -a old; **a la antigua española** in the Old Spanish manner
antojarse to take a fancy to, to be pleasing; **o como se te antoje** or whatever you take a fancy to
antonomasia *f.* antonomasia; **por antonomasia** to give it another name
anunciar to announce
anuncio *m.* announcement
anudar to knot, tie
anzuelo *m.* fishhook
añadir to add
año *m.* year; **al año** every year, yearly, by the year

apagado, -a extinguished; without fire, cold

apagar to extinguish, put out

aparato *m.* apparatus; signs

apareado, -a paired, side by side

aparecer to appear

aparecían [*imperf. of* **aparecer**] (they) appeared, were

aparejar to harness, saddle

aparición *f.* apparition; appearance

apariencia *f.* appearance, illusion

apartado, -a standing apart

apartar to draw away, push aside, pull aside; separate, leave, **apartarse** to leave

aparte aside; separate

aparté [*past of* **apartar**] I removed, turned aside

apearse to dismount

apegado, -a attached

apellido *m.* surname

apenas scarcely; **apenas si** scarcely

apéndice *m.* appendage

aplacerse to take pleasure

aplauso *m.* applause

aplicar to apply, place

apoderado *m.* proxy, attorney, representative

apoderarse to gain possession, seize

aposento *m.* room

apoyar to lean, support, rest

aprecian [*pres. of* **apreciar**] (they) appreciate

apreciar to appreciate, esteem; estimate

aprecio *m.* appreciation, esteem

apremiante pressing, urgent

aprender to learn

apresurarse to hasten, hurry

aprobar to approve

aprobará [*fut. of* **aprobar**] will approve

aprovechar to take advantage of; make use of; avail oneself of

aproximaba [*imperf. of* **aproximar**] (it) approached

aproximar to approach

apuntado, -a aimed

apuntando [*pres. part. of* **apuntar**] pointing, aiming

apuntar to point, aim at

apurar to drain, drink down

apuro *m.* strait, difficulty

aquel, -ella *adj.* that; **aquel a quien** the man whom

aquél, -élla *pron.* that (one), the former

aquello *pron.* that; that matter

aquellos, -as *adj.* those

aquéllos, -as *pron.* those

aquí here; **he aquí** behold, here is; **por aquí** this way

árabe *m.* Arab

árbol *m.* tree

Archena Archena, town in the province of Murcia; **soy de Archena** I'm as tough as they are

arder to burn

ardid *f.* trick

arena *f.* sand

Argentina *f.* Argentina

argentino, -a silvery

árido, -a arid, dry

aristocrático, a aristocratic

arma *f.* arm, weapon

armar to arm; **armarse** to start up, break out

arqueado, -a arched, bowed

arracada *f.* earring; **sendas arracadas en sus orejas** with an earring in each ear

arrancar to tear out, snatch, force from

arrancaría [*cond. of* **arrancar**] I would tear out

arrancó [*past of* **arrancar**] (he) tore away

arranque *m.* curve; pulling up; impulse

arrastrar to drag

arre "get up", go on (to a horse or donkey)

arrear to drive, urge on; start up

arrebatar to snatch

arreglar to arrange, put right; straighten out, tidy up

arremangado, -a with sleeves rolled up, bare arms

arrepentir (se) to repent

arrestar to arrest

arriba up; upstairs; **de arriba** upper; **hacia arriba** up; **mover la cabeza de arriba abajo** to nod

arriesgar to risk

arrimar to lean against; **arrimar una bofetada** to give a blow; **arrimarse a** to make for, go over to

arriscado, -a bold; gay, dashing

arroba *f.* arroba (Spanish weight, about 25 pounds)

arrogante arrogant, proud

arrogantemente arrogantly

arrojar to throw, hurl; cast out, utter

arrojó [*past of* **arrojar**] (he) hurled; uttered

arrollar to roll up

arruga *f.* wrinkle

arrugado, -a wrinkled

arruinar to ruin

artero, -a sly, cunning

artículo *m.* article

artista *m.* artist

artísticamente artistically

arzobispo *m.* archbishop

asado, -a roasted

asador *m.* spit (for roasting meat)

asalto *m.* assault, attack

ascendiente *m.* ancestor

aseguraba [*imperf. of* **asegurar**] (he) assured, asserted

asegurar to assure; fasten

aseguró [*past of* **asegurar**] (he) assured

asemejarse (a) to resemble, look alike

asesinar to kill, murder

asesino *m.* assassin, murderer

así thus; **así como** as well as; **así que** as soon as

Asia *f.* Asia

asiento *m.* seat

asieron [*past of* **asir**] (they) seized

asir to seize, grasp

asistieron a [*past of* **asistir**] (they) attended

asistir a to attend, be present at

asmático, -a asthmatic

asomar to show, appear; to stick out (one's head); **asomarse** to lean out; come close

asombrarse to be astonished, be surprised

asombro *m.* astonishment, surprise

asombroso, -a astonishing, amazing

asomo *m.* appearance; sign, indication; **ni por asomo(s)** by no means

aspiración *f.* aspiration

astuto, -a astute, cunning

asuntillo *m.* little affair

asunto *m.* affair, subject; **vamos al asunto** let's get to the point; **asuntos oficiales** official duties

asustar to frighten

ataque *m.* attack

atar to tie

atención *f.* attention; **con atenciones** attentively

aterrado, -a terrified

atiborrado, -a stuffed

atildamiento *m.* fault finding; correctness, punctiliousness

Atlántico *m.* Atlantic

atmósfera *f.* atmosphere

atormentar to torment

atractivo, -a attractive

atrapar to catch

atrás behind; **con los brazos atrás** with his (their) arms (tied) behind him (them); **de atrás hacia adelante** backwards and forwards

atravesar to cross, pierce, interrupt; interpose

atreverse to dare; **no se atrevía con su mujer** he did not dare face his wife

atrevido, -a daring, bold

atribuir to attribute

atrio *m.* hall; court

atrocidad *f.* atrocity

atropellar to trample on, overcome, pull aside; **atropellarse** to be overcome

atroz atrocious

aturdir to stun; deafen; bewilder

aun, aún, even; still, yet; also

aunque although, even though

ausencia *f.* absence; lack

austero, -a austere

Australia *f.* Australia

Austria *f.* Austria

austriaco, -a Austrian

auto *m.* **auto sacramental** religious one-act play

automático, -a automatic

autopsia *f.* autopsy

autor *m.* author

autoridad *f.* authority

auxiliar to aid, help

auxilio *m.* aid, help

avanzaban [*imper. of* **avanzar**] (they) advanced

avanzar to advance, move on, move forward, come forward

ave *f.* bird

Ave María Purísima Good Heavens; watchman's cry (Hail Mary)

aventajar to advance; surpass, win an advantage, be superior to

aventura *f.* adventure

avergonzado, -a ashamed

averiguar to verify, find out, investigate, inquire

aviado: estar aviados to be in a fix

avieso, -a irregular; perverse, malicious

avíos *m. pl.* tools, equipment, outfit; **avíos de fumar** tobacco and cigarette papers

avisado, -a prudent, wise, clever

avisar to advise, warn, tell, announce

aviso *m.* information; **dar aviso a** to inform

avivar to liven up, animate, enliven

¡Ay! Ah! Oh!; **ay de** alas for, woe to

ayer yesterday

ayudar to aid, help

ayunar to fast

ayuntamiento *m.* municipal government; city hall

azar *m.* hazard, chance; **al azar** at random

azotar to lash, whip

azucena *f.* lily

azul blue

B

baboso, -a slobbering, drooling

bachillera *f.* chatterbox

bachillería *f.* chattering; gossip

bachillero *m.* chatterbox

badulaque *m.* blockhead, idiot

bahía *f.* bay

bailar to dance

baile *m.* dance

bajando lowering

bajar to go down, descend, climb down; bring down, take down; get out; get off; **bajarse** to get down, come down

bajo, -a low; vulgar; lower; bowed; **por lo bajo** in a low voice

bajo under, beneath

bala *f.* bullet

balancearse to sway

balbucear to stammer

balcón *m.* balcony

balde: de balde free, gratis

banda *f.* side (of road)

bandido *m.* bandit

bando *m.* edict; law

bandolero *m.* brigand

bañarse to bathe

baño *m.* bath

baqueta *f.* ramrod

baraja *f.* pack of cards

baratura *f.* cheapness

baraúnda *f.* uproar; confusion, hubbub

barba *f.* chin

bárbaro *m.* barbarian, monster

barbilampiño, -a smooth-faced; thin-bearded

barca *f.* boat

Barcelona Capital of Catalonia, chief industrial city of Spain, on the Mediterranean; pop., over 2,000,000

barco *m.* boat; **barco de la carga** freight boat

barón *m.* baron

barra *f.* bar; **no pararse en barras** not to be over-scrupulous

barraca *f.* cabin

barranco *m.* ravine

barrer to sweep

barriga *f.* belly, paunch

barro *m.* clay

base *f.* base

basilisco *m.* basilisk, ugly serpent

bastaban [*imperf. of* **bastar**] (they) were sufficient

bastante quite, enough; sufficiently

bastar to suffice, be enough

Bastián Sebastian

bastón *m.* stick, staff, walking stick

bastonazo *m.* blow with a stick

batalla *f.* battle

batida *f.* beating; hunt, chase

batista *f.* cambric, fine cloth

bautismo *m.* baptism

bautizo *m.* baptism

Baza town in southern Spain between Granada and Murcia

beber to drink

beldad *f.* beauty
belleza *f.* beauty
bello, -a beautiful
bendecir to bless
bendición *f.* blessing
bendito, -a blessed; *as noun*, saint; **bendita seas** bless you
berrear to bellow
besar to kiss
beso *m.* kiss
bestia *f.* beast
bíblico, -a biblical
bicho *m.* bug, vermin; beast
bien well; very; **más bien** rather; **pues bien** very well, all right; **está bien** it is all right, all right; **bien que** although; **hombre de bien** honorable man; **mujer de bien** virtuous woman; **no bien** as soon as; **tener a bien** to see fit
bienes *m. pl.* wealth, goods
bienhechor *m.* benefactor
billete *m.* ticket; note
bizco, -a cross-eyed
bizcocho *m.* biscuit; ladyfinger
biznieta *f.* great-granddaughter
blanco, -a white
blanquear to whitewash
blonda *f.* lace
boca *f.* mouth; **de boca** face down; **boca del estómago** pit of the stomach; **caer de boca** to fall headlong; **con la boca hecha un agua** his mouth watering; **de manos a boca** unexpectedly, suddenly; **sin decir esta boca es mía** without opening his mouth
bocacha *f.* big mouth; blunderbuss
boda *f.* wedding
bodega *f.* cellar; wineshop
bofetada *f.* blow; **dar bofetadas** to strike (blows)
bofetón *m.* hard slap
bola *f.* ball; **dale bola** telling the same old story
boletín *m.* bulletin
bolsillo *m.* pocket
bombardeo *m.* bombardment
Bonaparte Napoleon Bonaparte
bondadoso, -a kindly
bonito, -a pretty, fine
boquerón *m.* wide opening; anchovy

Borbón Bourbon, name of an illustrious royal family of France. Louis XIV was the most famous member. Philip V (1700-1746) was the first Bourbon to rule Spain.
bordado *m.* embroidery
bordado, -a embroidered
bordar to embroider
borde *m.* border, edge
borla *f.* tassel
borracho *m.* drunkard
borrachón *m.* big drunkard
borrar to erase, rub out
borrasca *f.* storm, tempest
borrica *f.* donkey
borrico *m.* donkey
bosque *m.* forest
bostezar to yawn
bostezo *m.* yawn
botella *f.* bottle
botica *f.* apothecary's shop
boticario *m.* apothecary
bóveda *f.* vault, arch
bramar to roar, bluster
brasileño, -a Brazilian
¡bravo! Fine! **¡Bravo!** Long live!
brazado *m.* armful
brazo *m.* arm; **con los brazos atrás** with his arms tied behind his back
breve short, brief
brillaban [*imperf. of* **brillar**] (they) shone
brillar to shine
brinco *m.* leap, bound
brindar to offer; invite
brisca *f.* bezique (a card game)
broma *f.* joke, jest; gaiety; **no estoy para bromas** I'm not in a jesting mood
bronce *m.* bronze
bruja *f.* witch
brujería *f.* witchcraft
Bruselas Brussels, capital of Belgium
brutalidad *f.* brutality
bruto, -a stupid; coarse; **en bruto** in the rough
bu *m.* bogeyman
buenaventura *f.* fortune; palmistry; **decir la buenaventura** to tell fortunes
bueno, -a good; **está bueno** he is a fine one; **más buena moza** a nicer looking girl; **tanto bueno** so kind of you

Buenos Aires Capital of Argentina
bufete *m.* desk
bufón, -ona waggish
bufonada *f.* buffoonery, practical joke
bulto *m.* bulk, shape; figure; **escurrir el bulto** to get away, slip out
buque *m.* boat
burla *f.* ridicule, mockery, joke
burlarse to make fun of, mock
burra *f.* donkey
burro *m.* donkey
busca *f.* search; **en su busca** looking for him
busca [*pres. of* **buscar**] (you) look for, search for; (it) searches for
buscando [*pres. part. of* **buscar**] searching for
buscar to look for, search for
buscará [*fut. of* **buscar**] (he) will search for
buscaremos [*fut. of* **buscar**] we shall search for
busco [*pres. of* **buscar**] I seek, search for

C

¡ca! oh no!
cabalgador, -ora upper, on top
caballería *f.* mount; **caballerías** chivalry
caballero, -a mounted
caballero *m.* gentleman; sir; **espadín de caballero** knightly sword
caballo *m.* horse
cabecera *f.* head (of bed, table); bolster, pillow
cabecero *m.* head (of bed)
cabello *m.* hair
caber to be contained in; fall to one's share; **no cabe duda** there is no doubt
cabeza *f.* head
cabildo *m.* corporation (of city); **salas de cabildo** council rooms
cablegráfico, -a cable
cabo *m.* end; **llevar a cabo** to carry out; **al cabo** finally, at length; **al cabo de** after
cabo *m.* corporal; commander
cabra *f.* goat
cabrero *m.* goatherd

cachorrillo *m.* pocket pistol
cada each, every; any
cadáver *m.* dead body
Cádiz beautiful city of Southern Spain, almost surrounded by the sea
caer to fall; fall back; **se cae de su peso** it goes without saying
caída *f.* fall
caja *f.* box; **caja fuerte** safe, strong box
cajita *f.* small box
cajón *m.* large box; drawer (of desk)
calabacera *f.* pumpkin vine
calabacero *m.* pumpkin grower
calabaza *f.* pumpkin
calado, -a soaked
calamidad *f.* calamity
calamitoso, -a calamitous; **lo calamitoso** sad condition
calavera *m.* rake, libertine
calceta *f.* sock; **hacer calceta** to knit
calcular to calculate, estimate
caldo *m.* broth; gravy
calentar to warm, heat
calidad *f.* quality; rank
caliente warm, hot
calma *f.* calm; **tener calma** to be calm, keep calm
calmar to calm, pacify
calor *m.* heat; **hacer calor** to be hot; **con el calor que hace** in this heat
calzado, -a shod
calzar to put shoes on, take (certain size of bullet)
calzón *m.* breeches
callado, -a silent; **para callado** to be kept quiet
callar(se) to remain silent, be silent
callaron [*past of* **callar**] (they) became silent
calle *f.* street; **calle arriba** up the street
callé [*past of* **callar**] I remained silent
callejón *m.* lane, alley; **callejón sin salida** blind alley, dead-end street
cama *f.* bed; **cama de matrimonio** double bed
cámara *f.* room, bedroom
camarada *m., f.* comrade, companion
cambiado, -a changed
cambiar to change; exchange; **cambiar de tono** to change tone

cambio *m.* change; **en cambio** on the other hand; still

caminar to go, run, travel; move on, ride on; walk

camino *m.* road; **camino carretero** highway; **camino del carretero** on the way

camisa *f.* shirt

campamento *m.* camp

campana *f.* bell

campanilla *f.* little bell; **de campanillas** very important, of importance

campaña *f.* campaign; **estar en campaña contra** to take the field against; **salir a campaña** to take the field

campear to go out to pasture, be prominent; **dejar campear** to display prominently

campesino *m.* peasant, countryman

campestre rustic, rural

campo *m.* field, open field; countryside; **a campo travieso** across country; **en medio del campo** in open country

canción *f.* song; refrain

candeal: **trigo candeal** white wheat

candela *f.* candle; fire, light; **encender candela** to strike a light

candil *m.* lamp

canónigo *m.* priest, canon

cansado, -a tired

cansancio *m.* weariness

cansar to tire; **cansarse** to get tired

cansó [*past of* cansar] (he) tired

cantaban [*imperf. of* cantar] (they) sang

cantábrico, -a Cantabrian, (word derives from a range of rugged mountains in Northern Spain)

cantando [*pres. part. of* cantar] singing

cantar to sing

cántaro *m.* jar, jug, pitcher

cantidad *f.* quantity, amount

canturrear to hum

caña *f.* cane; fishing rod; **caña de Indias** bamboo cane

cañada *f.* ravine, gully

caño *m.* tube, pipe; jet of water

cañón *m.* tube, pipe; barrel (of a gun)

caos *m.* chaos

capa *f.* cape

capaz capable

capilla *f.* chapel; **en capilla** to be in the death house

capitación *f.* poll tax

capital *f.* capital (city); *m.* capital (money)

capitán *m.* captain

capitular capitular (member of a religious order)

capítulo *m.* chapter

capón *m.* capon, chicken

capote *m.* cloak; **capote de monte** short cloak, poncho; **para su capote** to himself

caprichoso, -a capricious, fickle

captar to capture; gain

cara *f.* face; **tomar la cara** to chuck under the chin

carabina *f.* carbine, gun

carácter *m.* character

caracterizado, -a distinguished, outstanding

carbón *m.* charcoal, carbon

carcajada *f.* outburst of laughter

cárcel *f.* prison

carecer de to lack

carencia *f.* lack

carga *f.* freight; **barco de la carga** freight boat

cargado, -a laden; **cargado de espaldas** stoop-shouldered

cargar to load, charge; **cargarse con** to take upon oneself

cargo *m.* charge

cargó [*past of* cargar] (he) loaded

cariátide *f.* caryatid (supporting column in form of a female figure)

caricatura *f.* caricature

caricia *f.* caress

cariño *m.* affection, fondness, love

cariñoso, -a affectionate, kind

Carlo Magno Charlemagne

Carlos Charles; Carlos IV, King of Spain (1788-1808), during whose reign Napoleon invaded Spain.

Carmen: Virgen del Carmen Good Heavens

carne *f.* meat, flesh; **carnes** body, weight

Carnestolendas *f. pl.* carnival, Shrovetide

Caro General Venturo Caro (1742–1808) fought against the French

carpintería *f.* carpentry
carpintero *m.* carpenter
carretero *m.* camino carretero highway
carril *m.* road
carro *m.* cart
carta *f.* letter; carta blanca carte blanche, permission
casa *f.* house; casa de comercio business firm; a casa home; en casa at home
casaca *f.* dress coat
casadero, -a marriageable
casado, -a married; married person
casar to give in marriage, marry, marry off; casarse con to marry
casaremos [*fut. of* casar] nos casaremos we shall marry
casi almost
caso *m.* case; hacer caso (de) to pay attention to, heed; por el caso in this case
casta *f.* breed; perro de casta pedigreed dog
castaña *f.* chestnut
castañetear to chatter
castellano, -a Spanish, Castilian
castigaban [*imperf. of* castigar] (they) punished
castigar to punish
castigo *m.* punishment
Castilla Castile; las Castillas Old and New Castile
castillo *m.* castle
Castillo Piñón Chateau Pignon (town in the Pyrenees)
casto, -a chaste; innocent
casual casual, chance
casualidad *f.* chance, fate, accident
casualmente casually, accidentally
catástrofe *f.* catastrophe
catedral *f.* cathedral
categoría *f.* category, class
catorce fourteen
caudal *m.* capital (money)
causa *f.* cause; a causa de because of; conocimiento de la causa knowledge of the case
causar to cause; causar terror to frighten
cavar to dig
cavilar to object to unnecessarily; meditate

cayó [*past of* caer] (he) fell
caz *m.* mill-race, canal
caza *f.* chase, hunt; game (wild animals); caza mayor big game
cazar to hunt, give chase (to)
ceder to yield, cede, grant; ceder el paso to give way
celebraba [*imperf. of* celebrar] (it) celebrated
celebrar to celebrate; hold (meeting, mass)
Celedonio proper name
celeridad *f.* haste
celos *m. pl.* jealousy
celoso, -a jealous
celta *m.* Celt
cena *f.* evening meal
cenar to eat supper, sup; da de cenar (he) gives supper, feeds
censo *m.* census; tax
censura *f.* censure
centeno *m.* rye
central central
ceñir to gird on, put on; assume
cera *f.* wax
cerca *f.* enclosure, fence
cerca near; cerca de near, close by; de cerca near, close by
cercanía *f.* vicinity; de las cercanías nearby, neighboring
cercar to surround
ceremonia *f.* ceremony
ceremonioso, -a ceremonious
cereza *f.* cherry
cerezo *m.* cherry tree
cerrado, -a closed, locked
cerradura *f.* lock; ojo de la cerradura key hole
cerrar to close, shut; seal; close in; lock
cerrará [*fut. of* cerrar] (it) will close
cerraron [*past of* cerrar] (they) closed
cerró [*past of* cerrar] (he) closed
cerrojo *m.* bolt
cesar to cease
cesta *f.* basket
cetro *m.* scepter
ciego *m.* blind man
cielo *m.* sky; heaven
cien, ciento one hundred
ciencia *f.* science

ciertamente certainly
cierto, -a certain, a certain; true; lo cierto what is (was) certain; ¿No es cierto? Isn't it so? por cierto certainly
ciervo *m.* deer
cigarrillo *m.* cigarette
cigarro *m.* cigarette
cimbrarse to bend, sway
cincel *m.* chisel
cinco five
cincuenta fifty; cincuenta y tantas fifty odd
cínico, -a cynical
cinismo *m.* cynism
cintura *f.* waist; belt
circumloquio *m.* circumlocution
circunspección *f.* circumspection
circunstancia *f.* circumstance, fact
circunstante *m.* by-stander
cita *f.* appointment, date, rendez-vous
citar to make an appointment with, cite, invite (at a specific time)
ciudad *f.* city
ciudadano *m.* citizen
civil civil
civilización *f.* civilization
clamantes (Latin) crying
claramente clearly
claridad *f.* light, brightness
claro, -a clear; obvious; es claro of course, evidently; sacar en claro to bring to light
claro *m.* light, open space, hole
clase *f.* class, sort, kind; quality
clásico, -a classic
claustro *m.* cloister
cláusula *f.* clause
clavado, -a stuck, fixed
clavar to nail, fasten, stick, stab
clave *f.* key
clavo *m.* nail
Cleopatra Cleopatra
clérigo *m.* clergyman, priest; clérigos clergy
cobertizo *m.* shed; shed roof
cobre *m.* copper
cocido *m.* stew
cocina *f.* kitchen
cocinera *f.* cook
coche *m.* coach

codiciado, -a coveted
codiciar to covet
codo *m.* elbow
cofrade *m.* colleague; cofrade de coro fellow member of the choir
coger to catch, pick up; seize, grasp, touch; snatch
cogió [*past of* coger] (he) caught
cojo, -a lame
cola *f.* tail
colarse to slip, glide
colchón *m.* mattress
cólera *f.* anger
colgado, -a hanging
colgar to hang; hang down
colina *f.* hill
colmena *f.* beehive
colmo *m.* peak, height; limit
colocando [*pres. part. of* colocar] placing
colocar to place, put
Colombia *f.* republic in South America
colombiano, -a Colombian
Colón Columbus
color *m.* color
colorado, -a red
colosal colossal
columna *f.* column
collar *m.* collar
comadre *f.* godmother; gossip (woman)
comandante *m.* commander
combinación *f.* combination
comedia *f.* comedy
comenzar to commence, begin
comer to eat; dar de comer a to give something to eat to, give a dinner for; comerse la partida to see that something is brewing, but not letting it be known
comercial commercial
comercio *m.* commerce; casa de comercio business firm
cometer to commit
comía [*imperf. of* comer] I ate
cómico, -a comic
comida *f.* meal, dinner
comido, -a eaten
comienzo *m.* beginning
comieron [*past of* comer] (they) ate
comisura *f.* meeting place; juncture; comisura de los labios corner of lips

comitiva *f.* committee; escort
como as, like; tan . . . como as . . . as; como a at about; como que in as much as
¿Cómo? How? Why? How so? What do you mean?
comodidad *f.* comfort
cómodo, -a comfortable
compadecerse to be reconciled, be compatible; compadecerse de to pity, take pity on
compadre *m.* godfather, friend
compaña *f.* company
compañero *m.* companion, friend
compañía *f.* company
comparable comparable
comparación *f.* comparison
comparar to compare, liken
comparecer to appear; present oneself
compás *m.* compass; vestibule
compasión *f.* compassion, pity, sympathy
compendiar to sum up
compensar to compensate
complacerse to take pleasure
complacido, -a pleased, satisfied
completamente completely
completar to complete, execute
complicidad *f.* complicity
complot *m.* plot
componer to compose; repair, fix up
comprar to buy
comprender to understand, know
comprendía [*imperf. of* comprender] (he) understood
comprobar to prove, verify, check
comprometer to compromise
compuesto, -a composed
común common
comunicación *f.* communication
comunicar to communicate
con with, to
concavidad *f.* cavity
concebido, -a conceived
concebir to conceive, imagine
conceder to concede, grant
concentrar to concentrate
concluir to conclude, end, exhaust
conclusión *f.* conclusion
concurrencia *f.* assembly, company
concurrir to meet, assemble

concurso *m.* assembly, company
concha *f.* shell
conde *m.* count
condenación *f.* condemnation, damnation; ¡Condenación! Curses!
condición *f.* condition, nature, disposition
condicional conditional
conducían [*imperf. of* conducir] (they) conducted, led
conducir to conduct, carry, lead, bring
conducta *f.* conduct
confesar to confess
confesor *m.* confessor
confianza *f.* confidence; hombre de confianza reliable person
confiar to confide, entrust
confidencial confidential
confirmar to confirm
confite *m.* candy, sweet
conforme as
confundir to confuse; confundirse to be confused
confuso, -a confused
congraciarse to ingratiate oneself
congrua *f.* necessary income
conjeturar to conjecture, guess
conjurar to conjure; entreat, beseech
conmigo with me
conmover to move; disturb, alarm
conmovió [*past of* conmover] (it) moved; disturbed, alarmed
conoce [*pres. of* conocer] (it, he) knows
conocer to know, recognize; meet
conocí [*past of* conocer] I knew
conocido, -a known
conocimiento *m.* knowledge, understanding; poner en conocimiento de to communicate with, tell
conque so then, so, and so
conquistador *m.* conqueror
conquistaron [*past of* conquistar] (they) conquered
consabido, -a above-mentioned, well known
consagrar to consecrate, devote
consecuencia *f.* consequence; a consecuencia de in consequence of, following
conseguir to attain, succeed in

consejo *m.* advice, piece of advice

consentir to consent, permit, allow; **consentir en** to consent to

conservan [*pres. of* **conservar**] (they) preserve

conservar to preserve, keep; **conservarse** to continue to be, stay

consideraba [*imperf. of* **considerar**] (I, he) considered, thought

consideración *f.* consideration; importance

considerado, -a considered

considerar to consider, look upon

consiguiente consequent; **de consiguiente** consequently; **por consiguiente** consequently

consistencia *f.* consistency

consistir to consist; **consistir en** to result from

consistorialmente consistorially; **decir consistorialmente** to decree

consorte *m. & f.* consort, spouse

conspirar to conspire

constante constant

constantemente constantly

constar to be clear; be certain

constitucional constitutional

constitucional *m.* constitutional (one who advocates government by constitution)

construido, -a constructed

construir to construct, build

construyeron [*past of* **construir**] (they) constructed

consumado, -a consummate

contaba [*imperf. of* **contar**] (he) counted

contacto *m.* contact

contad [*imperative of* **contar**] tell

contagioso, -a contagious

contar to tell, relate; count, keep accounts; **contar con** to count on (upon)

contemplar to contemplate, look at

contener to contain; restrain, keep back

contenido *m.* contents

contentarse to content oneself, be contented, be satisfied

contento, -a content, pleased

contertulio *m.* fellow guest

contestación *f.* answer, reply

contestar to answer, reply

contestó [*past of* **contestar**] (he, she) answered

contigo with you

contiguo, -a near by, neighboring

continente *m.* continent; bearing

continuar to continue

continuo, -a continuous; endless

contorno *m.* district, vicinity

contra against; contrary to

contradecir to contradict

contraer to contract; distort

contrario, -a contrary, opposite; **al contrario** on the contrary

contrastar to contrast, establish a contrast

contribución *f.* tax

contribuir to contribute

convencer to convince

convenido, -a agreed upon

convenir to agree, suit, coincide, fit

convento *m.* convent

conversación *f.* conversation

conversar to converse, talk

convertir to convert, change; **convertirse** to be changed, be transformed; **convertirse en** to become

convicción *f.* conviction

convicto, -a convicted

convidado *m.* guest

convidar to invite

convocar to convoke, summon

convulsión *f.* convulsion

convulsivo, -a convulsive

convulso, -a convulsed

conyugal conjugal

cónyuges *m. pl.* married couple; **los dos cónyuges** husband and wife

copa *f.* glass; **sombrero de copa** top hat

copla *f.* couplet

coquetería *f.* coquetry

coral *m.* coral

corazón *m.* heart; **me dio el corazón** I had a hunch

corbata *f.* necktie

corcel *m.* steed, charger; **corcel de guerra** war horse

Córdoba city of southern Spain, famous for its beautiful Arabic mosque

cordonazo *m.* scourge; **cordonazo de San Francisco** autumn equinox

coro *m.* choir; **cofrade de coro** fellow member of the choir
corona *f.* crown
coronel *m.* colonel
coronilla *f.* crown (of the head)
corral *m.* barnyard, yard, corral
corralón *m.* large corral, large yard
corre [*pres. of* **correr**] (he, she) runs
corregidor *m.* mayor, corregidor; **por más que sea corregidor** corregidor or not
corregidora *f.* mayor's wife
corregimiento *m.* mayor's office, mayor's house
correo *m.* mail
correr to run; pass over; circulate, encounter; draw (a curtain, or shade); **a todo correr** as fast as he could
correspondiente corresponding; fitting, appropriate
corría [*imperf. of* **correr**] (I, he, it) ran
corriendo [*pres. part. of* **correr**] running
corriente *adv.* all right
corriente *f.* current, line of thought; course; **poner al corriente** to inform, acquaint with
corroboración *f.* corroboration
corso, -a Corsican
cortado, -a cut, cut down
cortar to cut
corte *m.* court; **cárcel de corte** court prison
cortesano, -a courteous
cortesía *f.* courtesy
cortésmente courteously, politely
corteza *f.* bark, husk, outside
cortijada *f.* hamlet
cortijo *m.* farm
cortina *f.* curtain
cortísimo, -a very short
corto, -a short
Coruña La Coruna (city in northwestern Spain)
cosa *f.* thing; affair, event; matter; **cosa de** about; **otra cosa** something else; **ser cosa de** to be a question of
cosecha *f.* harvest
coser to sew
cosquillas *f. pl.* ticklishness; **hacer cosquillas** to tickle

costa *f.* coast
costa *f.* cost, expense
costal *m.* sack
costase [*past subj. of* **costar**] (it) should cost
costumbre *f.* custom; **de costumbre** as usual, customary
cotidiano, -a daily
coyuntura *f.* joint; opportunity
creación *f.* creation
crear to create
creces *f. pl.* increase, extra
credencial *m.* credential; written proof
crédito *m.* credit; **de mayor crédito** better, more trustworthy
creencia *f.* belief
creer to believe, think; **¡Ya lo creo!** Indeed! I should say so!
creerás [*fut. of* **creer**] you will believe
creí [*past of* **creer**] I believed, thought
creían [*imperf. of* **creer**] (they) believed
creído, -a believed
creyó [*past of* **creer**] (he, she) believed
criada *f.* servant
criadero *m.* nursery, hatchery
criado *m.* servant, criado de campaña orderly
Criador *m.* Creator
criar to raise; create
criatura *f.* child; darling
crimen *m.* crime
criminal *m.* criminal
cristal *m.* glass, pane of glass
cristalera *f.* china closet, jewel box
cristiano, -a Christian
Cristo *m.* Christ; **por los clavos de Cristo** for heaven's sake
Cristóbal Christopher
crítica *f.* criticism
cruel cruel
crujir to creak
cruz *f.* cross; withers (of an animal)
cruzaba [*imperf. of* **cruzar**] (I, he, she) crossed
cruzar to cross; pass; exchange; **cruzarse** to pass each other; **cruzarse con** to pass on the road
cuadra *f.* stable
cuadro *m.* picture; **cuadro de género** sketch of manners and customs

cual which; **el cual, la cual** which; **cada cual** each one; **por lo cual** for which reason; **tal o cual** such and such

¿cuál? which? what?

cualquier, cualquiera whatever, any; anyone; some

cuán how

cuando when; **de cuando en cuando** from time to time; **de vez en cuando** from time to time

cuanto, -a as many . . . as, all . . . that; **en cuanto** as soon as; **en cuanto a** as for, with respect to; **cuanto antes** right away

¿cuánto? how much? **¿cuántos?** how many?

cuarenta forty

cuartel *m.* barracks; **cuartel general** headquarters

cuartilla *f.* sheet of paper

cuartillo *m.* pint; quarter

cuarto, -a fourth; quarter; **cuarto estado** servants

cuarto *m.* room

cuatro four

cuatrocientos, -as four hundred

Cuba *f.* Cuba

cubierta *f.* cover, top

cubierto, -a covered

cubrió [*past of* **cubrir**] (it) covered

cubrir to cover

cuchara *f.* spoon

cuchichear to whisper

cuello *m.* neck

cuenta *f.* bill; amount; importance; **darse cuenta de** to be aware of; **pedir cuentas** to call to account; **ser de cuenta** to be the concern of; **Vamos a cuentas** Let's get this straightened out

cuento *m.* story; **venir a cuento** to be to the purpose, be relevant

cuerda *f.* rope

cuero *m.* skin, leather; **poner en cueros** to strip to the skin

cuerpo *m.* body; substance

cuervo *m.* crow

cuestión *f.* question

cuida [*imperative of* **cuidar**] care for, take care

cuidado *m.* care; **¡Cuidado!** Look out! **al cuidado de** caring for; **con cuidado** carefully; **dar gran cuidado** to worry greatly; **no hay cuidado** there is nothing to worry about, don't worry

cuidadosamente carefully

cuidar to care for; be careful

culebra *f.* snake

culpa *f.* blame, fault

culpaba [*imperf. of* **culpar**] (he) blamed

culpar to blame, accuse

cultivar to cultivate

cumplido, -a finished, ended

cumplimiento *m.* compliment; formality

cumplir to fulfill, comply with; **cumplir los setenta** become seventy years old

cura *m.* priest

curiosidad *f.* curiosity

curioso, -a curious

curtido, -a sunburned, tanned, weather-beaten

cúspide *f.* top, summit, peak

cuyo, -a whose; of which

czarina *f.* czarina

Ch

chabacanería *f.* crudeness, vulgarity

chanza *f.* joke

chaqueta *f.* jacket

chasco *m.* trick, joke; **juegos de chasco y pantomima** farces and pantomimes; **llevarse un solemne chasco** to be greatly fooled, be terribly disappointed

chica *f.* girl, child

chico *m.* boy, child

chico, -a small, little

Chile *m.* Chile

chileno *m.* Chilean

chillido *m.* scream

chimenea *f.* fireplace

China *f.* China

chiquilla *f.* child

chiquillo *m.* child

chiquita *f.* little girl

chispeante sparkling, glittering

chistoso, -a witty, funny, gay, bright

chocolate *m.* chocolate

choque *m.* shock, collision

chorrear to drip

choza *f.* hut, cabin
chupa *f.* frock, waistcoat, jacket
chupetín *m.* waistcoat
chusco *m.* funny man; fool

D

D. = Don; Dios
da [*pres. of* **dar**] you give, (he, she) gives; [*imperative of* **dar**] give; **se da** is given
daban [*imperf. of* **dar**] (they) gave
dado, -a [*past part. of* **dar**] given
dama *f.* lady
daño *m.* harm, damage; **hacer daño** to hurt
dar to give, utter, strike (the hour); **dar a** to open on; face on; **dar con** to meet, find; **dar comienzo a** to begin; **dar cuidado** to worry; **dar de comer** to give something to eat to, give a dinner for; **dar de lleno** to strike full; **dar en** to strike, insist upon; **dar golpes** to give blows; **dar gritos** to shout; **dar miedo** to frighten; **dar un paseo** to take a walk; **dar un paso** to take a step; **dar un salto de tigre** to leap like a tiger; **dar una vuelta** to take a turn, come back; **dar unos lamentos** to lament; **dar zancajadas** to take long strides, stride off; **darse** to surrender; **darse cuenta de** to realize, become aware of; **¡Date!** Surrender!
data [*pres. of* **datar**] (it) dates
datan [*pres. of* **datar**] (they) date
dato *m.* datum, fact, information
de of, by, as; **de manera que** so that; **de veras** really
dé [*pres. subj. of* **dar**] (he) gives
De profundis De profundis, CXXIX psalm (CXXX in King James version)
deán *m.* dean
debajo below; **debajo de** under; **por debajo de** under
debe [*pres. of* **deber**] (you, he, she) must
deber (de) must, should; **ha debido** he must have
deber *m.* duty
debía [*imperf. of* **deber**] (he, she, it, you) should, must, ought
debido, -a due, proper

débil weak
debió de [*past of* **deber de**] (he, she, you) must have
decano *m.* senior, senior officer; dean
decente decent, proper, edifying
decían [*imperf. of* **decir**] (they) said, told
decidido, -a decided
decidir to decide
décimo, -a tenth
decimos [*pres. of* **decir**] we say
decir to say, tell; **es decir** that is to say, that is; **por mejor decir** rather, better said; **que digamos** so to speak; **querer decir** to mean; **se diría** one would say, one might say; **dijérase** one would say
declaración *f.* declaration
declarar to declare; confess; **declararse** to make love, declare one's love
declaró [*past of* **declarar**] (he, she, you) declared
decoro *m.* decorum, decency
decoroso, -a decorous, discreet
decrépito, -a decrepit
decreto *m.* decree
dedo *m.* finger
deducir to deduce, conclude
defecto *m.* defect
defender to defend
defensa *f.* defense
dejaba [*imperf. of* **dejar**] (he, she, you) left, allowed, permitted
dejando [*pres. part. of* **dejar**] leaving
dejar to leave; permit, allow; bequeath; **dejar de** to fail to, cease to, stop; **déjeme de reyes** don't talk to me about kings; **dejarme en depósito** to leave in my charge; **dejarse de** to leave off, drop, fall to
del = de el of the
delantal *m.* apron
delante in front, ahead; **delante de** in front of, in the presence of; **por delante** ahead
delegado *m.* delegate, representative
deliberadamente deliberately
deliberado, -a deliberate
delicadeza *f.* delicacy, good taste
delicado, -a delicate
delicioso, -a delicious, delightful
demanda *f.* demand; complaint

demás: los, las demás the others; por lo demás furthermore

demasiado, -a too, too much, too many

democrático, -a democratic

demonio *m.* demon, devil

demontre *m.* devil, deuce

demostrar to show, demonstrate, prove; demostrarse to be evident, be displayed

demudado, -a altered, changed

demudar to alter, change

denominarse to be called

dentadura *f.* teeth, set of teeth

dentro within, inside; dentro de within; por dentro within

denuesto *m.* affront, abuse

departamento *m.* apartment, compartment

depender to depend

dependiente *m.* servant

depositar to deposit, place

depositaria *f.* depository; public treasury

depósito *m.* deposit

derecho, -a right

derecho *m.* right

deriva [*pres. of* derivar] (it) derives; se deriva (it) is derived

derivado, -a [*past part. of* derivar] derived

derivar to derive

derramar to shed, pour, spill

derretirse to melt, stop boiling; derritiéndose la gacha calming down (*literally*, his porridge not boiling)

derribar to knock down, tear down

desabrido, -a tasteless, insipid

desafío *m.* challenge to a duel

desaforadamente wildly

desagradable disagreeable

desalmado, -a cruel person, soulless person

desaparecer to disappear, vanish

desaparecido, -a disappeared

desapareció [*past of* desaparecer] (he, she, it, you) disappeared

desatar to untie

desavenido, -a contrary, discordant, incompatible

descambiar to exchange

descansa [*pres. of* descansar] (he, she, it) rests

descansaba [*imperf. of* descansar] (he, she, it) rested

descansadamente easily, lazily, tirelessly, without worry

descansar to rest

descansaré [*fut. of* descansar] I shall rest

descanso *m.* rest

descargado, -a unloaded; empty

descargar to discharge, deliver; inflict (a blow)

descender to descend, fall

descendido, -a descended

descendiente descending, descended

descendiente *m. & f.* descendant

descolgar to take down; descolgarse to swing down, slide down

descollar to surpass, rise, rise above

descomponerse to disturb oneself, lose one's composure

descomunal extraordinary, unusual

desconfianza *f.* distrust, mistrust

desconocer not to know, be unfamiliar with, be ignorant of

desconocido, -a unknown, strange; *as noun* stranger

describir to describe

descripción *f.* description

descuartizar to cut to pieces

descubierto, -a discovered, uncovered, bare, open

descubrieron [*past of* descubrir] (they) discovered

descubrió [*past of* descubrir] (he, she, it) discovered

descubrir to discover; to disclose; descubrirse to be evident; se descubrían hasta los pies they took off their hats and swept the ground with them

descubriré [*fut. of* descubrir] I shall discover

descuidado, -a negligent, thoughtless, heedless, without worry; vaya descuidado rest assured

descuidar to neglect; be free from worry; descuida don't worry

descuido *m.* carelessness, moment of inattention

desde from, since; desde luego right away; desde que since

Desdémona Desdemona, innocent wife of Othello
desdén *m.* disdain
desdeñosamente disdainfully, scornfully
deseaba [*imperf. of* **desear**] (I, he, she, you) desired
desean [*pres. of* **desear**] (they) desire
desear to desire, wish
deseas [*pres. of* **desear**] you desire, wish
desechar to cast aside; undo
desembarcar to disembark, land
desembarcó [*past of* **desembarcar**] (he, she) disembarked
desembozarse to unmuffle oneself, throw back one's cape
desencajado, -a dislocated; staring, out of their sockets (of eyes)
desenfado *m.* ease, freedom
desengaño *m.* disappointment, disillusionment
desenojado, -a free of anger; reconciled, appeased
desenvolver to unwrap
deseo *m.* desire
deseoso, -a desirous, anxious
desesperaba [*imperf. of* **desesperar**] (I, he, she, you) despaired
desesperación *f.* despair
desesperar to despair
desfallecido, -a faint, weak, languid
desgracia *f.* misfortune, accident; dishonor
desgraciada *f.* unfortunate woman; wretched woman
desgraciadamente unfortunately
desgraciado, -a unhappy; *as noun* unhappy man, unhappy woman; **desgraciado de usted** woe to you
deshecho, -a strong, violent; **un calavera deshecho** an utter libertine
deshollinador *m.* chimney sweep's broom
deshonra *f.* dishonor
deshonrado, -a dishonored, disgraced
deshonrar to dishonor
desierto, -a deserted
desigualdad *f.* inequality
desinterés *m.* lack of interest, disinterestedness
desinteresado, -a disinterested; unselfish
deslindar to define, delimit

deslizar to slip; **deslizarse** to slip down
deslumbrar to dazzle; bewilder
desmantelado, -a dismantled
desnaturalizarse to change one's character
desnudar to undress
desnudo, -a naked, bare
desobedecer to disobey
desobedeciendo [*pres. part. of* **desobedecer**] disobeying
desobediencia *f.* disobedience
desolado, -a desolate
despacio slowly, leisurely
despachar to dispatch, perform; **despacharse** to hurry, rush about
desparramar to spread
despedida *f.* farewell, leave taking
despedir to dismiss, bid good night; **despedirse** to say good-bye, good night
despegar to loosen, separate, open
despejado, -a cloudless; bright, sprightly
desperezarse to stretch oneself
despertado, -a awakened
despertando awakening
despertar to wake, awake; **despertarse** to awaken, wake up
despotismo *m.* despotism, tyranny
despreciable contemptible
despreciar to scorn, hate
después afterwards, then, next, later; **después de** after; **después (de) que** after
destacarse to stand out
destierro *m.* exile
destinado, -a destined; alloted, given over
destinar to destine; devote
destino *m.* destiny; employment, job
destituir to dismiss from office
desusado, -a out of use, uncommon
desvanecer to make disappear, clear up, dispel
desvanecido, -a faint, fainting
desventura *f.* misfortune
desvergonzado, -a shameless, insolent
desviando [*pres. part. of* **desviar**] turning away
desviar to turn away, turn aside
detalle *m.* detail
detener to detain, arrest, apprehend; **detenerse** to stop

determinarse to determine, decide
determiné [*past of* **determinar**] I determined
detrás de behind
deuda *f.* debt; debit
devoción *f.* devotion
devolución *f.* return
devolver to return, pay back, give back, restore
devotamente devotedly, fondly
día day; **al otro día** on the next day; **día de precepto** day of obligation (to go to mass); (**sus**) **días** (his) birthday; **quince días** two weeks; **todos los días** every day; **un día** some day
diablesa *f.* she devil, minx
diablo *m.* devil
diabólico, -a diabolical
diálogo *m.* dialogue
Diana Diana (goddess of the hunt and of the moon)
diario, -a daily
dibujar to draw, outline
dicen [*pres. of* **decir**] (they) say
diciembre *m.* December
diciendo [*pres. part. of* **decir**] saying
dictado *m.* dictation; title (of honor)
dictar to dictate
dicha *f.* happiness
dicho, -a [*past part. of* **decir**] said, told; **lo dicho** what I said, that's all
dicho *m.* saying; **dichos** speech
dichosísimo, -a very happy
dichoso, -a happy; delightful, wonderful
diente *m.* tooth
diéramos [*past subj. of* **dar**]: **que diéramos una vuelta** that we should return
dieron [*past of* **dar**] (they) gave
diestro *m.* bridle, halter
diez ten
diezmo *m.* tithe
diferencia *f.* difference
diferenciarse to be different
diferente different
diferir to differ
difícil difficult
dificultad *f.* difficulty
difunto, -a dead, deceased, late
difunto *m.* dead man
dignarse to deign, condescend

dignidad *f.* dignity
digno, -a worthy, fit
dije [*past of* **decir**] I said
dijeron [*past of* **decir**] (they) said
dijo [*past of* **decir**] (he, she, you) said
diligencia *f.* diligence
diligente diligent
diminuto, -a small
dinastía *f.* dynasty
dineral *m.* large sum of money
dinero *m.* money
dio [*past of* **dar**] (he, she, you) gave
diócesis *f.* diocese
Dios God; **Dios mío** good heavens; **por Dios** for heaven's sake; **¡vive Dios que . . .!** I'll swear that
diplomacia *f.* diplomacy
diplomático *m.* diplomat
diré [*fut. of* **decir**] I shall tell
dirección *f.* direction; address; **con dirección a** in the direction of
dirigió [*past of* **dirigir**] (he, she, it) directed
dirigir to direct; **dirigirse** to direct oneself, go
disciplina *f.* discipline, punishment; **manojos de disciplinas** bundles of scourges
discreto, -a discreet, clever
discurrir to reflect, reason; discourse; move
discurso *m.* discourse, speech
disfraz *m.* disguise
disfrazado, -a disguised
disfrazar to disguise
disimuladamente surrepticiously
disimulado, -a furtive; concealed
disimular to disguise, conceal, hide
disimulo *m.* dissimulation
disparado, -a like a shot out of a gun
disparar to shoot, fire
dispensar to dispense, give
dispersado, -a dispersed
dispuesto, -a disposed, ready, capable
disputa *f.* dispute
distancia *f.* distance
distante distant
distar to be distant; **¿cuánto distaba . . .?** how far was (it) . . .?
distinguido, -a distinguished

distinguir to distinguish, observe, make out; select, pick out; detect, see
distinto, -a distinct, different
distraer to distract, disturb
distrito *m.* district
diversión *f.* diversion, amusement
diverso, -a diverse, different
divertido, -a entertaining, amusing
divertirse to amuse oneself; **divertirse con** to make fun of
dividir to divide
divinamente divinely
divino, -a divine
divisar to see, perceive, discern
divulgar to divulge, make public
dixisti (Latin) you said (it)
diz = **dicen**
doblar to fold
doble double
doblemente doubly
doce twelve
docena *f.* dozen
doctrina *f.* doctrine; **libro de la doctrina** catechism
doloroso, -a painful
domadora *f.* tamer
domesticar to tame
doméstico *m.* domestic, servant
dominación *f.* domination
dominar to dominate, control
dominaron [*past of* **dominar**] (they) dominated
domingo *m.* Sunday
Don title of respect (used only with the first name)
don *m.* gift
donación *f.* donation, gift
donaire *m.* cleverness, witticism; gracefulness; bearing
donde where, wherever; whence; **por donde** through which, whence
¿dónde? where?
dondequiera wherever, everywhere; **por dondequiera que** wherever
donosamente charmingly
doña title used with woman's first name
dorar to gild, make golden
dormí [*past of* **dormir**] I slept
dormía [*imperf. of* **dormir**] (I, he) slept, was sleeping

dormido, -a asleep, sleeping
dormir to sleep; **dormir el vino** to sleep off the wine; **dormir la mona** to sleep off a hangover; **dormir la siesta** to take a nap; **dormirse** to go to sleep
dormitar to doze
dormitorio *m.* bedroom
dos two; **a las dos** at two o'clock; **los dos** both
doscientos, -as two hundred
dosel *m.* canopy
dragón *m.* dragon
drama *m.* drama
dramático, -a dramatic
duda *f.* doubt; **no cabe duda** there is no doubt; **sin duda** doubtless; certainly
dudar to doubt; hesitate; **dudar de** to doubt, suspect
dudoso, -a doubtful
duende *m.* goblin, ghost
dueño *m.* master, possessor
Duero *m.* Spanish river that flows southwest through Portugal to the Atlantic
dulce sweet
dulce *m.* candy
dulzura *f.* sweetness
Durán, Agustín (Spanish scholar, compiler of the *Romancero general*)
durante during
dureza *f.* hardness; sternness; **con dureza** harshly
duro, -a hard, firm
duro *m.* duro (five pesetas)
durmiendo sleeping

E

e and
¡ea! Come now
ebrio, -a drunk
Ebro *m.* Spanish river that flows southeast to the Mediterranean
eclipsarse to be in eclipse
echa [*pres. of* **echar**]; **echa una siesta** he takes a nap

echar to put, throw, cast; **echar a + inf.** to begin to, start to; **echar de cabeza** to throw headlong; **echar de menos** to miss; **echar en olvido** to forget; **echar llamas** to flash; **echar mano a** to seize; **echar una siesta** to take a nap; **echar yescas** to strike a light; **echar(se) a** to begin to, start to; **echarse a la cara** to raise (a gun) to the shoulder; **echarse a reír** to start laughing

echó [*past of* **echar**] (he) threw

edad *f.* age

edificio *m.* building, house

educar to educate, to raise (children)

efectivamente in fact, really

efecto *m.* effect; **en efecto** in fact

egoísmo *m.* egotism

egoísta egoistic

¿Eh? What?

ejecución *f.* execution

ejecutivo, -a executive; impatient

ejemplar exemplary

ejemplar *m.* variety, specimen

ejemplo *m.* example

ejercer to exercise, perform

ejercicio *m.* exercise

ejercitar to exercise

ejército army

el *article, m.* the; **el de su señor** that of his master; **el que** he who; **lo que** what; **con lo que** and so, so that; **lo que es eso** as to that

él *pron.,* he; him

elástico, -a elastic

elección *f.* election, choice

eléctrico, -a electric

elefante *m.* elephant

elegancia *f.* elegance

elevado, -a elevated; tall

elocuente eloquent

eludir to elude, avoid

ella she; **ellas** they; them

ello it

ellos *m. pl.* they; them

embajada *f.* embassy

embajador *m.* ambassador

embarcar to embark, sail

embargo: sin embargo nevertheless; **sin embargo de que** in spite of the fact that

embarrancar to run aground

embelesado, -a charmed, spellbound, fascinated

embelesar to charm, fascinate

emborracharse to get drunk

embozar to muffle, wrap up

embozo *m.* muffler

embuste *m.* lie, trick

emigración *f.* emigration

emigrar to emigrate

emisario *m.* emissary

emoción *f.* emotion

empalagoso, -a cloying, sickening

emparrado *m.* grape arbor

empecé [*past of* **empezar**] I began

empedrado, -a paved

empedrado *m.* pavement

empeñarse to pawn; insist, persist; bind oneself

empeño *m.* pledge; effort; duty

emperador *m.* emperor

empezar to begin

empezó [*past of* **empezar**] (he, she, it, you) began

empírico, -a empirical, acquired

emplea [*pres. of* **emplear**] (he, she) uses; (you) use

empleado *m.* employee

emplear to employ, use, give occupation to

empleo *m.* employment, position, job

empresa *f.* enterprise, undertaking

empujar to push

empuñar to grasp, hold, take

en in, on, at, of; **en cambio** on the other hand; **en efecto** in fact; **en seguida** immediately

enamorado, -a in love, enamored

encadenar to put in chains

encaje *m.* lace

encaminarse to make one's way; go

encantado, -a enchanted

encantador, -ra enchanting, charming

encararse con to face

encargar to charge, demand, urge, bid; **encargarse de** to take upon oneself, take charge of

encargado, -a in charge of; person in charge

encender to light, inflame, kindle

encerrado, -a enclosed, surrounded

encerrar to enclose, contain; **encerrarse** to lock oneself in, shut oneself up

encía *f.* gum (of mouth)

encima on top, upon; **encima de** above, over

encogerse de hombros to shrug one's shoulders

encontraba [*imperf. of* **encontrar**] (he) found

encontramos [*pres. and past of* **encontrar**] we find; we found

encontrar to find, meet; **encontrarse con** to meet, find, encounter

encontraron [*past of* **encontrar**] (they) found

encontró [*past of* **encontrar**] (he) found

encopetado, -a conceited, high and mighty

encorvar to bend, curve; **encorvarse** to bend over, stoop down

encorvaron [*past of* **encorvar**] (they) bent over, stooped down

encuentra [*pres. of* **encontrar**] (he, she, it) finds

encuentro *m.* encounter, meeting

encumbrado, -a lofty

ende: por ende therefore

endeblillo, -a rather weak, frail, feeble

enemigo, -a unfriendly, hostile

enemigo *m.* enemy

energía *f.* energy

enérgicamente energetically, boldly

enérgico, -a energetic, determined

enero *m.* January

enfadarse to get angry

énfasis *m. & f.* emphasis

enfermedad *f.* illness

enfermizo, -a sickly

en frente in front, opposite; **en frente de** in front of

enfurecerse to get angry, become enraged

engañar to deceive, fool

engaño *m.* deceit, trick

engañoso, -a deceitful, deceptive

enjugar to dry

enjugó [*past of* **enjugar**] (she) dried

enojo *m.* anger

enorme enormous, huge, large

enormidad *f.* enormous size

Enrique Henry

ensalada *f.* salad

ensalmo *m.* incantation, spell; **como por ensalmo** as if by magic

enseñar to teach, show

entender to understand; **entender de razones** to listen to reason; **entenderse** to come to an agreement; know what one is about; **entenderse con** to make one's peace with

entendido, -a understood

entendimiento *m.* understanding, intelligence

enteramente entirely

enterar to inform; **enterarse** to learn, inform oneself, be informed

entero, -a entire, whole

entonaban [*imperf. of* **entonar**] (they) chanted

entonar to chant, intone

entonces then; **de entonces** of that day; **en aquel entonces** at that time

entrañas *f. pl.* entrails; heart; mind; feelings

entrar to enter; **el mes que entra** next month; **muy entrado el mes de diciembre** late in December

entre between, among, amid, in

entrecano, -a grayish

entregar to hand over, deliver, give; **entregarse** to give oneself up, surrender

entrelazar to interlace, entwine

entremés *m.* side dish; interlude (play)

entretanto meanwhile

entretener to entertain

entró [*past of* **entrar**] (he, she) entered, got into

entusiasmar to inspire with enthusiasm

envejercerse to grow old

envejecido, -a old, grown old

envenenar to poison

enviado, -a sent

enviar to send

envidiable enviable

envidiar to envy

envió [*past of* **enviar**] (he) sent

envolver to wrap, wrap up; involve, surround

envuelto, -a [*past part. of* **envolver**] wrapped up

epigramático, -a epigrammatic
epiléptico *m.* epileptic
epílogo *m.* epilogue
episcopal episcopal
episodio *m.* episode
época *f.* epoch, period, time
epopeya *f.* epic
equivaler to be the equivalent of, be equal to
equivocación *f.* mistake
equivocarse to be mistaken, make a mistake
era [*imperf. of* ser] (I, he, she, it) was
eran [*imperf. of* ser] (they) were
eres [*pres. of* ser] you are
erguirse to straighten up
errado, -a mistaken; unwise
errante errant, wandering
errar to miss, fail
erudito, -a learned
es [*pres. of* ser] (he, she, it) is; (you) are
esa *adj. f.* that; esas *f.* those
ésa *pron. f.* that, that one; ésas those
esbirro *m.* bailiff, constable
escalera *f.* stair, stairway; por la escalera abajo down the stairs
escama *f.* scale (fish)
escandalizar to scandalize; escandalizarse to be scandalized, shocked
escándalo *m.* scandal, uproar
escapar(se) to escape
escape *m.* escape; a escape at full speed, hurriedly
escapó [*past of* escapar] (it) escaped
escarbar to scratch
escarnecer to ridicule, mock
escarola *f.* endive
escena *f.* scene
esclarecer brighten; illuminate, light (up)
esclavitud *f.* slavery
escoger to choose, select
esconder to hide
escondí [*past of* esconder] I hid
escondido, -a hidden, out of the way
escondite *m.* hiding place
escopeta *f.* shotgun; echarse la escopeta a la cara to raise the gun to one's shoulder
escote *m.* low neck; neck (of a dress)
escribano *m.* clerk

escribir to write
escriturilla *f.* little note
escrupuloso, -a scrupulous
escuchar to listen
escuchó [*past of* escuchar] (he) listened
escuela *f.* school
escultural sculptural
escupir to spit, spit at
escurrir to drain; escurrir el bulto to slip away, get away
ese *adj. m.* that
ése *pron. m.* that, that one
esencial essential
esfera *f.* sphere
esfuerzo *m.* effort
eslabón *m.* link; steel (for striking fire from a flint)
esmeralda *f.* emerald
esmerarse to take pains, do one's best
esmero *m.* great care; eagerness; attention
eso *pron.* that; a eso de at about; eso que and that in spite of the fact that; por eso on that account
esos *adj. m. pl.* those
ésos *pron. m. pl.* those
espacio *m.* space
espada *f.* sword
espadín *m.* rapier
espalda *f.* shoulder, back; de espaldas backward; volver la espalda to turn one's back
espaldar *m.* back
espantado, -a frightened
espanta-hombres *m.* man-scarer, goblin
espantajo *m.* scarecrow
espanta-pájaros *m.* scarecrow
espanto *m.* fear
espantoso, -a frightful
España *f.* Spain
español, -a Spanish; Spaniard; a la española in the Spanish fashion
Española *f.* Hispaniola, now Haiti and the Dominican Republic
especialmente especially
especie *f.* species, kind, sort
espectador *m.* spectator
espectro *m.* specter
especulación *f.* speculation
esperaba [*imperf. of* esperar] waited for

esperanza f. hope
esperar to hope; wait, wait for; expect
espeso, -a thick; lo más espeso the thickest part
espetera f. kitchen rack
espía m. & f. spy
espinazo m. spine
espíritu m. spirit
esplendidez f. splendor; abundance
espléndido, -a splendid
esposa f. wife
esposo m. husband; esposos husband and wife
espumarajo m. foam; echar espumarajos to foam at the mouth
esquela f. note
esquilón m. bell
esquina f. corner, street corner
esquinado, -a angular
esta adj. f. this; estas these
ésta pron. f. this, this one; the latter; éstas f. pl. these
está [pres. of estar] (he) is
estaba [imperf. of estar] (I, he, she, it) was
estaban [imperf. of estar] (they) were
establecido, -a established
establecer to establish
establecieron [past of establecer] (they) established
estación f. station; season
estado m. state; los Estados Unidos the United States; el estado cuarto the fourth estate, lower class, servants; en estado honesto unmarried
estadounidense citizen of the U.S.
están [pres. of estar] (they) are
Española Spanish island (Hispaniola). Name given by the conquistadores to the island of Santo Domingo.
esparcir to scatter
especial special
estallar to break out
estampa f. stamp, cut, image
estancia f. room
estanque m. pool
estar to be; estar de acuerdo to agree, be in agreement; estar para to be on the point of, in the mood for; estarse to remain, stay

estas adj. f. pl. these
éstas pron. f. pl. these
estatua f. statue
estatura f. stature
este m. east
este adj. m. this; estos these
éste pron. m. this, this one, the last, the latter; éstos these
Estella one of Spain's oldest cities, now the capital of the province of Navarre.
esterilidad f. sterility, barrenness
estilo m. style
estimado, -a esteemed
esto this; en esto at this point
estofa f. stuff, material
estómago m. stomach
estos adj. m. pl. these
éstos pron. m. pl. these
estoy [pres. of estar] I am
estratagema m. strategem
estrategia f. strategy
estrechar to narrow; clasp
estrecho, -a narrow
estrecho m. strait
estrella f. star
estremecer to shake; estremecerse to shudder, shiver
estrenar to use for the first time, initiate
estridente strident, shrill
estropearse to be injured, damaged
estudian [pres. of estudiar] (they) study
estudiante m. student
estudiar to study
estufa f. stove; hothouse
estupefacto, -a stupefied, dumfounded
estupendo, -a stupendous, huge
estuve [past of estar] I was
eternidad f. eternity
eterno, -a eternal, everlasting; lo eterno affairs of heaven
Eugenio Eugene
Europa f. Europe
europeo, -a adj. and m. & f. European
Eva Eve
eventual eventual, final
evidencia f. evidence
evitación f. avoidance
evitar to avoid
exactamente exactly
exacto, -a exact

examen *m.* examination
excavación *f.* excavation, hole, cavity
exceder to exceed
excelente excellent
excepción *f.* exception
excepto *prep.* except
excitar to excite, stir up, set working
exclamación *f.* exclamation
exclamar to exclaim, cry, cry out
exculpación *f.* exoneration, explanation
excusa *f.* excuse
execrable execrable
exención *f.* exemption
exhortar to exhort
exigir to exact; demand
existen [*pres. of* **existir**] (they) exist; there exist
existió [*past of* **existir**] (it) existed
existir to exist, be
éxito *m.* success
exótico, -a exotic
experiencia *f.* experience
explicación *f.* explanation
explicar to explain
explorar to explore
exploraron [*past of* **explorar**] (they) explored
exploró [*past of* **explorar**] (he) explored
exponer to expose; explain; say; venture; **exponerse** to expose oneself, lay oneself open
exportación *f.* export
expresamente expressly
expresar to express; specify, wear an expression of
expresión *f.* expression
extender to extend, stretch out
extendió [*past of* **extender**] (he) extended, stretched out
extensión *f.* extension; outside
extensísimo, -a very long
extenso, -a extended, large
exterminio *m.* extermination, destruction
extraer to extract, get out, pull out
extranjero, -a foreign; *m. & f.* foreigner
extrañar to be surprised; **es muy de extrañar** it is very surprising
extraño, -a strange, queer
extraordinario, -a extraordinary

estravagante extravagant, odd
extraviado, -a misled
extraviar to lead astray, mislead
extremar to carry far, overdo
extremo, -a extreme; end

F

fábrica *f.* factory
fabricar to make, create
fábula *f.* fable
facciones *f. pl.* features
fácil easy
facineroso *m.* criminal
facultad *f.* faculty; power, right; **facultades para tanto** authority to do so
faena *f.* task, chore
faja *f.* sash
falda *f.* skirt; **falda de medio paso** very narrow skirt
falsificar to falsify, counterfeit
falso, -a false, counterfeit
falta *f.* lack; breach of etiquette
faltar to lack, need; be missing
faltó [*past of* **faltar**] (it) failed
faltriquera *f.* pocket
fallar to pass judgment on; **fallarse** to be decided (a case in law)
familia *f.* family
familiar familiar; *as noun*, household servant
famoso, -a famous; fine
fandango *m.* fandango (Andalusian dance)
fanega *f.* bushel; about one and a half acres
fantasía *f.* fantasy; imagination
fantasma *m.* phantom, ghost
fantástico, -a fantastic
farol *m.* lantern
farolillo *m.* little lantern
fase *f.* phase
fatídico, -a ominous
fatigarse to tire oneself; **fatigarse en** to bother to, take the trouble to
favor *m.* favor; **favor al Rey** in the name of the king; **hágame el favor** do me the favor, please
favorable favorable
fe *f.* faith

febrero *m.* February
febril feverish
fecha *f.* date
felicidad *f.* happiness
felicísimo, -a very happy, very fine
felicitación *f.* felicitation, congratulation
feliz happy
felizmente happily
felpa *f.* plush
felpón *m.* coarse velvet; **con grandes felpones** with heavy plush fringes
femenino, -a feminine
feo, -a ugly, homely; **más feo que Picio** homlier than sin
Fernando Ferdinand; **Fernando V, el Católico** Ferdinand V, the Catholic, King of Spain (1452-1516); **Fernando VII,** King of Spain (1814-1833)
ferocidad *f.* ferocity, fierceness
férreo, -a iron; **vía férrea** *f.* railway
ferrocarril *m.* railway, railroad
fertilísimo, -a very fertile
festoneado, -a festooned
festonear to festoon, decorate
fianza *f.* guarantee, bond
fidedigno, -a trustworthy
fiel faithful
fiera *f.* wild beast
fiesta *f.* feast, festival, celebration
figura *f.* figure; face
figurarse to imagine, suppose
fijamente fixedly, directly, definitely
fijar to fix; **fijarse en** to notice, pay attention to, get a good look at
fijaron [*past of* **fijar**] (they) fixed
fijo, -a fixed
Filipinas *f. pl.* Philippines
filo *m.* edge
filosófico, -a philosophical
filtrar to filter
fin *m.* end; **a fin de (que)** in order to, in order that; **al fin** finally; **llevar mal fin** to have evil intentions; **por fin** finally
finalmente finally
fineza *f.* courtesy
fingido, -a feigned, false
fingir to pretend, feign
fino, -a fine; courteous; delicate
finura *f.* fineness, decorum, courtesy

firma *f.* signature
firmar to sign
firme firm, solid
fiscal *m.* public prosecutor
físico, -a physical
flaco, -a lean, thin
flecha *f.* arrow
flojo, -a loose, limp; lazy
flor *f.* flower
floricultor *m.* floriculturist
flote *m.* floating; **salir a flote** to come to the surface
fluir to flow
fogata *f.* blaze, fire
fondo *m.* bottom; back; basis; depths
fonético, -a phonetic
forma *f.* form; **de forma que** so that
forma [*pres. of* **formar**] (it) forms
formaban [*imperf. of* **formar**] (they) formed
formal formal, serious; seriously
formalmente formally
forman [*pres. of* **formar**] (they) form
formando forming
formar to form; line up; **formarse** to be formed, grow up
formidable formidable
fórmula *f.* formula
formular to formulate, frame
fortuna *f.* fortune
forzoso, -a inescapable, compulsory
frac *m.* dress coat
fragua *f.* forge
fraile *m.* friar
francachela *f.* feast, revel, "high time"
francamente frankly
francés, -esa French; *m.* Frenchman
Francia *f.* France
franciscano *m.* Franciscan
Francisco Francis
franco, -a frank
franela *f.* flannel
franqueza *f.* frankness; **con franqueza** frankly
frase *f.* phrase, sentence; remark
Frasquita Fanny
frecuentar to frequent, visit frequently
fregar to scour
frente *f.* forehead, face, head
frente a in front of, facing

fresco, -a cool, cool air; **estamos frescos** we are in a bad fix; **hace fresco** it is cool; **tomar el fresco** to enjoy the coolness
frescura *f.* coolness
fresquito, -a quite cool
frialdad *f.* coolness
frío, -a cold
frisar to approach; **frisar en** to border on
frito, -a fried
frontera *f.* frontier, boundary
fruta *f.* fruit
fruto *m.* fruit
frutos-civiles income taxes
fue [*past of* **ser**] (it) was
fue [*past of* **ir**] (he) went
fuego *m.* fire; **entrar en fuego** to open fire
fuente *f.* fountain, spring; dish, platter, bowl
fuera outside, out, outside of; **fuera de** beyond; **fuera de sí** beside himself; **por fuera** on the outside
fuera [*past subj. of* **ir**] (I, he, she, it) should go
fuero *m.* law, statute; right, privilege
fueron [*past of* **ir**] (they) went
fueron [*past of* **ser**] (they) were
fuerte strong, vigorous; loud; **caja fuerte** safe
fuerza *f.* force, strength; **a fuerza de** by dint of
fuga *f.* flight
fugar(se) to flee, run away
Fulano So-and So, John Doe
fulminar to strike dead; hurl, hurl forth
fumar to smoke
función *f.* function, duty
fundado, -a founded, based
fundamento *m.* basis
furia *f.* fury
furiosamente furiously
furioso, -a furious
futuro, -a future; *m.* future

G

gabela *f.* direct tax
gabinete *m.* small room, dressing room, anteroom
Gabriela Gabrielle

Gaceta *f.* Gazette (official newspaper)
gacha *f.* porridge; **derritiéndose la gacha** calming down
galán *m.* gallant, hero; suitor, lover
galán *adj.* handsome
galante gallant
Galicia *f.* district in northwestern Spain
gallardía *f.* gracefulness
gallego, -a *adj. and m. & f.* Galician, native of Galicia
gallina *f.* chicken, hen
gallinero *m.* henhouse
gamuza *f.* chamois skin
ganas *f. pl.* desire; **tener ganas de** to have the desire to, feel like, want to
ganar to gain, win
gancho *m.* hook
ganoso, -a desirous
garbanzo *m.* chickpea
garduña *f.* marten, sly animal
garganta *f.* throat
garra *f.* claw
garrote *m.* club; **sendos garrotes** each with a club
gas *m.* gas
gasto *m.* cost; consumption
gata *f.* cat; **andar a gatas** to go on (his) hands and knees, crawl
gato *m.* cat
gemir to groan, creak
genealogista *m.* genealogist
general general; *m.* general, general officer
generalidad *f.* generality
generalmente generally
generis: sui generis (Latin) all his own
género *m.* kind, sort, genre; **cuadro de género** sketch of manners and customs
generosamente generously
generosidad *f.* generosity
generoso, -a generous
genio *m.* spirit, temper, disposition
gente *f.* people; person; **don de gentes** gift of making friends
gentílico, -a gentile, pagan
gesto *m.* gesture
Gibraltar city and immense promontory of solid rock commanding the Strait of Gibraltar; captured by the British in 1704.

gigante *m.* giant
gigantesco, -a gigantic
gimnasta *m.* gymnast
Giralda Moorish tower in Seville, constructed in the XII century
girar to turn, twist, whirl
gitano *m.* gypsy
gloria *f.* glory; elevation; heaven; **Sábado de Gloria** Holy Saturday
gobernar to govern
gobierno *m.* government
godo *m.* Goth
golfo *m.* gulf; **la Corriente del Golfo** the Gulf Stream
golilla *f.* ruff; *m.* magistrate (who wears a ruff)
golpe *m.* blow, shock; **dar golpes** to hit, deal blows; **de golpe** suddenly
golpecito *m.* light blow
González principal character in the picaresque novel *Vida y hechos de Estebanillo González*
gordo, -a fat, thick
gota *f.* drop
Goya, Francisco de Goya (1746-1828), famous Spanish painter at court of Carlos IV
gozar to enjoy
gozo *m.* pleasure, joy, delight
gracia *f.* grace, charm; **gracias** thanks, thank you
graciosamente graciously
gracioso, -a graceful; gracious; accomplished; amusing; pleasant
gracioso *m.* jester
grada *f.* step
gradación *f.* gradation
grado *m.* grade, degree
graduar to gauge, estimate
grajo *m.* crow, jackdaw
gran, grande large, great
Gran Khan *see* Khan
grana *f.* scarlet; scarlet cloth
Granada city in southern Spain, famous for its Moorish palace, the Alhambra
grande *m.* adult, grown-up
grandeza *f.* nobility
grandioso, -a grandiose; splendid, great
grandísimo, -a very large
granero *m.* granary

granito *m.* granite
grano *m.* grain
grasa *f.* grease
gratitud *f.* gratitude
grave grave, serious
gravedad *f.* gravity, seriousness
gravemente gravely, seriously
griego, -a *adj. and m. & f.* Greek
gritaba [*imperf. of* **gritar**] (he) shouted
gritaban [*imperf. of* **gritar**] (they) shouted
gritar to shout, scream
grito *m.* shout, cry
grosero, -a gross, coarse
grotesco, -a grotesque
grueso, -a thick, stout, heavy
gruñido *m.* grunt
gruñir to grunt, grumble
grupa *f.* rump, crupper (of a horse); **a grupas** behind, riding behind
grupo *m.* group
Guadalquivir *m.* Spanish river that flows southwest to the Atlantic
Guadarrama *f.* range of rugged mountains in Central Spain
Guadiana *m.* Spanish river that flows west and then south, forming a part of the southern boundary between Spain and Portugal
guantada *f.* slap; **sacudir una guantada** to slap
guante *m.* glove
guapo, -a pretty, handsome, fine looking; **como guapa, es guapa** so far as looks go, she is all right
guardaba [*imperf. of* **guardar**] (he) kept, guarded
guardaban [*imperf. of* **guardar**] (they) guarded
guardar to guard, keep, place; **¡Dios te guarde!** God keep you! **¡guarda!** hold on, be careful; **guardarse de** to guard against, beware of, refrain from
guardia *f.* guard; **en guardia** on guard, watch out
Guardia Civil Civil Guard, national Spanish constabulary. Each member wears a picturesque uniform and a three-cornered hat, and carries a rifle and a sword. Two always go together.
guarnición *f.* guard, hilt

guerra *f.* war
guerrilla *f.* band of guerillas
guerrillero *m.* guerilla fighter
guía *m.* guide
guiar to guide
guinda *f.* sour cherry
guindo *m.* sour cherry tree
guiño *m.* wink
guisa: a guisa de as, like
guisado *m.* stew
guisar to cook, stew
guitarra *f.* guitar
gusano *m.* worm; **gusano de seda** silk worm
gusta [*pres. of* **gustar**] (it) pleases; **no me gusta** I don't like
gustar to please, be pleasing to; **me gusta** I like, am fond of
gusto *m.* pleasure; taste

H

ha [*pres. of* **haber**] (it) has; **ha de** (you) are to, must, shall
haba *f.* bean
haber to have; **ha habido** there was, were; **¿Qué ha de pasar?** What can be happening?; **haber de** to have to . . ., be to, must; **habérselas con** to have to do with; **había** there was, were; **había habido** there had been; **no había razón** there was no reason; **hay** there is, are; **hay que** one must, we must; **hubo** there was
había [*imperf. of* **haber**] (I, he, she, it) had; there was, were
habían [*imperf. of* **haber**] (they) had
habilidades *f. pl.* skills, accomplishments
habitación *f.* room
habitante *m.* inhabitant
habitar to inhabit
hábito *m.* habit, trait, custom; **hábitos** vestments; **ahorcar los hábitos** to leave the priesthood
habitual habitual, customary
hablaban [*imperf. of* **hablar**] (they) spoke
hablan [*pres. of* **hablar**] (they) speak
hablar to speak, talk
habré [*fut. of* **haber**] I shall have

hace [*pres. of* **hacer**] (it) makes; **hace mucho tiempo** a long time ago
hacendoso, -a industrious
hacer to make, do; **hace luna** there is a moon; **hace mucho tiempo** a long time ago; **desde hace una hora** for the last hour; **hacer buen tiempo** to be good weather; **hacer caso a** to pay attention to; **hacer daño** to hurt; **hacer falta a** to be lacking, need; **hacer fresco** to be cool; **hacer la campaña** to take part in the campaign; **hacer las payasadas** to act the clown; **hacer media** to knit; **hacer papel** to play a part; **hacer un recibimiento** to give a reception; **hacer tiempo** to kill time; **hacerse** to become; **hacerse a la vela** to set sail; **hacerse cruces** to cross oneself; **hágame el favor de** do me the favor of, please; **¿Qué se ha hecho de . . .?** What has become of . . .?
hacía [*imperf. of* **hacer**] (I, he) did, made
hacienda *f.* farm; task
hada *f.* fairy
hado *m.* fate, destiny
hago [*pres. of* **hacer**] I do, make
Haití republic that occupies a part of the island of Hispaniola. French is the official language.
haitiano, -a Haitian; *m. & f.* native of Haiti
hallaba [*imperf. of* **hallar**] (I) found
hallado, -a found
hallar to find; **hallarse** to find oneself, be
hallará [*fut. of* **hallar**] (he) will find
hambre *f.* hunger
han [*pres. of* **haber**] (they) have
hará [*fut. of* **haber**] (it) will make
harina *f.* flour; **ésa es harina de otro costal** that's a different matter; **meterse en harina** to start out, get to work
harinero, -a flour dealer, concerned with flour; **molino harinero** flour mill
hasta until, up to; as much as, as many as; even; **hasta luego** I'll see you later; **hasta que** until
hay there is, there are; **hay que** it is necessary
haya [*pres. subj. of* **haber**] there is, there are

hazaña *f.* deed, exploit; **hazañas** doings
he [*pres. of* **haber**] I have; **he aquí** there is, behold
hebilla *f.* buckle
hechicero, -a bewitching
hecho *m.* deed, fact
helénico, -a Hellenic
hembra *f.* female
Hércules Hercules
herir to wound
hermano *m.* brother; **hermanos** brother and sister
hermoso, -a beautiful
hermosura *f.* beauty
héroe *m.* hero
herrero *m.* blacksmith
hielo *m.* ice
higuera *f.* fig tree
hija *f.* daughter
hijo *m.* son; **hijos** children
hilo *m.* thread
himno *m.* hymn
hinchado, -a swollen
hipocondríaco *m.* hypochondriac
hipótesis *f.* hypothesis
hispanoamericano, -a *adj. and m. & f.* Spanish American
historia *f.* history; story
historiador *m.* historian
histórico, -a historic
historieta *f.* short story
hito *m.* landmark; **mirar de hito en hito** to look squarely at
hizo [*past of* **hacer**] (he) made
hocico *m.* snout, nose (of animal)
hogar *m.* hearth, fireside; home
hoja *f.* leaf
¡hola! hello!
hombre *m.* man; sir; **hombre de bien** honest man; **hombre de confianza** reliable man; **todos los hombres** everybody, anybody
hombro *m.* shoulder
hondamente deeply
honesto, -a honest; virtuous; **en estado honesto** unmarried, marriageable
honor *m.* honor
honra *f.* honor
honradez *f.* honesty, fairness; honor
honrado, -a honorable, honest

honrar to honor
hopa *f.* execution garb
hora *f.* hour; **a las altas horas** at a late hour; **a todas horas** again and again; **en llegando estas horas** at this time of day; **en mala hora** to my (his) sorrow; **¿Qué hora es?** What time is it? **Ya es hora** It is now time, It is high time.
horca *f.* gallows
horno *m.* oven
horrible horrible
horror *m.* horror
horroroso, -a dreadful, horrible
hortelano *m.* gardener
hoy today
hoyo *m.* hole; dimple
hoyuelo *m.* little dimple
hubo [*past of* **haber**] there was, there were
hueco, -a hollow; puffed
huella *f.* track, trace
huerta *f.* garden; garden district
hueso *m.* bone; (olive) pit
huésped *m. & f.* guest
huevo *m.* egg
huido, -a fled
huir to flee
humanizarse to become gentle; unbend; become human
humano, -a a human
Humboldt Baron Alexander von Humboldt, German scientist (1769-1859), who made a scientific trip to Latin America in 1799-1804, and discovered the cold current in the Pacific which is named after him. **Corriente de Humboldt** Humboldt Current
húmedo, -a humid, damp, wet
humildad *f.* humility, humbleness
humor *m.* humor
humus *m.* humus
hundir(se) to sink; fall down, collapse
hurón *m.* ferret; sleuth
hurtar to steal; **hurtar el cuerpo** to withdraw, recoil

I

iba [*imperf. of* **ir**] (I) went
iban [*imperf. of* **ir**] (they) went, were going

ibérico, -a Iberian
ibero, -a *n. m. & f.* Iberian
ida *f.* going
idea *f.* idea
idéntico, -a identical, the same
identificar to identify
idioma *m.* language
idiosincrasia *m.* idiosyncracy; temperament
idiota *m.* idiot
ido, -a [*past participle of* **ir**] gone
iglesia *f.* church
ignominia *f.* ignominy, shame
ignominioso, -a ignominious
ignoraba [*imperf. of* **ignorar**] (he) didn't know; **no ignoraba** was not unaware of
ignorar to be ignorant of, not to know
igual equal
igualdad *f.* equality
igualmente equally
ijar *m.* flank, side
iluminar to illuminate, light
ilusión *f.* illusion
ilustre illustrious, famous
Ilustrísimo Illustrious (title given to bishops); **Señor Ilustrísimo** Your Worship
imagen *f.* image, statue
imaginación *f.* imagination
imaginar to imagine
imaginario, -a imaginary
imbécil *m.* imbecile, fool
imitar to imitate, counterfeit
impaciente impatient
imparcialidad *f.* impartiality
impasibilidad *f.* impassibility, calmness
impedir to hinder, prevent
imperar to reign, rule, hold sway
imperceptible imperceptible
imperdonable unpardonable
imperial imperial
imperialismo *m.* imperialism
imperio *m.* empire
imperioso, -a imperious, commanding
ímpetu *m.* impetus; vehemence, violence
impetuosísimo, -a very impetuous; rushing
imponer to impose
importa [*pres. of* **importar**]: **no importa** it doesn't matter

importación *f.* import
importancia *f.* importance
importante important
importar to be important; **¿Qué importa?** What's the difference? What difference does it make? **No importa** It doesn't matter
imposible impossible
imposición *f.* imposition, requirement, demand
impresión *f.* impression
impreso, -a [*past part. of* **imprimir**] printed, published, in print
imprimir to print
impropio, -a improper, unsuited
improvisar to improvise
imprudente imprudent, inconsiderate, thoughtless
impulsado, -a [*past part. of* **impulsar**] impelled, driven
impulsar to impel; strike
impulso *m.* impulse
in (Latin) in
incapaz incapable
incertidumbre *f.* uncertainty, doubt
incitante provocative
inclinación *f.* inclination, bow
inclinar to incline, tilt, bend, bend over; **inclinarse** to stoop down
inclinasen [*past subj. of* **inclinar**] (they) bowed, bent, bent over
inclinó [*past of* **inclinar**] (he) bowed, bent, bent over
incluir to include
incomodar to inconvenience, trouble
incomprensible incomprehensible
incontinenti forthwith, immediately
incontrastable irresistible
incorporarse to sit up, straighten up, get up
indecente indecent
indecible indescribable, unspeakable
indefinible indefinable
independencia *f.* independence
indescriptible indescribable
India India
indiano *m.* term used to refer to a Spaniard who has lived in America and returned to his native Spain. He is usually rich.

Indias f. pl. Indies
indicación f. indication; invitation, suggestion
indicado, -a aforementioned; **según dejamos indicado** as we have already mentioned
indicar to indicate
indignación f. indignation
indio, -a n. m. & f. Indian
indiscreto, -a indiscreet
indisculpable unpardonable
indispensable indispensable
indivisible indivisible
índole f. temper, inclination, nature
indomable indomitable
inducir to induce, persuade
indudablemente undoubtedly
indulgencia f. indulgence, forgiveness
industria f. industry
industrial industrial
inestimable inestimable
inexplicable inexplicable, hard to understand
infame infamous; m. wretch
infamia f. infamy; infamous deed; disgrace
infantil childish
infeliz m. and f. unhappy one, unhappy man, unhappy woman
inferior inferior
infiel unfaithful
infierno m. hell
infinitivo m. infinitive
infinito, -a infinite, endless
influencia f. influence
informe m. notice; recommendation
infortunado, -a unfortunate (man, woman); unhappy (man, woman)
infortunio m. misfortune, calamity
infundado, -a unfounded, groundless
infundir to infuse, inspire
ingeniero m. engineer
ingenio m. talent; cleverness
ingenioso, -a witty
ingenuo, -a ingenuous, candid, outspoken
Inglaterra f. England
inglés, -sa English; Englishman, English woman
ingratitud f. ingratitude

inherente inherent, natural
inhumano, -a inhuman
iniciado, -a initiated, begun
inicial initial
injuriado, -a injured, wronged
injuriar to injure, insult
injusticia f. injustice
inmediatamente immediately
inmediato, -a immediate, next, near-by, near
inmejorable unsurpassable
inmenso, -a immense
inminente imminent
inmodestia f. immodesty
inmortal immortal
inmotivado, -a unmotivated; incomprehensible
innoble ignoble
innovación f. innovation
inocencia f. innocence
inocente innocent
inocentemente innocently
inolvidable unforgettable, immortal
inquietar to disturb, worry, excite
Inquisición f. Inquisition
inseguro, -a uncertain
insensato, -a insensate, senseless
insigne famous, renowned, illustrious, noble
insignificante insignificant
insistí [past of **insistir**] I insisted
insistir to insist
insolencia f. insolence
insolente insolent; m. insolent fellow
insondable unfathomable, deep
inspira [pres. of **inspirar**] (it) inspires
inspiración f. inspiration
inspirar to inspire
instante m. instant; **al instante** immediately, at once
instintivo, -a instinctive
instinto m. instinct
institución f. institution
instrucción f. instruction
instrumento m. instrument
insulto m. insult
intención f. intention, purpose
intenso, -a intense
intentar to attempt, try
interés m. interest

interesaban [*imperf. of* **interesar**] (they) interested

interesante interesting

interesar to interest

interior interior

interiormente inwardly

interlocutor *m.* party in a dialogue; **jumento interlocutor** answering donkey

interminable interminable, endless

intermitente intermittent

interpelar to ask aid of; speak, address; **el interpelado** the person addressed

interponerse to interpose, interrupt

interrogado, -a *as noun*, one who has been, or is being questioned

interrogar to question; inquire

interrumpir to interrupt

íntimo, -a intimate

intranquilo, -a restless, nervous, ill at ease

intransitable impassable

intrépido, -a intrepid, daring, brave

intricado, -a intricate, complex

introducción *f.* introduction

inundar to inundate, flood

inútil useless

invadieron [*past of* **invadir**] (they) invaded

invadir to invade

invasor *m.* invader

invencible invincible

inventar to invent

invernadero *m.* hothouse; conservatory

invertido, -a invested

invertir to invest

invierno *m.* winter

invocar to invoke, call upon

involuntariamente involuntarily

ir to go; **¿Cómo va de salud?** How are you?; **fue a dar un paso** started to take a step; **no va con usted** it does not concern you; **Vamos a leer** Let's read; **¡Vamos a ver!** Let's see! **¡Vaya con Dios!** Good-bye!; **¡Vaya si me ahorcarían!** I'll swear that they would hang me!; **irse** to go away

iracundia *f.* ire, anger

ironía *f.* irony

irónicamente ironically

irregular irregular

irremediable irremediable

irresistible irresistible

irrisorio, -a laughable, comic

Isabel Isabella; **Isabel I, la Católica,** Isabella I, the Catholic, Queen of Spain (1451-1504)

isla *f.* island

Italia *f.* Italy

izquierdo, -a left

J

jamás never, not . . . ever

jamón *m.* ham

jaraiz *m.* wine press

jardín *m.* garden

jarra *f.* jug; **ponerse en jarras** to stand with the hands on the hips

jarro *m.* pitcher

jasmín *m.* jasmine

jefe *m.* chief, officer

Jérico Jericho, ancient city of Palestine

Jesucristo Jesus Christ

Jesús Goodness! Heavens!

jiba *f.* hump

jícara *f.* chocolate cup, cup

joroba *f.* hump, hunchback

jorabado, -a humpbacked

José Joseph

Josefa Josephine

Jovellanos, Gaspar Melchor de Jovellanos, Spanish poet, dramatist, critic, and statesman in late eighteenth and early nineteenth centuries.

joven young; *m. & f.* young man, young woman

joya *f.* jewel

Juan John

Juanete Johnny

júbilo *m.* joy

jubón *m.* waist, bodice

Judas Jude

Judit Judith

juego *m.* game; **juegos de chasco y pantomimas** farces and pantomines

juez *m.* judge

jugador *m.* gambler

jugar to play, gamble; **jugar con** to make fun of, trifle with

jugo *m.* juice, sap

juguete *m.* toy, plaything; joke

juicio *m.* judgment; **trastornar el juicio** to turn the head of
julio *m.* July
jumenta *f.* donkey
jumento *m.* donkey
junco *m.* reed
junio *m.* June
juntamente at the same time
junto, **-a** next, close; **junto a** beside; **juntos** together
juntura *f.* joint
juramento *m.* oath
jurar to swear
jurisconsulto *m.* counsellor, lawyer
jurisdicción *f.* jurisdiction
justamente exactly
justicia *f.* justice; law
justificar to justify; **justificarse** to clear oneself
justo, **-a** just
juventud *f.* youth
juzgar to judge, decide
juzgará [*fut. of* **juzgar**] (it) will judge, decide

K

Khan; **Gran Khan** title assumed by the supreme rulers in the Orient, especially those descended from Genghis of the Mongol dynasty of China. The most famous was Kublai Khan (1216-1294), who was visited by Marco Polo.
kiosko *m.* kiosk, small pavilion

L

la, las *article f.* the; **las** *f. pl.* the
la *pron. f.* it, her, you; **las** *f. pl.* them
laberinto *m.* labyrinth; confusion
labio *m.* lip
laborioso, **-a** laborious
labrador *m.* farmer
labranza *f.* farm
labrar to work, farm
labriego *m.* rustic, farm hand
ladeado, **-a** tilted to one side
ladino, **-a** sly, cunning; clever

lado *m.* side; **por ningún lado** not anywhere
ladrillo *m.* brick, tile
ladrón *m.* robber, thief
lagar *m.* wine pit
lágrima *f.* tear
laguna *f.* pond
lamento *m.* lament; wail
lámpara *f.* lamp
languidamente languidly
lanzar to throw; let loose, let out; **lanzar nuevas carcajadas** to burst out laughing again; **lanzarse** to jump
largo, **-a** long; **tan largo como era** at his full length
larguísimo, **-a** extremely long
lástima *f.* pity; **lástima de** (It's) too bad about
lastimero, **-a** pitiful
lateralmente sidewise
latín *m.* Latin; **dejémonos de latines** let's drop this Latin business
lavar to wash
lazo *m.* bow, knot; snare, trap
le him, to him, to her, to you
lealtad *f.* loyalty
lección *f.* lesson
lector *m.* reader
lectora *f.* reader
leche *f.* milk
lecho *m.* bed
lechuga *f.* lettuce; **lechugas en rama** stalks of lettuce
leer to read
legar to bequeath, leave
legítimo, **-a** legitimate, lawful
legua league (about three miles)
legumbre *f.* vegetable
leía [*imperf. of* **leer**] (she) read, used to read
leído, **-a** read, well read
lejos far, afar; **a lo lejos** far away, from afar
lengua *f.* language
lentamente slowly
lento, **-a** slow
leña *f.* firewood
leona *f.* lioness
leoncillo *m.* little lion, **Leoncillo** Leo
les them, to them

letra *f.* letter, handwriting; **al pie de la
letra** literally; **letras de molde** print,
printing; **poner dos letras** to write a
few lines
levantado, -a raised, arisen; out of bed
levantar to raise, lift; **levantarse** to get up
levanté [*past of* **levantar**] I raised
levantó [*past of* **levantar**] (he) raised
leve light, slight
ley *f.* law
leyenda *f.* legend
liar to roll; **liar un cigarro** to roll a
cigarette
libar to suck, feed upon, find honey
libertad *f.* liberty
libertar to liberate, set free
libertino *m.* libertine
libra *f.* pound
librado, -a freed, preserved; **mayor librado** least hurt, least offended
librar to free, deliver
libre free; **dejar el paso libre** to step aside
libreja *f.* pound or so
libremente freely
libro *m.* book; **libro talonario** *m.* stub-
book
licencia *f.* licence; **licencia absoluta** discharge
licenciado *m.* licenciate (holder of advanced degree, roughly corresponding
to Master's degree)
licenciosa *f.* licentious woman
ligar to tie, bind
ligeramente lightly, slightly
ligereza *f.* lightness, swiftness
ligero, -a light; quick
limitar to limit; lessen; restrain
limitaré [*fut. of* **limitar**] I shall limit
límite *m.* limit
limosna *f.* alms
limpiar to clean, clean up, cleanse
limpio, -a clean
limpísimo, -a very clean
lince *m.* lynx; observant, keen
lindo, -a pretty; **de lo lindo** nicely
línea *f.* line
linterna *f.* lantern
lío *m.* bundle; fracas, confusion; **un lío
de todos los demonios** one devil of a
row

lista *f.* list
listo, -a ready; expert, clever
literalmente literally
literatura *f.* literature
Liviana name of Lucas' donkey
lívido, -a livid
lo it, him; **lo que** what; **lo suyo** his own,
what was his
lobo *m.* wolf
local local; *as noun, m.* place
locamente madly
loco, -a crazy; *m.* maniac
locomotora *f.* locomotive
locuaz loquacious
locura *f.* madness
lógico, -a logical
lograr to succeed (in), gain
lograrás [*fut. of* **lograr**] you will succeed
(in)
lonja *f.* slice
loro *m.* parrot
los *article, m. pl.* the
los *pron. m.* them
Lucena town in the province of Cordova;
lamps were made there
lucero *m.* morning star
lucido, -a clear, shining, sparkling; magnificent
Lúcifer Lucifer, Satan
lucir to light up; display, show off
luchar to fight, struggle
ludibrio *m.* derision
luego then; later, afterwards; **desde
luego** right away; **hasta luego** I'll see
you later; **luego que** as soon as; **tan
luego como** as soon as
lugar *m.* place; village; **tener lugar** to
take place; **tuvo lugar** took place
lugarcillo *m.* small place
lugareña *f.* village woman
lugareño *m.* villager
lúgubre mournful, sad, gloomy
lúgubremente gloomily
Luis Louis; **Louis XIV,** famous French
Bourbon king, patron of the arts and
sciences (1638-1715)
lujo *m.* luxury; **de lujo** de luxe, extra,
special
lujoso, -a luxuriant, exuberant
lujuria *f.* sensuality, lust

lumbre *f.* light, fire
luna *f.* moon
lunes *m.* Monday
luz *f.* light; **de tan claras luces** as smart, clever; **entre dos luces** at twilight

Ll

llama *f.* flame
llama [*pres. of* llamar] (he, she) calls, you call; **se llama** is called
llamaba [*imperf. of* llamar] (she) called, (it) attracted; **se llamaba** was named
llamaban [*imperf. of* llamar] (they) called
llamado, -a called, named; afore-mentioned
llamar to call, knock, attract; **llamar a gritos** to shout, call loudly; **llamarse** to be named, to be called; **me llamo** that's my name
llamarada *f.* flare-up, flash
llamó [*past of* llamar] (he) called
llaneza *f.* plainess, simplicity; familiarity; naturalness
llano *m.* plain
llanto *m.* weeping, tears
llanura *f.* level, plain
llave *f.* key; electric light switch
llegada *f.* arrival, meeting
llegado, -a arrived, come; **llegado a ser** become; **recién llegado** newcomer
llegar to arrive, come; **llegar a** to reach; succeed in; **llegado que hubo** when he had arrived
llegaron [*past of* llegar] (they) arrived
llegó [*past of* llegar] (he, she, it) came, arrived, reached
llenar to fill
lleno, -a full, filled; **dar de lleno** to strike full (in the face)
llevaba [*imperf. of* llevar] (she) wore
llevando [*pres. part. of* llevar] arriving; carrying
llevar to carry, bring, take; wear; lead; spend; **llevar a cabo** to carry out; **llevaba cuatro años de corregidor** he had been mayor for four years; **llevarse** to carry away
llevaron [*past of* llevar] (they) carried, brought

llorando [*pres. part. of* llorar] weeping, crying
llorar to weep, cry
lloras [*pres. of* llorar] you weep
lloro *m.* weeping
llover to rain; sprinkle
lluvia *f.* rain; shower

M

macarro *m.* cake; pastry
madera *f.* wood, timber
madre *f.* mother
madrileño, -a *adj., and m. & f.* person from Madrid, inhabitant of Madrid
madurez *f.* ripeness, maturity
maestro *m.* master, teacher
mágico, -a magic
magistral *m.* magistral (member of special cathedral chapter)
magnífico, -a magnificent
maíz *m.* corn
majadería *f.* nonsense
majestad *f.* majesty
majestuosamente majestically
majestuoso, -a majestic
mal *adverb* badly
mal, malo, -a bad, sick
maldad *f.* evil, wickedness
maldito, -a accursed; **maldita la falta que me hacían** darn little need I had; **¡Maldito seas!** Curse you
malhechor *m.* evil-doer, criminal
malicia *f.* malice; mischief; cunning; hypocrisy
malo, -a bad, wicked, evil; ill; unfortunate; **lo malo** the bad part, the bad things
maltratar to mistreat
mamarracho *m.* clown, ill-looking guy
mancillar to stain, cast a stain on
Mancha *f.* arid section of central Spain, the location of Don Quijote's famous encounter with the windmills
manchar to stain, spot
manda *f.* gift
mandar to command, order; send
mandrágora *f.* mandrake (a poisonous plant, the root of which is thought to resemble a human figure)

manera *f.* manner; **de igual manera** likewise; **de manera que** in such a way that, so that; **de otra manera** otherwise
manga *f.* sleeve
manía *f.* mania; whim, peculiarity
maniático, -a maniacal, of a maniac
maniquete *m.* lace mitten
manifestar to manifest, show
mano *f.* hand; **de manos a boca** suddenly, unexpectedly; **echar mano a** to arrest; **eso de venir con sus manos lavadas** that business of coming here with evil intent
manojo *m.* handful, bundle (of sticks)
Manolilla, name of a girl
manta *f.* blanket
mantecado *m.* buttercake
mantel *m.* table-cloth
Manuel Manuel
Manuela, name of a girl
mantener to maintain, keep up, carry on
mantilla *f.* mantilla
mañana *f.* morning; tomorrow; **mañana mismo** tomorrow, if not before; **hasta mañana** I'll see you tomorrow; **mañana por la mañana** tomorrow morning; **pasado mañana** day after tomorrow; **por la mañana** in the morning
maquinalmente mechanically
mar *m. or f.* sea
maravilla *f.* marvel, miracle
maravilloso, -a marvellous
marcar to mark
marcha *f.* march, walk, journey; speed; departure; **¡En marcha!** Get out!
marchamos [*pres. and past of* **marchar**]: **nos marchamos** we leave, are leaving; we left
marchar(se) to go away, leave
marcharon [*past of* **marchar**]: **se marcharon** (they) marched, went off
marchito, -a withered
marcho [*pres. of* **marchar**]: **me marcho** I leave, am leaving, am going away
Marengo town in Italy where Napoleon won a victory over the Austrians (1800)
margen *m.* margin
María Luisa wife of Carlos IV (Spain)
marido *m.* husband

marinero *m.* sailor
marino, -a marine, of the sea
mariscal *m.* marshall
mármol *m.* marble
marzo *m.* March
marras: de marras aforementioned
mas but
más more, most; **más allá de** beyond; **más bien** rather; **no más que** no more than; **por más que** although
masa *f.* mass; amount
mascujar to mumble
mata *f.* bush, shrub, thicket
matar to kill
mataron [*past of* **matar**] (they) killed
material material
materialmente materially; in the flesh; actually
matorral *m.* thicket; uncultivated field
matrimonio *m.* marriage; married couple
matrona *f.* matron
maula *f.* trash; trick; **vaya una maula** what a cheap trick, what a fraud
mayor greater, greatest, utmost; **cada vez mayor** greater and greater
mayores *m. pl.* elders; ancestors
mayúsculo, -a very large; spelled with a capital letter
me me; to me; myself, to myself
mecanismo *m.* mechanism
mecer to rock
medalla *f.* medal, medallion
media *f.* stocking; **hacer media** to knit
mediado, -a half done, half finished; **iba más de mediado** was more than half over
media-fanega *f.* half of a fanega; half-bushel basket
mediano, -a medium; of medium height
mediar to take half, drink half
médico *m.* doctor
medida *f.* measure
medio, -a half, middle; part; **a media voz** in a low voice; **media noche** midnight; **quitar de en medio** to take out of the way
medio *m.* means; middle; **en medio de** in the midst of, in the middle of
mediodía *m.* noon

medir to measure; **medirlo con la vista** to look him up and down
meditación *f.* meditation
meditar to meditate
Mediterráneo *m.* Mediterranean Sea
Mefistófeles Mephistopheles (devil)
Méjico *m.* Mexico
mejilla *f.* cheek
mejor better, best; **lo mejor** the best part
mejorar to improve
melancólico, -a melancholy
melodía *f.* melody
melodioso, -a melodious
melodramático, a melodramatic
melón *m.* melon
meloso, -a honeyed, ingratiating
memoria *f.* memory
mención *f.* mention
mencionado, -a aforesaid, aforementioned
mencionar to mention
mencionaremos [*fut. of* mencionar] we shall mention
meneando [*pres. part. of* menear] wagging
menear to wag
menester necessary
menor lesser, minor; smaller, least, slightest; **ordenado de menores** ordained in minor orders
menos less; except; **a lo menos** at least; **cuando menos** at least; **echar de menos** to miss; **ni mucho menos** not in the least, far from it; **no pude menos** I could not help; **por lo menos** at least
mentalmente mentally
mente *f.* mind
mentir, to lie, tell a lie
menudo: a menudo often
mercado *m.* market
merced *f.* grace; **merced a** thanks to; **su Merced** Your Grace
Mercedes *f.* Mercedes
Merceditas *dim. of* Mercedes
merecedor, -ra deserving
merecer to merit, deserve, be worth; secure, obtain
merecido *m.* just deserts, reward
merienda *f.* afternoon tea
mes *m.* month; **el mes que entra** next month

mesa *f.* table
meseta *f.* landing (of stairs)
Mesías *m.* Messiah
mesilla *f.* little table
meter to place, put, set; tuck; dig; **meterse en** to get into; **meterse en harina** to start out, get to work; **meterse los puños en los ijares** to hold one's sides; **alguaciles metidos en alcahuetes** constables acting like procurers
metiendo [*pres. part. of* meter] putting, placing
metódico, -a methodical; ordinary
metrópoli *f.* metropolis, city
mezcla *f.* mixture
mi *adj.* my; **mis** my
mí *pron.* me; **mí proprio** myself
miedo *m.* fear; **dar miedo** to frighten; **tener miedo** to be afraid; **tengo miedo** I am afraid
miembro *m.* member
mientes *f. pl.*: **parar en mientes** to consider
mientras while; **mientras que** while; **mientras tanto** in the meantime, meanwhile
Miguel Michael
Miguelete *m.* bell tower of the Cathedral in Valencia
mil thousand, one thousand
milagro *m.* miracle
Milán Milan (city in Italy)
milicias *f. pl.* militia
militar military
millón *m.* million
mimar to pamper
mimbre *m.* willow
mina *f.* mine
miniatura *f.* miniature
ministerio *m.* ministry; mission
ministril *m.* sub-bailiff
ministro *m.* minister; constable
minuto *m.* minute
mío, -a mine, of mine
mira *f.* purpose, intent
miraba [*imperf. of* mirar] (he, she) looked (at)
miraban [*imperf. of* mirar] (they) looked (at)
mirada *f.* look, glance

mirar to look, look at; behold, gaze at; **mira que** see here; **mira tú . . .** now that is; **mira lo que no sé** Well, I don't know; **mire usted que** but you don't know; **miren el vanidoso** what a vain guy he is

mire [*pres. subj. of* **mirar**] look, see here

mirilla *f.* peephole (in a door)

miró [*past of* **mirar**] (he, she) looked (at)

misa *f.* mass (religious service); **misa de prima** early mass

miserable miserable, wretched

mismísimo, -a very, very same; **el mismísimo obispo** the Lord Bishop himself

mismo, -a same; itself; very; **lo mismo los frailes que** the friars as well as; **lo mismo que** like, just as; **por lo mismo que** although; **yo mismo** myself

misterio *m.* mystery

misterioso, -a mysterious

mitad *f.* half; middle; **en mitad de la cara** square in the face

mitón *m.* mitt

mitra *f.* mitre

moda *f.* manner, way, means, fashion; **de moda** in style

modelar to model, mould

moderno, -a modern

modismo *m.* idiom

modo *m.* way, manner; **de modo que** so that, and so; **de ningún modo** not at all; **de otro modo** otherwise; **de cualquier modo** any old way; **de tal modo** in such a way; **del mismo modo** in the same way, as well

mojado, -a wet, damp, soaked, drenched

mojín *m.* grimace; gesture

molde *m.* mold; print

mole *f.* bulk

moler to grind

molestar to molest, disturb

molienda *f.* milling, grinding; grist

molinera *f.* miller's wife

molinero *m.* miller; **los molineros** the miller and his wife

molino *m.* mill; **molino harinero** flour mill

momento *m.* moment

momia *f.* mummy

mona *f.* monkey; drunkenness, jag; **dormir la mona** to sleep off a jag

monástico, -a monastic

moneda *f.* coin, money; **moneda falsa** counterfeit money

monja *f.* nun

mono, -a cute

mono *m.* monkey

monopolio *m.* monopoly

monsieur (French) Mr.

monstruo *m.* monster

montante *m.* large sword; **meter el montante** to separate two adversaries

montaña *f.* mountain

montar to mount, ride

monte *m.* mountain; forest, woods; **capote de monte** short cape

montera *f.* cloth cap

monterilla *f.* small cap; **alcalde de monterilla** small town mayor

monumental monumental

monumento *m.* monument

moral *f.* morals, good morals

moraleja *f.* moral (of a story, fable)

morder to bite; **morderse la lengua** to hold one's tongue, be abashed

moreno, -a dark, swarthy; **moreno verdoso** of dark olive complexion

moribundo, -a dying

morigerado, -a moderate, temperate, well bred

morir to die; **¡Muera . . .!** Death to . . .! **morirse por** to be crazy about

morisco, -a Moorish

moro *m.* Moor; **otra vez moros en la costa** another child on the way

mortaja *f.* shroud

mortal mortal

mortificar to mortify; torment

mosca *f.* fly

mostrar to show

mostré [*past of* **mostrar**] I showed

motín *m.* disturbance, riot

motivo *m.* motive; **con motivo de** on the occasion of, because of

mover to move; **moverse** to move, be moved, stir

movible movable, mobile

movilidad *f.* mobility

movimiento *m.* movement; gesture

moxte: sin decir oxte ni moxte without saying a single word

moza *f.* girl; **más buena moza, real moza** very good-looking girl
mozo *m.* young man
muchacha *f.* girl
muchacho *m.* boy
muchedumbre *f.* multitude, crowd
muchísimo, -a very much; *pl.* very many
mucho, -a much, many; **mucho tiempo** a long time; **otros muchos** many others
mucho *adv.* much, a great deal, very; to a great extent
mudar to change
mudo, -a mute, silent, dumb
muebles *m. pl.* furniture
muela *f.* back tooth
muelle *m.* wharf, dock
muerte *f.* death
muerto, -a [*past part. of* **morir**] died, dead
muestra *f.* indication, proof
mujer *f.* woman, wife; **mujer de bien** honorable woman
mula *f.* mule
mulilla *f.* little mule
mulo *m.* mule
multitud *f.* multitude
multiplicar to multiply, be multiplied; be very busy, outdo oneself
mundano, -a worldly
mundo *m.* world; **todo el mundo** everybody
municipal municipal
murieron [*past of* **morir**] (they) died
muralla *f.* wall; **Muralla de la China** Great Wall of China
Murcia *f.* province of southeastern Spain
murciano, -a *adj. and m. & f.* native of Murcia
murió [*past of* **morir**] (he) died
murmullo *m.* murmur
murmurar to murmur; mutter
murmuró [*past of* **murmurar**] (she) murmured
muro *m.* wall
musculatura *f.* muscles, set of muscles
mutilado, -a mutilated
mutuamente mutually
muy very

N

nacer to be born
nacido, -a [*past part. of* **nacer**]: **he nacido** I was born
nació [*past of* **nacer**] (he) was born
nación *f.* nation
nacional national
nada nothing, not anything; **¡Nada!** It's all right; **nada de eso** nothing of that kind, nothing of the sort
nadie no one; **no . . . nadie** not anyone
Napoleón Napoleon
naranja *f.* orange
narigón, -ona with a large nose
nariz *f.* nose
natal native
natural natural; *as noun* native
naturaleza *f.* nature
naturalidad *f.* naturalness
naturalmente naturally
naufragio *m.* shipwreck
Navarra *f.* Navarre, old kingdom, now a province of Spain
navarro, -a Navarrese, native of Navarre
nave *f.* nave (part of a church)
navegación *f.* navigation
navegante *m.* navigator, mariner
navegar to navigate, sail
navegó [*past of* **navegar**] (he) navigated, sailed
necesario, -a necessary
necesidad *f.* necessity; **sin necesidad** unnecessarily
necesitaba [*imperf. of* **necesitar**] (he) needed
necesitar to need
necesito [*pres. of* **necesitar**] I need
necio, -a foolish; *as noun,* fool
negaba [*imperf. of* **negar**] (he) refused
negar to refuse, deny
negligente negligent
negocio *m.* business
negro, -a black; **ésta es la más negra** this is the worst of all
nevado, -a covered with snow
ni neither, nor; not even, even; **ni aun** not even
nicho *m.* niche
nieta *f.* granddaughter

nieto *m.* grandson; **nietos** grandchildren
nieve *f.* snow
ningún, ninguno, -a no one, not anyone; **de nungún modo** not at all
niña *f.* girl
niño *m.* boy, child; **de niño** as a child
Niobe Niobe, wife of the King of Thebes, excessively fond of her children
no no, not
noble noble
nobleza *f.* nobility
noche *f.* night; **de noche** at night; **media noche** midnight; **buenas noches** good evening, good night; **las noches** at night
nodriza *f.* nurse
nombramiento *m.* appointment
nombrar to name; call by name; appoint
nombre *m.* name
nomenclatura *f.* nomenclature
noreste *m.* northeast
norte *m.* north
Norteamérica *f.* North America
norteamericano, -a North American
nos us, to us; ourselves; each other
nosotros, -as we; **nosotros mismos** ourselves
nota *f.* note
notable notable
notar to note, notice
noticia *f.* notice, information, news
notificar to notify
novecientos, -as nine hundred
novedad *f.* novelty, occurrence; **si ha habido novedad** if anything has happened; **sin novedad** safely
novela *f.* novel
noveno, -a ninth
noventa ninety
novia *f.* fiancée; bride
novio *m.* bridegroom
nube *f.* cloud; crowd, swarm
nublado, -a cloudy
nudo *m.* knot
nuestro, -a our
nuevamente again, once more
nueve nine
nuevo, -a new; **de nuevo** again
nuez *f.* nut; walnut
número *m.* number; copy

nunca never, not . . . ever
nupcial nuptial

O

o or; **o . . . o** either . . . or; **o sea** or
obedecer to obey
obispo *m.* bishop
objetar to object
objeto *m.* object, thing, plan
obligar to obligate, force
obra *f.* work
obrar to work
obrilla *f.* little work, little piece of work
obscurecer to obscure; grow dark
obscureció [*past of* **obscurecer**] (it) obscured, darkened
obscuridad *f.* obscurity, darkness
obscuro, -a obscure, dark
obsequiar to flatter; treat, entertain
observar to observe; remark; watch
obstáculo *m.* obstacle
obstante: no obstante nevertheless
obstinado, -a obstinate
obstruir to obstruct; crowd about
obtener to obtain, secure
ocasión *f.* occasion, opportunity; **en ocasiones** occasionally
occidental western
océano *m.* ocean
ocioso, -a idle
octavo, -a eighth
octubre *m.* October
ocultar to hide, conceal
ocupaba [*imperf. of* **ocupar**] (I) occupied
ocupaban [*imperf. of* **ocupar**] (they) occupied
ocupación *f.* occupation
ocupado, -a occupied; busy; in use
ocupar to occupy; fill
ocurrencia *f.* occurence; remark; episode
ocurrir to occur; happen, befall
ochavo *m.* ochavo (small coin); **de a ochavo** priced at an ochavo
ochenta eighty
ocho eight
odiar to hate
odio *m.* hatred
oeste *m.* west
ofender to offend

ofensivo, -a offensive
oficial official; *as noun*, officer
oficina *f.* office
oficio *m.* trade; office, job; **predicador de oficio** preacher
ofrece [*pres. of* ofrecer] (he) offers, presents
ofrecer to offer, present
ofrecido, -a offered
ofrecieron [*past of* ofrecer] (they) offered
oh oh
oían [*imperf. of* oír] (they) heard; **se oían** could be heard
oído *m.* hearing; ear
oído, -a heard
oír to hear, listen
ojalá would that, I hope so, hope that
ojillo *m.* little eye
ojo *m.* eye; **ojo de la cerradura** key hole; **ojo de la llave** key hole; **mucho ojo** keep your eyes open, watch out; **por los ojos** before his very eyes
ola *f.* wave
oler to smell
olfatear to scent, sniff
olfato *m.* sense of smell
olvidado, -a forgotten
olvidar(se) to forget
olvido *m.* forgetfulness, oversight; **echar en olvido** to forget
omitir to omit
once eleven
operación *f.* operation; **hacer la misma operación** to have the same effect
opinar to opine, be of the opinion
opinión *f.* opinion; public opinion; **en opinión de santa** with the reputation of a saint
opio *m.* opium
oportunamente opportunely
oportunidad *f.* opportunity
oportuno, -a opportune, timely; fitting
oprimían [*imperf. of* oprimir] (they) clenched, grasped
oprimía [*imperf. of* oprimir] (he) clenched, grasped
oprimió [*past of* oprimir] (he) grasped
oprimir to clench, disturb, grasp
optimismo *m.* optimism
opuesto, -a opposite

opulento, -a opulent, rich
Oración *f.* prayer; evening prayer, ringing of a church bell as a call to prayer at sunset. In some localities this is repeated at dawn and at noon.
oradora *f.* orator, speaker
orden *f.* order; kind; *m.* **por el orden de** of the order of
ordenanza *f.* orderly
ordenar to ordain
ordinariez *f.* coarseness, vulgarity
ordinario, -a ordinary, common
oreja *f.* ear
orejudo, -a long-eared
órgano *m.* organ
orgullo *m.* pride
oriental oriental
oriente *m.* orient
origen *f.* origin
original original
oro *m.* gold; **poner de oro y azul** to rake over the coals
os you, to you; yourselves
oscilar to waver, hesitate
oscilaron [*past of* oscilar] (they) wavered
ostentar to show, display
Otelo Othello (principal character in Shakespeare's play)
otoñada *f.* autumn season
otoño *m.* autumn
otro, -a other, another; **otra vez** again; **otros muchos** many others; **unos y otros** both
oveja *f.* sheep
oxte: **sin decir oxte ni moxte** without saying a single word

P

Pablo Paul; **¡Guarda, Pablo!** Be careful, Paul!
paciencia *f.* patience
pacífico, -a pacific, peaceful
Pacífico *m.* Pacific (ocean)
padre *m.* father; **padres** parents
pagar to pay, pay for, repay
página *f.* page
país *m.* country
pajar *m.* hay loft
pajarera *f.* aviary, large bird cage

pajarillo *m.* little bird
pájaro *m.* bird
pajarraco *m.* large ungainly bird
paje *m.* page
pajizo, -a straw colored, yellow
palabra *f.* word; **de palabra** by word of mouth; **en cuatro palabras** in a few words; **para apoderarse de la palabra** to gain the floor; **tomar la palabra** to take the floor
palacio *m.* palace; **en palacio** at (the bishop's) home
Palestina Palestine
palidez *f.* pallor, paleness
pálido, -a pale
palillos *m. pl.* castanets
paliza *f.* beating
palmada *f.* slap
palmera *f.* palm tree
palo *m.* stick, club; blow with a club; post; branch
palomar *m.* dovecote
pámpano *m.* tendril; leaf of grape vine
Pamplona city in the former kingdom of Navarre, many times beseiged
pan *m.* bread, dough; **pan de aceite** bread made with olive oil; **más bueno que el pan** as good as gold
pandemonio *m.* pandemonium
pantalón *m.* trousers
pantomima *f.* pantomime
paño *m.* cloth; table cover
pañoleta *f.* kerchief
pañuelo *m.* handkerchief
papel *m.* paper; role, part; **papel sellado** legal paper
par *m.* pair, couple
para for, in order to; **para que** in order that, so that; **¿para qué?** Why? What for?
paradero *m.* whereabouts
paraguas *m.* umbrella
paraje *m.* place, spot
paralizar to paralyze
parar(se) to stop; come to rest; strike; **venir a parar** to conclude, prove
parásito *m.* parasite, tramp, hobo
pardo, -a dark gray
Pardo royal residence and park near Madrid

parece [*pres. of* **parecer**] (it) seems, appears; **¿Qué le parece?** What do you think of . . .? How do you like . . .?
parecen [*pres. of* **parecer**] (they) seem
parecer to appear, seem; **parecer a** to resemble, be like; **parece bien a** to suit; **¿Le parece que envíe . . .?** Will it be all right to send . . .? **¿Qué le parece . . .?** What do you think of . . .? How do you like . . .?
parecía [*imperf. of* **parecer**] (it) seemed, appeared
parecido, -a similar
parecido *m.* resemblance
parecieron [*past of* **parecer**] (they) seemed
pareció [*past of* **parecer**] (he) seemed
pared *f.* wall
pareja *f.* pair, couple
pariente *m.* relative
París Paris
parra *f.* grape vine
parral *m.* grape arbor
parroquia *f.* parish; parish church
parte *f.* part, place; **de parte de** from; **la mayor parte** most; **en todas partes** everywhere
participar to participate, share; **participar de** to share in
particular private; peculiar, strange; **lo más particular** the strangest thing (about it)
particular *m.* particular, detail, topic, event, matter; particular private citizen
particularísimo, -a very peculiar; **lo particularísimo** the strangeness
partida *f.* band, troop; **comerse la partida** to see what was up
partir to depart, leave; separate, break, split
párvulo *m.* little (child); innocent; **los párvulos** innocent people
pasaban [*imperf. of* **pasar**] (they) passed
pasado, -a passed, happened; **pasado mañana** day after tomorrow
pasajero *m.* passenger
pasar to pass; spend; happen; endure, undergo; **¿Cómo lo pasa su señoría?** How is your Lordship?
pasar *m.* comfortable living, livelihood

pascuas *f. pl.* holy days
pasaron [*past of* pasar] (they) passed
paseando [*pres. part. of* pasear] walking
paseante *m.* promenader, passer-by
pasear to take a walk; parade; pace up
and down; pasear la vista to cast one's
eyes; pasearse to walk around
paseo *m.* walk; dar un paseo to take a
walk
paso *m.* step, walk; al paso as he went;
dar un paso to take a walk; de paso at
the same time; de medio paso half a
step in width; deja el paso libre make
way, let pass
pasó [*past of* pasar] (he) passed
pastor *m.* shepherd; pastor de cabras
goatherd
pastora *f.* shepherdess
pata *f.* paw, leg; patas de alambre
spindle-legs
patán *m.* clown, rustic, yokel
paternalmente paternally
paternidad *f.* paternity
patíbulo *m.* scaffold, gallows
patio *m.* patio, courtyard
patria *f.* country, fatherland
patriota *m.* patriot
patrona *f.* patroness
pausa *f.* pause
pava *f.* turkey hen; pelar la pava to
make love, court
pavimento *m.* pavement
payasada *f.* clownish trick
paz *f.* peace
pazo *m.* palace (Galician); Pazo family
name
pecado *m.* sin
pecaminoso, -a sinful
peces *f. pl.* fish, fishes
pecho *m.* breast, chest, heart
pedazo *m.* piece; pedazo de bárbaro you
big barbarian; hacerse pedazos to
break to pieces, burst
pedernal *m.* flint
pedía [*imperf. of* pedir] (it) asked for
pedían [*imperf. of* pedir] (they) asked for
pedido, -a asked for, requested
pedir to ask for, request; como se pide
as you please; pide por esa boca whatever you please

Pedro el Cruel, Pedro I, King of Castile
and Leon (died 1369)
pegar to beat; stick, attach; pegar fuego
a to set fire to; pegar la paliza to give a
beating; pegar los ojos to close one's
eyes; pegar un tiro to shoot
peinado, -a well groomed
peinar to comb, groom
pelar to pluck; pelar la pava to make
love, court (standing at night before
the girl's window)
pelear to fight, struggle
peligro *m.* danger
pelo *m.* hair; pelos y señales all the details
pelotera *f.* quarrel
pellizco *m.* pinch
pena *f.* pain, labor, trouble, anxiety,
penalty
penar to suffer
pender to hang
penetración *f.* penetration
penetrar to penetrate, enter
península *f.* peninsula
penitencia *f.* penance
penitenciario *m.* penetenciary (priest in
charge of confessions)
penoso, -a difficult; painful
pensaba [*imperf. of* pensar] (he) intended
pensado, -a thought; mal pensado evil
minded
pensamiento *m.* thought; design
pensar to think; intend; pensar en to
think of; no está mal pensado it is not
a bad idea
pensó [*past of* pensar] (he) thought
peonza *f.* child's top
peor worse, worst; peor que peor worse
and worse
pequeño, -a small, little
percudirse to become tarnished
perder to lose; ruin; destroy; perderse
to lose, miss
perdición *f.* perdition, ruin
perdidamente madly
perdido, -a lost; ruined; ponerse perdido
de polvo to get all covered with dust
perdiguero: perro perdiguero setter (dog)
perdón *m.* pardon, forgiveness
perdonable pardonable

perdonar to pardon
perecer to perish, die
peregrinación *f.* peregrination, pilgrimage, trip
peregrino, -a strange
pereza *f.* laziness
perezoso, -a lazy
perfección *f.* perfection
perfectamente perfectly
pérfida *f.* perfidious woman
pericón *m.* large fan
periódico *m.* newspaper
periquete *m.* jiffy, instant
perito *m.* expert
perjuicio *m.* harm, injury; **sin perjuicio de** reserving the right to
perla *f.* pearl
permanecer to remain, stay
permiso *m.* permission; **con permiso** begging (your) pardon
permitir to permit, allow
pero but; **nada de pero, no hay pero que valga** but me no buts; **no había pero que ponerle** there could not be any objection to it
perpendicular perpendicular
perpetuo, -a perpetual, permanent
perplejo, -a perplexed, puzzled
perro *m.* dog
perseguir to pursue, chase
persona *f.* person; looks and shape; **personas** people
personaje *m.* personage, important man
personal personal
personalmente personally
personificar to personify
persuadir to persuade
persuasivo, -a persuasive
pertenecer to belong
pertenecía [*imperf. of* **pertenecer**] (it) belonged
perturbar to disturb
Perú (el) Peru
peruano, -a *adj. and m. & f.* Peruvian
pervertir to pervert
pesado, -a heavy
pesar: a pesar de in spite of
pescador *m.* fishermen
pescar to fish
pescuezo *m.* neck

pesebre *m.* manger
pesebrera *f.* row of mangers
peseta *f.* peseta, Spanish coin, formerly worth about nineteen cents, now sixty to a dollar
peso *m.* weight; **se cae de su peso** it is self evident, it goes without saying
pestañear to wink, blink, move an eyelash
pestiño *m.* fritter
petate *m.* rogue, swindler
petróleo *m.* petroleum, oil
pez *f.* fish
pezuña *f.* hoof
piano *m.* piano
piar to chirp
picar to pick, pick at, pique, arouse, break up, shred (tobacco); **picado de viruelas** pock-marked
picaresco, -a roguish
pícaro, -a roguish; wicked; *as noun* rogue
picatoste *m.* fried bread
Picio prototype of ugliness
pico *m.* corner; **sombrero de tres picos** three-cornered hat; **a las siete y pico** a little after seven
pie *m.* foot; **a pie** on foot; **al pie de la letra** literally; **deme un pie para montar** help me up (on horse); **estar de pie** to be standing, to be on one's feet
piedad *f.* pity, mercy; **¡Piedad!** Have mercy!
piedra *f.* stone, flint
piel *f.* hide, skin, pelt
pienso [*pres. of* **pensar**] I intend
pierna *f.* leg; **con las piernas arqueadas** bow-legged
pieza *f.* piece; **buena pieza** rascal; **hecho una pieza** dumfounded
pillar to pillage; catch
pinar *m.* pine grove
pincel *m.* brush, paint brush
pintado, -a painted
pintar to paint
pintor *m.* painter, artist
pintoresco, -a picturesque
Piñona name of Lucas' donkey
pío, -a pious, charitable
pipa *f.* pipe

pirámide *f.* pyramid; **las Pirámides** Battle of the Pyramids, July 21, 1798, in Napoleon's Egyptian campaign

Pirineo *m.* Pyrenees

Pirineos *m. pl.* Pyrenees, mountain range between France and Spain

piso *m.* floor; **piso segundo** third floor

pisotear to trample upon

pistola *f.* pistol

plácido, -a placid, calm

plan *m.* plan, scheme

planchar to iron (clothes)

planeta *m.* planet

planta *f.* plant

plantado, -a standing

plantar to plant, place

plata *f.* silver

plataforma *f.* platform

plato *m.* plate

playa *f.* beach, shore

plaza *f.* square; position; market place; **sentar plaza** to enlist

plazoleta *f.* little square

plazoletilla *f.* small courtyard

plebe *f.* common people; people; crowd

pleito *m.* lawsuit

pleno, -a full, complete

pliego *m.* sheet of paper

pluma *f.* feather

población *f.* town, village

poblado, -a populated; covered

pobre poor

poco, -a little; **a poco** in a little while; **poco a poco** little by little; **pocos** few, a few

poder *noun m.* power

poder to be able, can, may; **a más no poder** as much as possible; **como pudo** as well as he could; **no poder menos de** not to be able to help

poderoso, -a powerful

podía [*imperf. of* **poder**] (he) was able, could

podido, -a [*past part. of* **poder**] been able

poeta *m.* poet

polaco, -a *adj. and m. & f.* Polish, Pole

policía *f.* police, policing

polilla *f.* clothes moth; mustiness

político, -a political

polizonte *m.* policeman

polvo *m.* dust; pinch of snuff; **perdido de polvo** covered with dust

pólvora *f.* powder; temper; **se me sube la pólvora a la cabeza** I am beginning to lose my temper

polvorear to dust, sprinkle (with dust *or* sugar)

Pomona Roman goddess of fruits

pompa *f.* pomp; spread of peacock's tail; low curtsy

pon [*imperative of* **poner**] place, put

ponderación *f.* pondering; exaggeration

ponderar to weigh; praise highly

poner to put, place, set, arrange; assume; treat; put in; **poner al corriente** to put up to date, inform; **poner de oro y azul** to give a good scolding to; **poner dos letras** to write a few lines; **poner en cueros** to strip to the skin; **poner la cama** to make the bed; **ponerse** to become; grow; turn; put on; **ponerse colorada** to blush; **ponerse de pie** to stand up; **ponerse de rodillas** to get to one's knees; **se ponía el sol** the sun was setting

poniente setting (sun)

por for, by, because of, through; **por allí** around there, **por cierto** certainly; **por debajo de** under; **por allá** that way; **por aquí** this way; **¡por Dios!** for Heaven's sake; **por fin** finally; **por consiguiente** consequently; **por eso** therefore, on that account; **por primera vez** for the first time; **¿por qué?** Why?; **por último** finally

porque because; in order that

portal *m.* entrance, vestibule

portero *m.* porter, doorman

portón *m.* large door, outer door

Portugal *m.* Portugal

portugués,-sa Portuguese

porvenir *m.* future

posar to rest, come to rest

posee [*pres. of* **poseer**] (she) possesses

poseer to possess, own

poseído, -a possessed; filled; overcome

posesión *f.* possession

posibilidad *f.* possibility

posible possible

posición *f.* position

Pósito *m.* granary; **Pósito Real** State Granary; **Pósito Pío** Charity Granary

Post nubila . . . Diana (Latin) after clouds the moonlight

postizo, -a artificial, false

postrado, -a prostrate

postrimerías *f. pl.* last days, last years

postura *f.* position, posture

potable drinkable; **agua potable** drinking water

potencia *f.* power; **las potencias del norte** the northern powers (England and Prussia against Napoleon)

potestad *f.* power, authority

pozo *m.* well (of water)

practicar to practice

precaución *f.* precaution

precaverse to be on one's guard

precedente preceding

preceder to precede

precepto *m.* obligation; **día de precepto** day of obligation (to go to mass)

preciarse de to boast of, take pride in

precio *m.* price

preciosidad *f.* beautiful thing

precioso, -a precious, valuable

precipicio *m.* precipice

precipitación *f.* haste

precipitar to rush; **precipitarse** to rush; throw oneself headlong; pounce upon

precisamente exactly, precisely; just at that moment

precisión *f.* precision, accuracy, exactness

preciso, -a necessary

predicador *m.* preacher; **predicador de oficio** preacher

predilecto, -a favorite

prefacio *m.* preface

preferir to prefer

pregunta *f.* question

pregunta [*pres. of* **preguntar**] (you) ask

preguntar to ask, question; **preguntarse** to wonder

preguntó [*past of* **preguntar**] (he) asked

prelado *m.* prelate

premio *m.* reward

prenda *f.* garment, article of clothing

prendado, -a taken, captivated

prender to take, arrest

preocupar to preoccupy; **preocuparse** to be preoccupied, worry

preparado, -a prepared, ready

preparar to prepare

preparó [*past of* **preparar**] (he) prepared; **se preparó** (he) prepared, made preparations

presa *f.* prisoner; dam; victim

presbiterio *m.* presbitery, choir of church

presencia *f.* presence

presenciar to witness

presentado, -a presented

presentan [*pres. of* **presentar**] (they, you) present

presentar to present, introduce, offer

presentaron [*past of* **presentar**] (they) presented

presente present

presentó [*past of* **presentar**] (he) presented

preso [*past part. of* **prender**] arrested; overcome, taken, attacked

preso *m.* prisoner, captive

presta [*pres. of* **prestar**] (he) lends, gives

prestar to lend; give

pretender to pretend to; claim

pretexto *m.* pretext

prevenir to warn, notify, give notice to

preventivo, -a preventive

prever to foresee

previo, -a previous

previsión *f.* foresight; expectation

prima *f.* first part of the day; **misa de prima** early mass

primer(o), -a first; **de primera clase** first class; **por primera vez** for the first time

primeramente first

primicias *f. pl.* first fruits, offering of first fruits

primitivo, -a primitive; original

princesa *f.* princess

principal principal, important, chief, main

principalísimo, -a very important, very distinguished

principalmente principally

principiar to begin, commence

principio *m.* principle; entrée; **a principio de** at the beginning; **al principio** at first prior *m.* prior

prisa *f.* haste; **más de prisa** faster; **tener prisa** to be in a hurry

privación *f.* privation, hardship

privar to deprive

privilegio *m.* privilege

pro *m. & f.* profit, advantage; **buena pro le haga** good luck to him

probabilidad *f.* probability

probablemente probably

probar to prove, test, try; taste

proceder *m.* proceeding; conduct

proceder to come from, originate in

procedimiento *m.* procedure; development

proclamar to proclaim

proclamó [*past of* **proclamar**] (he) proclaimed

procurar to try, attempt

prodigio *m.* prodigy

producen [*pres. of* **producir**] (they) produce

producir to produce

productivo, -a productive

producto *m.* product

profanar to profane

proferir to utter, say, pronounce

profesar to profess

profesional *adj. and m. & f.* professional

profundo, -a profound, deep

promesa *f.* promise

prometer to promise

prometida *f.* fiancée

prometió [*past of* **prometer**] (he) promised

pronosticar to prognosticate, predict

pronto soon, quickly; **de pronto** suddenly; **tan pronto como** as soon as

pronunciación *f.* pronunciation

pronuncian [*pres. of* **pronunciar**] (they) pronounced

pronunciar to pronounce, say

propasar to go too far, forget oneself, take the liberty of

propiedad *f.* property

propio, -a own, very, same; peculiar; belonging to; exact; characteristic

proponer to propose, suggest; decide; **proponerse** to determine, decide

proporción *f.* proportion

proporcionar to give, bring to

proposición *f.* proposition, proposal

propósito *m.* purpose, plan, intention, design

prorrumpir to interrupt, burst out

prosa *f.* prose

prosaico, -a prosaic

proseguir to continue

prosiguió [*past of* **proseguir**] (he) continued

prosperidad *f.* prosperity

protección *f.* protection

protector *m.* protector, patron

proteger to protect

proterva *f.* perverse woman, hussy

protesta *f.* protest, protestation

provecho *m.* profit; **ser de provecho** to be useful, be of avail; **no era de provecho** was to no avail

proveer to provide

Providencia *f.* Providence

provincia *f.* province

provisional provisional

provisto [*past part. of* **proveer**] provided, furnished

provocar to provoke

provocativo, -a provocative

próximo, -a near, about, close, near by, forthcoming

proyecto *m.* project

prueba *f.* proof

público, -a public

puchero *m.* stew

pude [*past of* **poder**] I could, was able

pudo [*past of* **poder**] (he) could, was able

pudrirse to rot

pueblecillo *m.* little town

pueblo *m.* people; town, small town

puede [*pres. of* **poder**] (he, she, you) can, is (are) able

puedes [*pres. of* **poder**] you can, are able

puente *m.* bridge

pueril puerile, childish

puerta *f.* door, doorway, gate

puertecilla *f.* small door

puerto *m.* port

pues since, for; then, well; **pues bien** very well, all right; **pues que** since; **pues sí** Yes, indeed

puesto, -a [*past part. of* **poner**] put on
(clothes); **llevar puestas** have on
(clothes)

puesto *noun m.* post, position, booth

puesto que since

pugnar to fight

pulcro, -a neat, tidy, attractive, clean

pulidez *f.* neatness; formality

pulmonía *f.* pneumonia

pulso *m.* pulse; **vino de pulso** homemade
wine

pum bang

punta *f.* point, tip, corner

puntapie *m.* kick

puntillas: de puntillas on tiptoe

punto *m.* point; **punto de llegada y
descanso** place to stop and rest; **a
punto que** just as; **a las ocho en punto**
at eight o'clock sharp; **desde el punto y
hora** from that very moment; **en aquel
punto y hora** then and there

puntualmente punctually, exactly

puñal *m.* dagger

puñetazo *m.* blow with the fist; **andando
a puñetazos con las lágrimas** fighting
back his tears

puño *m.* fist; hilt

pupila *f.* pupil

purísimo, -a most pure

puro, -a pure

pusieron [*past of* **poner**]: **se pusieron**
(they) became

pusiste [*past of* **poner**] you placed, put

Q

Q. D. G. = **Que Dios guarde** whom God
preserve

que who, which, that, how, than; **el que,
la que** the one who, who, which; **lo
que** what

qué what, which, what a, how; **¿A mí
qué?** What of it?, What do I care?
a qué why? **¿qué tal?** how goes it?
¿para qué? why? **¿por qué?** why?

queda *f.* curfew

quedaba [*imperf. of* **quedar**] (he) remained

quedando [*pres. part. of* **quedar**] remaining

quedar(se) to remain, be left

quehacer *m.* task

quejarse to complain

quemadura *f.* burn

quemar to burn

quemarían [*cond. of* **quemar**] (they)
would burn

querer to wish, want; love, like; be
about to; grant; **querer decir** to mean

quería [*imperf. of* **querer**] (he) wanted,
wished

querían [*imperf. of* **querer**] (they) wanted

querido, -a loved, beloved, dear

Quevedo, Francisco Gómez de Quevedo
satirical writer of the seventeenth
century in Spain

quien who, the one who, one who, someone who; **a quien** whom

quién who; **a quién** whom

quieres [*pres. of* **querer**] you wish

quiero [*pres. of* **querer**] I want, wish

quieto, -a quiet

quince fifteen; **quince días** two weeks

quinto, -a fifth

quiroteca *f.* glove, gauntlet

quiso [*past of* **querer**] (he) wished, wanted; tried

quitar to remove, take away, take off; get
out; **quitar de en medio** to get out of
the way; **Quita** Stop!; **Quita allá**
No more of that!

quizá(s) perhaps

R

rabadilla *f.* rump

rabia *f.* rage

racimo *m.* bunch, cluster

ración *f.* (share of) food

radiante radiant

raíz *f.* root

rama *f.* branch, limb; **lechugas en rama**
stalks of lettuce

ramblilla *f.* gulley

ramillo *m.* sprig of leaves

ramo *m.* branch; accomplishment

rana *f.* frog

rancio, -a rancid; old; outworn, antiquated

rancho *m.* mess; camp; group

rapé *m.* snuff
rápidamente rapidly
rápido, -a rapid
rareza *f.* rareness, strangeness
raro, -a rare, strange, unusual
rascar to scratch
rastro *m.* trace
ratero, -a thieving
ratero *m.* sneak thief
ratificar to ratify
rato *m.* short time; some time; a long time
rayo *m.* ray; **rayo visual** line of vision
raza *f.* race
razón *f.* reason; **razones** argument; **tener razón** to be right
reacción *f.* reaction
real royal; fine, splendid
real *m.* real (small Spanish coin)
realce *m.* raised work; **bordados de realce** raised embroidery
realidad *f.* reality
realismo *m.* realism
realizar to realize
realmente really
reaparecer to reappear
rebajar to reduce
rebaño *m.* flock
rebelde rebellious
rebonito, -a extremely pretty
rebuznar to bray
rebuzno *m.* bray
recargo *m.* tax, surtax
recato *m.* reserve; modesty; honor
recaudador *m.* collector
recaudo *m.* tax collecting; security; **a buen recaudo** well looked after, well secured
recelar to suspect
recelo *m.* fear, caution
receloso, -a suspicious, distrustful
recibe [*pres. of* recibir] (he, she) receives
recibido, -a received
recibimiento *m.* reception; vestibule
recibió [*past of* recibir] (he) received
recibir to receive
recibo *m.* receipt
recién recent; **recién llegado** newcomer
recio, -a stout, robust
recitar to recite

reclamación *f.* claim
reclamar to claim, ask for; need
recobrar to recover, regain
recoger to pick up; **recogerse** to retire
recogido, -a caught up; retired
recomendación *f.* recommendation
recompensa *f.* reward
reconcentrado, -a concentrated; intense
reconciliación *f.* reconciliation
reconocer to recognize
recordar to remember, recall
recordó [*past of* recordar] (he) remembered
recreativo, -a recreative; diverting
rechazado, -a rejected
red *f.* net, tangle, network; trap
redondo, -a round
reducido, -a reduced
reducir to reduce
referir to refer; relate
reflexión *f.* reflection, thought
reflexionar to reflect, think
refrán *m.* proverb
refregar to rub; reprove; show; display
refugiarse to take refuge
regalado, -a regaled, pampered
regalar to give, present
regalo *m.* gift
regar to irrigate (fields); sprinkle
regidor *m.* alderman, councilman
régimen *m.* regime
región *f.* region
regla *f.* rule
regocijar to cheer, delight; **regocijarse** to be glad of
regocijo *m.* joy, delight
regresar to return
regresaron [*past of* regresar] (they) returned
regular regular, well formed; not bad; proper
regularidad *f.* regularity
reía [*imperf. of* reír] (she) laughed; **se reía de mí** she laughed at me
reina *f.* queen
reinar to reign, rule
reino *m.* realm, kingdom
reír(se) to laugh; **reírse de** to laugh at
reja *f.* grating, window grating

relación *f.* relation, tale, story; **con relación a** compared to
relámpago *m.* flash of lightning
relampaguear to flash
relativo, -a relative, comparative
religioso, -a religious
reloj *m.* clock; **reloj del sol** sundial
remar to row
remaron [*past of* **remar**] (they) rowed
remate *m.* end
remedar to imitate
remedio *m.* remedy; **no hay remedio** there is no help for it; **¿Qué remedio?** How could it be helped?; **sin remedio** for good and all
remo *m.* oar
remojón *m.* wetting, soaking
remordimiento *m.* remorse
remoto, -a remote
remover to remove
rencor *m.* rancor, grudge
rendir to overcome, win; **rendirse** to surrender, submit, give up
renglón *m.* line (of print)
renta *f.* rent, income
rentilla *f.* tax, minor tax
renunciar to renounce, give up
reñir to fight, scold
reo *m.* criminal
reparar en to notice, note; remember
repartir to divide, share
repecho *m.* incline, rise, slope
repente: de repente suddenly
repentinamente suddenly
repentino, -a sudden, unexpected
repetir to repeat
repitió [*past of* **repetir**] (he) repeated
repique *m.* peal of bells
replicar to reply, answer
reponer to reply, rejoin; replace, re-establish
reposado, -a composed, unruffled
reposo *m.* repose
representante *m.* representative
representar to represent; play (a part)
república *f.* republic; **la República Argentina** Argentina
repuesto, -a [*past part. of* **reponer**] replaced
repugnante repugnant

repulsión *f.* repulsion, aversion
repuso [*past of* **reponer**] (he) replied
requebrar to pay compliments to, make love to
requerir to require, demand
resbalar to slip, slide
reserva *f.* reserve, caution, secrecy
reservado, -a reserved; private, confidential
residir to reside
resistir to resist; protest
resolución *f.* resolution
resolver(se) to resolve, decide upon
resonar to resound, echo
resorte *m.* spring (of a machine)
respectivo, -a respective
respecto *m.* respect; **respecto de** with regard to
respetable respectable
respetar to respect
respeto *m.* respect
respetuoso, -a respectful
respirar to breathe
resplandor *m.* splendor, brilliance, gleam
responder to answer, respond, assure, reply; **responder de** to answer for
respondió [*past of* **responder**] (he) answered
respuesta *f.* reply
restablecer to re-establish
restante *adj.* remaining; **los restantes** the rest
restar to remain
restituir to restore
resto *m.* rest, remainder
resueltamente resolutely
resulta *f.* result; **de cuyas resultas** as a result of which; **de resultas de** as a result of; **por resultas de** as a result of
resultado *m.* result
resultar to result, be; come out, turn out
resumen *m.* summary; **hacer el resumen** to add up
retaco *m.* musket
retintín *m.* jingle; emphasis
retirar to draw, draw back; retire; remove; **retirarse** to retire, withdraw
retorcer to twist; **retorcer el hocico** to turn up one's nose
retratar to picture, portray, describe

retrató [*past of* retratar] (he, she) depicted, drew

retreta *f.* tattoo (military)

retrocedieron [*past of* retroceder] (they) drew back, backed away

retroceder to draw back, retreat, run away

retrospectivo, -a retrospective

reunido, -a assembled

reunión *f.* gathering, assembly

reunir to gather, gather together; reunirse to meet, get together

revelar to reveal, show

revendedor *m.* retailer

reventar to burst, burst open, crush, explode

reverencia *f.* reverence; curtsy, bow

reverendo, -a reverend

revés *m.* back; backhand blow

revestirse to dress again; revestirse de dignidad to assume a dignified attitude again

revolución *f.* revolution

revolver to turn upside down

revuelto, -a scrambled; upset; lo revuelto disorder

rey *m* king; reyes king and queen; déjeme de reyes don't talk to me any more about kings

rezaba [*imperf. of* rezar] (I) was praying

rezar to pray; rezando sus devociones saying their prayers

rico, -a rich

ridiculez *f.* ridiculousness; ridicule; folly; absurdity

ridículo, -a ridiculous

riente laughing

riesgo *m.* risk

rigidez *f.* rigidity, firmness

rincón *m.* corner

rindiéndose surrendering, giving up, submitting

riñón *m.* kidney; riñones small of the back

río *m.* river, stream

riqueza *f.* riches, wealth

risa *f.* laughter

risotada *f.* burst of laughter

risueño, -a smiling

rival *m.* rival

Rívoli town in northern Italy, place of Napoleon's victory over the Austrians in 1797.

robar to rob, steal

robo *m.* robbery

robusto, -a robust

rociar to sprinkle, moisten, wash down

rodar to roll; pass

rodeado, -a surrounded

rodear to surround; wrap around

rodilla *f.* knee; de rodillas kneeling, on their (his) knees; ponerse de rodillas to get to one's knees

roer to gnaw, chew, eat

rogar to beg, pray, request, ask

rogativa *f.* prayer, petition

rojo, -a red

romance *m.* ballad

romancero *m.* collection of ballads

románico, -a romance, romantic

romanizado, -a Romanized

romano, -a Roman

romántico, -a romantic

romo, -a blunt; flat-nosed

romper to break, tear, smash; romper a to break out in, begin

rompiendo breaking

ronco, -a hoarse

ronda *f.* patrol

rondar to go around; prowl, walk up and down

ropa *f.* clothes; ropa de cama bed linen; ropas clothes

Rosa Rose

rosario *m.* rosary; afternoon service

rosco *m.* cruller

roseta *f.* rosette; roseta de maíz popcorn

rostro *m.* face

Rota village in southern Spain, near Cadiz

roteño, -a native of Rota

roto, -a [*past part. of* romper] broken, cut

Rubens: Peter Paul Rubens Flemish painter (1577-1640)

rubí *m.* ruby

rubio, -a blond, fair

rúbrica *f.* flourish (part of a signature)

rueda *f.* wheel

rugido *m.* roar; growl

rugir to roar

ruido *m*. noise, sound
ruina *f*. ruin, destruction
ruindad *f*. baseness, meanness; **en las ruindades de la vida** in the mean things of life
ruinoso, -a ruinous; ruined
rumbo *m*. course, direction; **con rumbo a** bound for, in the direction of
rumor *m*. noise, sound
Rusia Russia
rústico, -a rustic; *as noun*, farmer, country man

S

S.M. = **Su Majestad** Your Majesty
sábado *m*. Saturday; **sábado de Gloria** Holy Saturday
saber to know (how), be able, find out, understand, learn
sabía [*imperf. of* **saber**] (he) knew how
sabido, -a [*past part. of* **saber**] knew, knew how, was able
sabe [*pres. of* **saber**] (you) know
sabemos [*pres. of* **saber**] we know
sabio, -a learned
sable *m*. sabre
saborear to taste; enjoy
sabré [*fut. of* **saber**] I shall know, be able
sabría [*cond. of* **saber**] (he) would know how, be able
sabroso, -a tasty, delicious
sacar to take out, draw out, pull out, scratch out; **sacar arrastrando** to drag out; **sacarse en claro** to be brought to light; **sáqueme de dudas** relieve my mind
sacerdote *m*. priest
sacó [*past of* **sacar**] (he) took out, drew out
sacramental: auto sacramental (one act) religious play
sacramento *m*. sacrament
sacrificador *m*. sacrificer
sacrificio *m*. sacrifice
sacristán *m*. sacristan, sexton
sacudir to shake; hit, slap
sagrado, -a sacred

Sagrario part, or room, of a church where sacred relics are kept, Sanctuary. Vessel in which is placed the Holy Wafer of the Sacrament.
sainete *m*. flavor; delicacy; one act farce
sal *f*. salt; charm
sala *f*. room, chamber
salí [*past of* **salir**] I left
salía [*imperf. of* **salir**] (he, she) came out
salían [*imperf. of* **salir**] (they) went, left
salida *f*. departure, going out; exit
salieron [*past of* **salir**] (they) left
salimos [*past of* **salir**] we went out, left
salió [*past of* **salir**] (he, she, it) left, came out, went out, came
salir to leave, go out, come out, depart, emerge, issue, start off, rise (of moon); **salir a luz** to appear in print; **salir con las manos en la cabeza** to get treated roughly; **ahora salimos con eso** so this is what it has come to; **que bien sale ahora la molienda** how fine the mill turns out flour today
salón *m*. living room, room, hall
salsa *f*. sauce
saltar to jump; **están saltando por justificar a** can hardly wait to testify in favor of
salto *m*. leap, jump
salud *f*. health; **¿Cómo va de salud?** How are you?
saludable healthful
saludar to greet, speak to, salute, bow to
salvación *f*. salvation
Salvador *m*. Savior
salvar to save
Salve Regina (Latin) Hail Queen! Prayer addressed to the Virgin Mary.
San [*short form of* **santo**] Saint, holy
San Francisco Saint Francis; **cordonazo de San Francisco** autumn equinox (before and after the day of Saint Francis, October 4)
San Judas Saint Jude
San Miguel Saint Michael (archangel who drove Satan from heaven)
San Quintín Saint Quentin; **la de San Quintín** be the deuce to pay (the Battle of Saint Quentin was a hard-won victory for the Spaniards)

San Salvador Holy Savior
San Simón Saint Simon; **San Simón y San Judas** Saint Simon and Saint Jude's Day (October 28)
sangre *f.* blood
sanguinario, -a bloodthirsty; cruel
Sansón Sampson
sano, -a sane
santidad *f.* sanctity
santificado, -a sanctified
santo, -a holy, blessed; **Dios Santo** Good Lord
santo, -a *m. and f.* saint
sarcasmo *m.* sarcasm
sarcástico, -a sarcastic
sarga *f.* serge
sargento *m.* sergeant
sarmiento *m.* vine shoot
sátiro *m.* satyr
satisfacción *f.* satisfaction
satisfacer to satisfy
satisfecho, -a satisfied
sazón: a la sazón at that time
sazonar to ripen, season
se himself, herself, itself; yourself, yourselves; one, they; each other, to each other; to him, to her, to you, to them
sé [*pres. of* **saber**] I know
seas [*pres. subj. of* **ser**] be
secamente dryly
secar to dry
seco, -a dry; lean
secretario *m.* secretary
secreto, -a secret
secreto *m.* secret; secrecy
seda *f.* silk
seducir to seduce, corrupt
segador *m.* harvester
seglar *m.* layman
seguía [*imperf. of* **seguir**] (it) continued
seguida: en seguida at once, immediately
seguido, -a followed
seguimiento *m.* following; pursuit
seguir to follow, continue, keep on; continue to be
según according to; **según que** as
segundo, -a second
segundo *m.* second
seguramente surely
seguridad *f.* security, certainty

segurísimo, -a very certain
seguro, -a sure, certain; safe; **de seguro (que)** certainly; **tener por seguro** to consider as sure
seis six
sellado, -a sealed, stamped
sellar to seal, stamp; **papel sellado** legal paper
semana *f.* week; **por semana** weekly, each week
semblante *f.* face, countenance
sembrado *m.* field, sown field
semejante similar, like; such, such a
semicírculo *m.* semicircle
seminario *m.* seminary
sencillez *f.* simplicity
sencillo, -a simple
senda *f.* path
sendos, -as *m. and f. pl.* apiece, one for each one, individual
sensación *f.* sensation
sensacional sensational
sentado, -a seated, sitting; **lo tiene sentado en la boca del estómago** it disagrees with him
sentar to set, seat; agree with, be becoming to; **sentar bien a** to agree with; **sentar mal a** to disagree with; **sentar plaza** to enlist; **sentarse** to sit, sit down
sentencia *f.* sentence
sentenciar to sentence
sentido, -a felt, full of feeling, cordial
sentido *m.* sense; way, direction; **sentido común** common sense
sentimental sentimental
sentimiento *m.* sentiment; feeling, emotion
sentir to feel; be sorry; hear, perceive
seña *f.* sign, signal; **señas** address; **por señas** to be specific; **por más señas** to be more explicit
señá [*colloquial for* **señora**] lady, madam
señal *f.* sign, mark; **señales** description; **pelos y señales** all the details
señalaban [*imperf. of* **señalar**] (they) pointed out
señalar to point out, designate
señor sir, master, Mr.; **señores** gentlemen; ladies and gentlemen
señora lady, mistress, wife, madam

señoría *f.* lordship
señorío *m.* gentry
señorito *m.* young man, sir, gentleman
señorón *m.* distinguished gentleman
sepa [*pres. subj. of* **saber**] know
separar to separate
séptimo, -a seventh
sepulcral sepulchral
sepulcro *m.* sepulcher, grave
sepultar to bury
ser to be; **era que . . .** the fact was that . . .; **érase** she was; **fue de ver** you should have seen; **o sea** that is, or; **ser de** to become of; **¿Qué había sido de . . .** What had become of . . .? **llegar a ser** to become
ser *m.* being
será [*fut. of* **ser**] (it) will be
serán [*fut. of* **ser**] (they) will be
serenarse to be calm, calm oneself
serenidad *f.* serenity, calmness
sereno, -a serene, calm; clear, fair (weather)
sereno *m.* night watchman. In Spain the night watchman (**sereno**) has the keys to all the front doors in the block and has to be called when one wants to get in or get out at night.
sería [*cond. of* **ser**] (it) would be
serie *f.* series
seriedad *f.* seriousness; sobriety
sermón *m.* sermon
servía [*imperf. of* **servir**] (it) served, was of value
servían [*imperf. of* **servir**] (they) served
servicio *m.* service
servidor *m.* servant
servidumbre *f.* servants (of a household)
servilleta *f.* napkin
servir to serve, work, be of use; **servir de** to serve as
sesenta sixty
sesión *f.* session; **salón de sesión** council chamber
setecientos, -as seven hundred
setenta seventy
sétimo, -a see **séptimo**
seto *m.* hedge
severamente severely
severidad *f.* severity

severo, -a severe, stern
Sevilla Seville, beautiful and romantic city of Southern Spain
sexo *m.* sex
sexto, -a sixth
si if, whether; I wonder if; **si no** unless; **por si acaso** just in case
sí yes; indeed
sí *pron.* him, himself; **sí mismos** themselves; **volver en sí** to come to
Siberia *f.* Siberia
sido [*past part. of* **ser**] been
siembra *f.* field, sown field
siempre always, still; **siempre que** whenever
sierpe *f.* serpent
sierra *f.* mountain range; **Sierra Nevada** mountain range in Southern Spain
siesta *f.* nap, siesta; **dormir, echar una siesta** to take a nap
siete seven
sifón *m.* siphon; siphoning device
siglo *m.* century
significa [*pres. of* **significar**] (it) means, signifies
significar to mean, signify
siguiente following
siguió [*past of* **seguir**] (she) followed
silbante whistling, hissing
silbar to whistle, hiss
silencio *m.* silence
silencioso, -a silent
silla *f.* chair
simbolizado, -a [*past part. of* **simbolizar**] symbolized
simbolizar to symbolize
simetricamente symmetrically
simpático, -a sympathetic, congenial, kindly
simple simple
simultáneamente simultaneously
sin without; **sin embargo** however, nevertheless; **sin que** unless, without; **sin remedio** for good and all
sinceridad *f.* sincerity
sincero, -a sincere
singular singular, unusual, strange
singularidad *f.* singularity
sino but, except; **sino que** but
sintió [*past of* **sentir**] (he) felt

sinvergüenza *m.* scoundrel
siquiera even; **ni siquiera** not even
sirena *f.* siren
sirvienta *f.* servant, maid
sistema *m.* system
sitio *m.* place, position, location, spot; empty place
situación *f.* situation
situado, -a situated, located
sobar to knead; **torta sobada** shortcake
soberanía *f.* sovereignty, majesty
soberano, -a royal, queenly, splendid
soberano *m.* sovereign
sobornar to bribe
sobra *f.* surplus, excess; **de sobra** to spare, more than enough
sobran [*pres. of* **sobrar**] (they) remain, are in excess
sobrar to remain, be in excess, be left over
sobrarán [*fut. of* **sobrar**] (they) will be left over
sobre on, over, above, against, about; **sobre todo** especially
sobrecoger to surprise; **sobrecogerse** to be seized with
sobrenatural supernatural
sobresaltado, -a assailed, amazed, thunderstruck
sobresaltar to assail; astonish, startle
sobrina *f.* niece
sobrino *m.* nephew
socarronería *f.* cunning; **con socarronería** slyly
social social
sociedad *f.* society
socio *m.* partner, companion
socorrer to help, aid, assist
socorro *m.* help, aid
sofá *m.* sofa
sofocante suffocating, choking
sofocar to suffocate, smother
sol *m.* sun; **tomar el sol** to enjoy the sunshine
solamente only
Solán de Cabras Spanish spa, eighty miles from Madrid, famous for its hot springs
soldado *m.* soldier
soledad *f.* solitude

solemne solemn, formal; great
solemnemente solemnly
solemnidad *f.* solemnity
solemnizar to solemnize
soler to be accustomed to, be wont to, use to
solicitud *f.* solicitude
solitario, -a solitary, deserted
solitario *m.* solitaire (game of cards)
solo, -a *adj.* alone, deserted, single; **a solas** alone
sólo *adv.* only, alone
soltar to loosen, set free, let go of, let fall, drop, give up
soltera *f.* old maid
sollozo *m.* sob
sombra *f.* shade, shadow
sombrero *m.* hat; **sombrero de copa** top hat; **sombrero de tres picos** three-cornered hat
somos [*pres. of* **ser**] we are
son [*pres. of* **ser**] (they) are
sonaban [*imperf. of* **sonar**] (they) sounded
sonando sounding, striking
sonar to sound, strike
sondear to sound, probe
sonido *m.* sound
sonreí [*past of* **sonreír**] I smiled
sonreír(se) to smile
sonrisa *f.* smile
soñado, -a dreamed, imaginary
soñar to dream
sopa *f.* sop, soup; **hecho una sopa** to be sopping wet
sordamente dully, in a stifled voice
sordo, -a deaf; dull; low
sorprender to surprise, take unawares
sorpresa *f.* surprise
sortear to draw lots; guess at; **sortiendo a tientas las esquinas** feeling their way around the corners
sortija *f.* ring
sosegado, -a calm, peaceful
sosegarse to become calm
sospecha *f.* suspicion
sospechar to suspect
sostener to sustain, hold
soy [*pres. of* **ser**] I am
su, sus your, their, its, his, her
suave soft, gentle

subido, -a high; mounted; short (sleeves);
estar subido en to be on top of
subió [*past of* **subir**] (he) went up, as-
cended
subir to ascend, climb, go up; carry up;
get on; **se me sube la pólvora a la
cabeza** I am beginning to lose my
temper
súbito: de súbito suddenly
subordinado, -a subordinate; *m.* under-
ling
subsidio *m.* subsidy
suceder to happen, take place; follow
sucedía [*imperf. of* **suceder**] (it) happened
sucesión *f.* succession, issue; **sin sucesión**
without children
sucecesivamente successively
sucesivo, -a succeeding; **en lo sucesivo** in
the future, thereafter
suceso *m.* event, episode
sucio, -a dirty
sudamericano, -a South American
sudar to sweat, perspire
sudario *m.* shroud, winding sheet
sudor *m.* sweat, perspiration
suelo *m.* ground, floor; **arrastar por los
suelos** to drag through the mud
sueño *m.* sleep, dream
suerte *f.* luck
suficiente sufficient
sufrimos [*pres. of* **sufrir**] we suffer
sufrir to suffer, endure
sufriríamos [*cond. of* **sufrir**] we would
suffer
sui generis (Latin) peculiar to itself, all
his own
sujetaba [*imperf. of* **sujetar**] (it) held
sujetar to hold, fasten
sujeto *m.* subject
suma *f.* sum
sumamente greatly, extremely
sumar to add, sum up
sumergido, -a submerged
sumido, -a drawn, sunken
sumo, -a great, very great; **a lo sumo** at
the most
supercriminal *m.* super criminal
superfluo, -a superfluous
superior superior
superlativo, -a superlative

superstición *f.* superstition
supersticioso, -a superstitious
súplica *f.* petition, entreaty
suplicar to supplicate, beg
suplicante beseeching
supo [*past of* **saber**] (he) found out,
learned
suponer to suppose, assume
suposición *f.* supposition; distinction
supremo, -a supreme
suprimir to suppress, destroy
supuesto, -a supposed; **supuesto que**
since; **por supuesto** of course
sur *m.* south
surtidor *m.*: **surtidor de salsa** gravy bowl
surtir to provide, furnish
suspender to suspend
suspirar to sigh
suspiro *m.* sigh
sustancia *f.* substance
sustituto *m.* substitute
susto *m.* fright
susurrar to whisper
suyo, -a his, her, their, your; **el suyo, la
suya** his, hers, etc.; **lo suyo** what was
his

T

tabaco *m.* tobacco
taberna *f.* tavern
tabla *f.* board, plank, panel
táctica *f.* tactics
tacha *f.* defect
Tajo *m.* Tagus. Spanish and Portuguese
river that empties into the Atlantic at
Lisbon
tal such, such a; **el tal** the aforementioned; **tal cual** just as; **tal o cual**
some . . . or other; **tal y como** exactly
as; **tal vez** perhaps; **con tal de (que)**
provided that; **¿Qué tal?** How goes
it?; **¿Qué tal vamos?** How are we getting along?
talado, -a [*past part. of* **talar**] laid waste,
destroyed
talar to destroy, fell (trees)
talento *m.* talent
talión *f.* retaliation, reprisal
talismán *m.* talisman

talón *m.* heel; stub (of a check or receipt book)

talonario: libro talonario stub-book

talonazo *m.* digging in with the heels

talla *f.* stature

taller *m.* shop

tallo *m.* stem, stalk

tambalearse to stagger

también also, too

tampoco neither, not . . . either; **ni yo tampoco** nor I either

tan as, so; **tan . . . como** as . . . as

tanto, -a great, as great; so much, so many; so well; **tanto bueno** so good to see you; **en tanto** then; **en tanto que** while; **entre tanto** meanwhile; **miantras tanto** in the meantime; **para tanto** therefore; **por tanto** therefore

tantos, -as so many, as many; **cincuenta y tantas** fifty odd

tañendo [*pres. part. of* **tañer**] playing

tañer to play (a musical instrument)

tapar to cover, stop up

tardar (en) to be long (in), delay, take time; **tardar en venir** to be long in coming

tardarían [*cond. of* **tardar**] (they) would delay, be long

tarde *f.* afternoon; **por la tarde** in the afternoon

tarde *adv.* late; **más tarde** later

tarea *f.* task

tartamudear to stammer

tasado, -a taxed, valued

tataranieta *f.* great-great-granddaughter

te you, to you, yourself, to yourself

teatral theatrical, dramatic

teatro *m.* theater

techo *m.* ceiling

techumbre *f.* ceiling; roof, top

tejer to weave

tela *f.* cloth

telar *m.* loom

telaraña *f.* cobweb

teléfono *m.* telephone

temblaban [*imperf. of* **temblar**] (they) trembled

temblar to tremble; shake, vibrate; **temblarse a** to be afraid of

temblor *m.* tremor, shudder

tembloroso, -a trembling, tremulous

temer to fear, be afraid

temeroso, -a fearful, frightful; fearing, afraid

temiendo [*pres. part. of* **temer**] fearing

tempestad *f.* tempest

templo *m.* church, cathedral

temporal temporal; **lo temporal** affairs of the world

tempranito very early

temprano early; **lo más temprano** as early as possible

tender to stretch out, hold out

tendió [*past of* **tender**] (he) stretched out

tenedor *m.* fork

tenemos [*pres. of* **tener**] we have

tener to have; keep; **tener a bien** to see fit to; **tener . . . años** to be (so) old; **tener calma** to be calm; **tener celos** to be jealous; **tener cuidado** to be careful; **tener lugar** to take place; **tener miedo** to be afraid; **tener por** to consider as; **tener prisa** to be in a hurry; **tener que** to have to, must; **tener que ver con** to have to do with; **tener el sueño ligero** to be a light sleeper; **no tener para que** to have no need; **¿Qué tiene usted?** What is the matter with you?; **tengan ustedes muy buenas noches** a very good evening to you; **téngalas muy buenas** a very good evening to you

tengo [*pres. of* **tener**] I have

tenía [*imperf. of* **tener**] (he) had

tenido, -a [*past part. of* **tener**] had; **tenido que** had to

tentador, -ora tempting, seductive

tentar to touch, feel

tercer(o), -a third

tercia *f.* third; royal tax

terciana *f.* ague, malarial fever

terminado, -a terminated, ended

terminar to terminate, end, finish

terminaron [*past of* **terminar**] (they) ended

término *m.* end; district

ternera *f.* calf; veal

ternura *f.* tenderness

terremoto *m.* earthquake

terrible terrible

terriblemente terribly

territorio *m.* territory

terror *m.* terror

tertulia *f.* evening gathering characteristic of Spanish society in which games are played, and politics, art, music, literature, etc. are discussed.

tertuliano, -a member of a tertulia; companion

tesoro *m.* treasure

testamento *m.* testament, will

testigo *m.* witness

testimonio *m.* testimony, evidence

tétrico, -a gloomy, dismal

texto *m.* text

tez *f.* complexion

ti you

tía aunt

tibio, -a lukewarm

Ticiano Titian (Venetian painter, 1477-1576)

tiempo *m.* time; **a tiempo** opportunely; **a tiempo que serían las once** at about eleven o'clock; **hacer tiempo** to kill time; **mucho tiempo** a long time

tienda *f.* shop, store

tiene [*pres. of* **tener**] (he, she, it) has; (you) have

tienen [*pres. of* **tener**] (they) have

tientas: a tientas groping

tiento *m.* care; tact; **con mucho tiento** very cautiously

tierno, -a tender

tierra *f.* land, country, ground, native country; **por tierra** on the ground

tigre *m.* tiger

timbre *m.* tone, timbre

tímidamente timidly

tinieblas *f. pl.* darkness

tinta *f.* ink

tinte *m.* tinge; appearance

tintero *m.* inkwell

tío *m.* uncle

tipo *m.* type

tiranía *f.* tyranny

tirar to throw, toss, fling, pull; **tirar de espaldas** to tip over backwards; **tirar un pellizo** to pinch

tiro *m.* shot; **pegar un tiro** to shoot

titilar to flicker

titubear to totter; tremble

titular titular, so-called

título *m.* title, claim; titled person, nobleman

tocar to touch; ring; stop; play (an instrument); **tocarse a uno** to be one's turn (lot, duty); **por lo que le toca al corregidor** as far as the corregidor is concerned

tocaron [*past of* **tocar**] (they) touched

tocino *m.* bacon

todavía still, yet, even

todo, -a all, every; quite; whole; **todo el mundo** everybody; **todo un hombre** every inch a man; **sobre todo** especially

todo *adv.* altogether

todo *pron.* everything, anything; **todos** everybody

toledano, -a inhabitant of Toledo

Toledo province and city in central Spain. The city was ancient at the time the Romans invaded the peninsula

toma [*imperative of* **tomar**] take

tomar to take, receive, get; **tomar la cara** to fondle, chuck under the chin; **tomar la vuelta** to turn back toward; **tomar por aquí** to go this way; **tomar por la escalera** to go on up the stairs; **¡Toma!** Why, of course!

tomará [*fut. of* **tomar**] (he) will take

tomate *m.* tomato

tomatero *m.* tomato grower

tomó [*past of* **tomar**] (he) took

tonadilla *f.* light tune

tono *m.* tone

tonto, -a *adj. and m. & f.* foolish; foolish person

tontería *f.* foolish thing; **tonterías** foolishness, nonsense

Toñuelo Tony

toque *m.* touch; ring, peal, ringing

torcido, -a twisted, distorted

tormenta *f.* torment; storm

tornar to return; **tornar a subir** to go up again

torno: en torno de around

toro *m.* bull; **los toros** bullfight

torpe slow; base

torpeza *f.* slowness; stupidity

torre *f.* tower

torta *f.* cake; **torta sobada** shortcake

tórtola *f.* dove
tortuga *f.* tortoise, turtle
tos *f.* cough
tosco, -a tough, crude, rough, uncouth
toser to cough
total total; complete
trabajan [*pres. of* trabajar] (they) work
trabajar to work
trabajo *m.* work, labor
trabuco *m.* blunderbuss
tradición *f.* tradition
tradicional traditional
traer to bring, carry; wear; **traer escandalizado** to keep scandalized; **traer intenciones** to have intentions; **traer plan** to have something in mind, be up to something
tragedia *f.* tragedy
trágico, -a tragic
tragi-cómico, a tragicomic
trago *m.* draught; swallow, mouthful, drink
traía [*imperf. of* traer] (he) brought
traicionero, -a treacherous
traído, -a brought
traje *m.* clothes, costume, dress, suit
trajo [*past of* traer] (he) brought
tranca *f.* bar
tranquilamente tranquilly, calmly, peacefully
tranquilidad *f.* tranquillity, calmness
tranquilizar to calm, reassure; **tranquilizarse** to become calm
tranquilo, -a tranquil calm; peaceful
transcurrir to pass, elapse
transeúnte *m.* passer-by
transfigurar to transfigure, change, transform
transigir to compromise
tránsito *m.* transit; transition; stopping place
transparente transparent
transporte *m.* transportation
trascendental transcendental
trasladado, -a moved to another place; transported, removed
trasladar to transfer, transport; **trasladarse** to go, move (to another place)
traslucirse to become evident, be revealed

trasluz *m.* diffused light; **mirar al trasluz** to hold up to the light
Trastevere quarter of Rome on the bank of the Tiber
trastienda *f.* back room (of a store); reservation, secret thought
trastornar to upset
trastorno *m.* disturbance
tratamiento *m.* treatment; title
tratar to treat, deal; **tratar de** to try; deal with; **tratarse de** to be a matter (question) of
traté de [*past of* tratar de] I tried
trato *m.* treatment; manner; intercourse
travesía *f.* crossing
travesura *f.* mischief
travieso, -a gross, dissolute; **a campo travieso** across the fields
trazar to trace, outline, mark out
treinta thirty
tren *m.* train
tres three
trescientos, -as three hundred
triángulo *m.* triangle
tribulación *f.* tribulation, distress
tributo *m.* tribute
trigo *m.* wheat; **trigo candeal** white wheat
trinchador *m.* carver
trinchar to carve (meat)
triplicar to triple
triste sad
tristemente sadly
tristeza *f.* sadness
triunfar to triumph
triunfo *m.* triumph
trompa *f.* trunk (of an elephant)
tronar to thunder, shout
tronco *m.* trunk (of a tree); **dormido como un tronco** sleeping like a log
tropa *f.* troop; **misa de la tropa** regimental mass
tropezar to stumble (upon), run into, collide with, come upon; strike, hit; **tropezar con** to meet, encounter
trotar to trot
trote *m.* trot; **al trote** at a trot
trozo *m.* piece
trueno *m.* thunder; report (of a gun)
tu, tus your
tú you

tu dixiste (Latin) you said (it)
tul *m.* tulle (thin netting for veils)
tumba *f.* tomb
tunante *m.* scoundrel; villain
turbarse to become disturbed; become
   confused
turno *m.* turn
tute *m.* card game by this name
tuvo [*past of* **tener**] (he) had; **tuvo lugar**
   took place
tuyo, -a yours, of yours

U

u or
ufanía *f.* pride, complacency
último, -a last, final; **pór último** finally
un, uno, -a a, an; one; **unos** some; **en unos**
   tiempos at a time
único, -a unique, only, sole
unido, -a united
uniformidad *f.* uniformity, monotony
unir to unit, join
uno, -a one
unos, -as some
uña *f.* finger nail
urgente urgent
urgir to be urgent, be pressing
usar to use, adopt
usarcé (Vuestra Merced) Your Grace, you
Usía (Vuestra Señoría) *f.* Your Lordship; **Usía Ilustrísima** Your Most
   Worshipful Lordship
uso *m.* use, custom
usted you
ustedes *pl.* you
usualmente usually
ut (Latin) that, in order that
útil useful
utilísimo, -a most useful
Utrera: el sargento Utrera que reventó de
   feo Sergeant Utrera who was so
   homely that he burst wide open
uva *f.* grape

V

vacilación *f.* hesitation
vacilar to hesitate, waver
vacío, -a empty, vacant

vagamente vaguely
vago, -a wandering; lazy; **poner en vago**
   to tilt
vagón *m.* railroad coach
Valencia province and city of eastern
   Spain.
valer to be worth, have weight; **¡Cuánto**
   vales! What a jewel you are! **no hay**
   pero que valga there's no but about it;
   Válgame Dios Good Heavens
valerosamente valiently
valeroso, -a valiant
valiente valiant, brave
valientemente valiantly
valor *m.* valor
valle *m.* valley
¡Vamos! Come, let's go! **¿Qué tal va-**
   mos? How goes it?
vanidad *f.* vanity
vanidoso, -a vain
vano, -a vain
vapor *m.* steam; steamship
vara *f.* yard (2.78 feet in Spain); stick,
   pole
variado, -a varied; changing
variedad *f.* variety
varios, -as several, various
varón *m.* man, male; **ojos de varón** lustful
   eyes
varonil manly, virile
Varsovia Warsaw
vaso *m.* vase
vástago *m.* twig; offspring; **vástagos**
   children
vasto, -a vast
¡Vaya! [*pres. subj. of* **ir**] Go, Come now,
   Well; **¡Vaya con Dios!** Good-bye
ve [*imperative of* **ir**] go
ve [*imperative of* **ver**] see
ve [*pres. of* **ver**] sees; **no se ve nada**
   nothing can be seen
veamos [*pres. subj. of* **ver**] Let us see
veces *f. pl.* times; **a veces** at times
vecino *m.* neighbor; resident; **de estos**
   vecinos of this district
vega *f.* meadow, plain
vehemencia *f.* vehemence
veía [*imperf. of* **ver**] (I) saw, could see
veinte twenty
vejete *m.* silly old man

vejez *f.* old age
vela *f.* sail; **hacerse a la vela** to set sail
velar to watch; veil
veleta *f.* weather vane
velo *m.* curtain; shade
velocidad *f.* velocity, speed
velón *m.* lamp
ven [*pres. of* ver] (they) see; **no se ven** (they) cannot be seen
vena *f.* vein
vencedor *m.* conqueror, victor
vencer to conquer, overcome
vencido, -a conquered, overcome; **va de vencido** is almost finished, is drawing to a close
vencieron [*past of* vencer] (they) conquered
vender to sell, betray
vendrían [*cond. of* venir] (they) would come
Venecia Venice
veneno *m.* poison
venenoso, -a poisonous
venerable venerable
veneración *f.* veneration
venganza *f.* vengeance
vengarse to avenge oneself
venía [*imperf. of* venir] (he) came
venida *f.* coming
venido, -a come, arrived
venir to come; **venir a cuento** to be to the purpose; **el verano que viene** next summer
venta *f.* sale; **poner a la venta** to sell, put on sale
ventaja *f.* advantage
ventana *f.* window
ventanilla *f.* small window, window of a train
ventanillo *m.* small window
ventear to scent, get scent of
ventilar to ventilate, air; discuss
ventura *f.* good fortune, happiness, good luck; **el sin ventura** the unlucky (unhappy) man
ver *m.* sight, appearance, looks
ver to see; **a ver** let's see; **hubo que ver** you should have seen; **vamos a ver** let's see
verano *m.* summer

veras *f. pl.* truths, serious remarks; **de veras** really
verbigracia for example
verbo *m.* verb
verdad *f.* truth
verdaderamente truly, really
verdadero, -a true, real
verde green; shady, questionable, smutty (joke)
verdoso, -a greenish
verdugo *m.* executioner
verduras *f. pl.* greens, vegetables
veré [*fut. of* ver] I shall see
vergüenza *f.* shame
verja *f.* grating
versión *f.* version
verso *m.* verse
verter to pour; shed (tears)
vértigo *m.* vertigo, dizziness
vespertino, -a evening
vestido *m.* dress
vestimenta *f.* clothing
vestir(se) to dress
vez *f.* time; **a la vez** at the same time; **a su vez** in his turn; **cada vez mayor** greater and greater; **de vez en cuando** from time to time; **de una vez** once and for all; **en vez de** instead of; **otra vez** again; **por primera vez** for the first time; **tal vez** perhaps; **a veces** at times
v. gr., verbigracia, for example
vi [*past of* ver] I saw
vía *f.* way; tracks; route
vía férrea *f.* railroad
viaje *m.* voyage, trip
viajero *m.* traveller, passenger
vibrante vibrant, sonorous
víctima *f.* victim
vida *f.* life; **no . . . en la vida** never as long as I live; **por vida de los hombres** for Heaven's sake
vídose = se vio
vieja *f.* old woman
viejo, -a old; **viejo** *n. m.* old man
Viena Vienna
viendo seeing
viene [*pres. of* venir] (it) comes
viento *m.* wind
viernes *m.* Friday

vieron [*past of* **ver**] (they) saw
vigésimo, -a twentieth
vigilante *m.* watchman
vigilia *f.* vigil; wakefulness
vil *m.* wretch
villano, -a coarse, impolite, vulgar
villano *m.* villain; wretch
vimos [*past of* **ver**] we saw
vinagre *m.* vinegar
vine [*past of* **venir**] I came
vinieron [*past of* **venir**] (they) came
vino *m.* wine
vio [*past of* **ver**] (he) saw
violencia *f.* violence; act of violence; vehemence
violentamente violently
violento, -a violent
Virgen *f.* Virgin, Virgin Mary
virtud *f.* virtue; **en virtud de** as a result of
virtuosísimo, -a most virtuous
viruelas *f. pl.* smallpox; **picado de viruelas** pock-marked
visigodo, -a Visigothic
visión *f.* vision
visita *f.* visit; visitor
visitante *m.* visitor
visitar to visit, call on
víspera *f.* the day (evening) before; **vísperas** vespers
vista *f.* sight, view; eyes; **a la vista** in sight of, in view; **echar la vista** to cast one's eyes on
visto, -a seen; **por lo visto** evidently; **visto que** seeing that
vistoso, -a showy, loud; **lo vistoso** the splendor, showiness
visual visual
viuda *f.* widow
vive [*pres. of* **vivir**] (it) lives
viven [*pres. of* **vivir**] (they) live
viveza *f.* liveliness, ardor
vivía [*imperf. of* **vivir**] (he) lived, used to live
vivienda *f.* home, dwelling
viviente living
vivieron [*past of* **vivir**] (they) lived
vivir to live ¡**Viva!** Long live!
viviremos [*fut. of* **vivir**] we shall live
vivo, -a alive, live; intense, keen
vivo [*pres. of* **vivir**] I live

vocabulario *m.* vocabulary
vocación *f.* vocation
voces *f. pl.* voices
volar to fly; hurry; **voy volando** I'll be right there
voltereta *f.* tumble, somersault
voluntad *f.* will, good will
voluntariamente voluntarily
voluntario, -a voluntary
volver to return; **volver a + inf.** to do again; **volver de visita** to pay another visit; **volver en sí** to come to; **volverse** to turn, turn around, turn about; become
volveré [*fut. of* **volver**] I shall return
volvía [*imperf. of* **volver**] (I) returned
volvían [*imperf. of* **volver**] (they) returned, turned
volviera [*past subj. of* **volver**] (he) should return
volvimos [*past of* **volver**] we returned
volvió [*past of* **volver**] (he) returned; **volvió a llorar** she wept again
vosotros, -as you
votar to vote; swear (to do something)
voto *m.* vote; vow; ¡**Voto a Lucifer!** By Heaven!
voz *f.* voice; **a media voz** in a low voice; **dar voces** to shout; **en alta voz** aloud, in a high voice
vuelo *m.* flight
vuelta *f.* turn; return; **dar una vuelta** to take a turn, come back; **diéramos una vuelta** we should return; **estar de vuelta** to be back, returned; **tomar la vuelta** to turn back towards
vuelto, -a turned
vuelva [*pres. subj. of* **volver**] (he, she) return
vuestro, -a your
vulgar vulgar; popular
vulgo *m.* common people

Y

y and
ya already, now; all right; ¡**Ya lo creo!** Indeed! I should say so! **ya no** no longer; **ya que** since, now that
yanqui *m.* Yankee

yendo going
yerno *m.* son-in-law
yesca *f.* tinder; **echar yescas** to strike a
  light
yo I

Z

zafio, -a rough; boorish, ignorant
zalameramente in a flattering manner

zalamero, -a flattering; **por lo zalamero**
  because of its affectation
zancajada *f.* long stride; **dar zancajadas**
  to take long strides
zapato *m.* shoe
zarpa *f.* paw, claw
zorra *f.* fox
zorro *m.* fox
zozobra *f.* anguish
zumbar to buzz, hum
zumbón, -ona waggish

Credits

(numbered according to page)

3, 5, 15–Hispano-Moresque pottery, Valencia, fifteenth century, courtesy of the Hispanic Society of America. 16, 19–Ironwork, late fifteenth—early sixteenth century, courtesy of the Hispanic Society of America. 23–Sorolla, "Castilla", courtesy of the Hispanic Society of America. 31–Seville: the Cathedral with "la Giralda"; Ediciones Sicilia, Zaragoza. 32–Segovia: the Aqueduct; Foto Mas, Barcelona. 33–Design from the Alhambra, Granada, Peter Buckley. 36–New York Public Library. 40–Caracas, Venezuela: Apartments, courtesy of the Pan American Union. 42–Ecuador: Mount Chimborazo, courtesy of the Pan American Union. 60–El Greco, "Vista de Toledo", Metropolitan Museum of Art, bequest of Mrs. H. O. Havemeyer, 1929, the H. O. Havemeyer Collection. 62–Lacework, Seville, eighteenth century, courtesy of the Hispanic Society of America. 65–Toledo: the Cathedral, "altar mayor"; Foto Mas, Barcelona. 69–Madrid: El Retiro, Peter Buckley. 71–Hispano-Moresque pottery, detail, Valencia, fifteenth century, courtesy of the Hispanic Society of America. 74–Madrid: Palacio Real; Foto Mas, Barcelona. 82–Hispano-Moresque pottery, detail, Valencia, fifteenth century, courtesy of the Hispanic Society of America. 83–La Coruña, courtesy of the Spanish National Tourist Office, N.Y. 87–Goya, detail, courtesy of the Prado, Madrid. 89–"Sereno", courtesy of the Spanish National Tourist Office, N.Y. 95–La Mancha, Peter Buckley. 99–Courtesy of the Spanish National Tourist Office, N. Y. 100–Photo Wallowitch. 104–Knocker, late fifteenth—early sixteenth century, courtesy of the Hispanic Society of America. 117–David W. Corson from A. Devaney, Inc., N.Y. 132–Pines on the banks of the Duero, Michel Wolgensinger.

Cover photographs, and all photographs within the book other than those listed above, by Helena Kolda.

Drawings for "El sombrero de tres picos" by Fritz Kredel, reproduced by permission of the copyright owner, Henry Regnery Co.

MAPAS

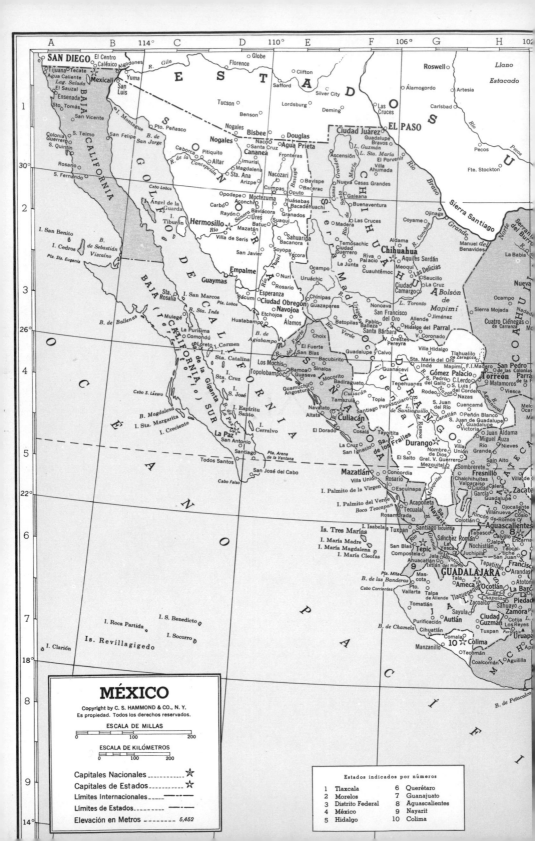

MÉXICO

Copyright by C. S. HAMMOND & CO., N.Y.
Es propiedad. Todos los derechos reservados.

ESCALA DE MILLAS
0   100   200

ESCALA DE KILÓMETROS
0   100   200

Capitales Nacionales .... ★
Capitales de Estados .... ☆
Límites Internacionales _____
Límites de Estados .... _ _ _
Elevación en Metros _____ 5,452

Estados indicados por números

1	Tlaxcala	6	Querétaro
2	Morelos	7	Guanajuato
3	Distrito Federal	8	Aguascalientes
4	México	9	Nayarit
5	Hidalgo	10	Colima